La investigación bibliotecológica en la era de la información

COLECCIÓN

SISTEMAS BIBLIOTECARIOS DE INFORMACIÓN Y SOCIEDAD
Centro Universitario de Investigaciones Bibliotecológicas

La investigación bibliotecológica en la era de la información

Memoria del XXI Coloquio de Investigación Bibliotecológica y de la Información
24-26 de septiembre de 2003

Compiladores

Filiberto Felipe Martínez Arellano
Juan José Calva González

Universidad Nacional Autónoma de México
2004

Diseño de portada: **Ignacio Rodríguez Sánchez**

Primera Edición 2004
DR © *UNIVERSIDAD NACIONAL AUTÓNOMA DE MÉXICO*
Ciudad Universitaria, 04510, México D.F.
Impreso y hecho en México
ISBN: 970-32-2001-0

Contenido

DIÁLOGOS DE INVESTIGACIÓN

TEMA:
EL FENÓMENO DE LOS USUARIOS DE LA INVESTIGACIÓN

TEMA:
LECTURA Y SOCIEDAD

Palabras de inauguración

FILIBERTO FELIPE MARTÍNEZ ARELLANO
Universidad Nacional Autónoma de México

Dra. Olga Elizabeth Hansberg Torres,
Coordinadora de Humanidades
Colegas y amigos:

S in duda alguna, interactuar tanto a nivel personal como institucional con investigadores y otras instituciones dedicadas al estudio de los problemas de la Bibliotecología y Estudios de la Información, coadyuva al fortalecimiento de la calidad de la investigación que se lleva a cabo en el Centro Universitario de Investigaciones Bibliotecológicas (CUIB). Reconociendo la importancia de lo anteriormente expresado, desde su fundación, el CUIB ha organizado año con año su Coloquio de Investigación con la finalidad de intercambiar experiencias y resultados de los proyectos de investigación de nuestros investigadores con reconocidos académicos de otras universidades del país y de otras latitudes. La comunidad de investigación del CUIB se ha dado cita el día de hoy para dar inicio a su XXI Coloquio Internacional de Investigación Bibliotecológica y de la Información, contando con la participación de investigadores y profesores de la Universidad de Brasilia, la Universidad Complutense de Madrid, la Universidad de Antioquía, la Universidad de Buenos Aires, la Universidad de Murcia, así como la Universidad Autónoma del Estado de México, la Universidad Autónoma de San Luis Potosí, la

Universidad Autónoma de Chihuahua y distintas entidades de nuestra Universidad. Por vez primera se ha incorporado dentro de nuestro Coloquio la participación de los estudiantes del Programa de Doctorado en Bibliotecología y Estudios de la Información de la UNAM, quienes presentarán avances de sus proyectos de investigación para de esta forma poder enriquecerlos. A todos los anteriormente mencionados, mi agradecimiento por su participación en el magno evento académico del CUIB.

El tema central alrededor del cual girarán las participaciones de nuestros investigadores y las de aquellos pertenecientes a otras instituciones es en esta ocasión "La investigación bibliotecológica en la era de la información." Ciertamente, los medios a través de los cuales se genera y distribuye la información y el conocimiento se han multiplicado, pues a los medios de comunicación impresa se han sumado otros. Junto a los libros, periódicos y revistas, coexisten en las bibliotecas nuevos recursos de información. Esto ha traído consigo nuevos problemas de investigación que necesitan ser abordados desde distintas perspectivas. Cabe esperar que al final de nuestro XXI Coloquio de Investigación Bibliotecológica haya sido posible identificar la manera de abordar la investigación de los problemas que este nuevo entorno de los libros, la lectura, las bibliotecas y la información ha causado entre nosostros.

CONFERENCIAS
MAGISTRALES

De la práctica a la investigación

ADOLFO RODRÍGUEZ GALLARDO
Universidad Nacional Autónoma de México

L a profesión bibliotecaria surge entre aquellos primeros hombres a quienes se les encargó el resguardo de los nacientes materiales documentales: documentos oficiales (leyes, edictos, bandos, títulos de propiedad); documentos comerciales (contratos de compraventa, inventarios, impuestos); documentos religiosos o eclesiásticos y, finalmente, obras de creación literaria y esparcimiento como narraciones y poemas.

Además de la obligación de reunir los materiales antes mencionados estaba el deber de ordenarlos, por lo que cada bibliotecario organizó su biblioteca siguiendo métodos muy personales, y lo que a la larga ocasionó heterogeneidad en la forma de usar las bibliotecas porque se obligaba a los usuarios a aprender los sistemas propios de cada una de ellas.

Los problemas de atención a los usuarios y de acceso a la información no eran muy serios, pues el acceso limitado a los materiales obligaba a consultarlos mediante la intermediación del bibliotecario, es decir del uso de estantería cerrada. Así pues los usuarios sólo tenían que copiar una clave, sin conocer su significado, cuya única utilidad para ellos era obtener el libro o el material que buscaban para su consulta.

Con el transcurso del tiempo, la bibliotecología se concentró fundamentalmente en las grandes bibliotecas nacionales o especializadas que no tenían como principal objetivo prestar servicios sino reunir una bibliografía exhaustiva sobre un tema o una región. Fue así como surgió la actividad bibliográfica de estas grandes instituciones. Y luego correspondió a las bibliotecas nacionales la elaboración de las bibliografías nacionales consideradas de gran utilidad en muchos países, aunque actualmente algunas naciones han suspendido su elaboración, entre ellas México.

Al cesar la producción de estas compilaciones bibliográficas se crea un vacío de instrumentos útiles para los investigadores de muchas áreas y disciplinas, además de perderse un recurso valioso en la preservación de la memoria bibliográfica de una región e incluso de un país.

Estas compilaciones son los primeros productos del trabajo de investigación de los bibliotecarios, sobre los cuales ya se ha escrito mucho. En este sentido aunque hay quienes las valoran como piezas de investigación, otros piensan que la compilación bibliográfica, aunque muy valiosa, no representa una investigación propiamente dicha, aunque sea resultado de un esfuerzo académico relevante.

Con el surgimiento de la bibliotecología moderna, los bibliotecarios tuvieron que enfrentarse a nuevos retos: la multiplicación de las bibliotecas públicas y con ello de los servicios destinados a un público diferente al de antaño. Con la nueva biblioteca pública el ciudadano común se torna el centro de atención de la biblioteca y para atenderlo adecuadamente será necesario cambiar desde los sistemas de clasificación y las formas de adquisición, hasta los servicios que se prestan en las pequeñas y grandes bibliotecas. La biblioteca moderna deja de tener ese carácter académico de las grandes instituciones que hemos mencionado y enfoca sus colecciones y servicios a las personas comunes, entre quienes se distinguen el profesionista liberal, el ama de casa, el niño y el estudiante, quienes requieren información para desarrollar sus actividades cotidianas. La biblioteca pública democratiza el acceso a la información al establecer como su objetivo principal satisfacer las necesidades de información de la totalidad de una comunidad local, municipal, estatal, etcétera. Para ello planea, organiza e implanta servicios a los que los miembros de la comunidad tienen acceso sin restricción.

Si bien es cierto que uno de los aportes de Melvil Dewey a la bibliotecología fue el énfasis que le dio a los aspectos prácticos de la profesión bibliotecaria, –lo que en su momento representó un aporte importante al permitir enfrentar los requerimientos de su época con un nuevo profesional–, también lo es que acentuó por muchas décadas el carácter práctico de la bibliotecología al alejar de la formación bibliotecaria las preocupaciones teóricas, filosóficas y científicas. El bibliotecario era alguien que se formaba en el ejercicio de las actividades profesionales. Incluso la terminología educativa utilizada durante muchos años no habló de la formación de bibliotecarios, es decir de su educación en los principios de la ciencia bibliotecológica, sino del adiestramiento o entrenamiento del personal bibliotecario. Analícese la literatura de casi todo el siglo XX y se encontrará que sólo hacia el fin del siglo se empieza a hacer mención de una formación de bibliotecarios que implique una sólida preparación metodológica basada en los principios de la disciplina; es decir, una educación expresada en principios, teorías, paradigmas y otros términos similares que no habían sido utilizados anteriormente.

Es por ello que la investigación como tal no existía en la bibliotecología, era algo realizado de manera esporádica por unos cuantos bibliotecarios que tenían preocupaciones académicas y científicas, y quienes deseaban darle un contenido diferente a la disciplina y a la formación de bibliotecarios. Bibliotecarios que aspiraban a que la profesión no fuera sólo una serie de prácticas rutinarias ni que los aportes a la disciplina consistieran exclusivamente en propuestas tomadas de la experiencia, aunque éstas hubieran sido implantadas por un tiempo y hubieran permitido el mejoramiento de procedimientos o rutinas.

La mayoría de los trabajos que se publicaban fueron resultado de experiencias de distinto tipo; las analizaremos más adelante.

En las escuelas de bibliotecología no se impartían cursos con la intención de formar a los bibliotecarios en principios, teorías y métodos científicos. La educación bibliotecológica consistía en transmitir una serie de conocimientos prácticos para realizar de la mejor manera los trabajos que se llevaban a cabo en la biblioteca; así los cursos de consulta, por ejemplo, consistían en entrenar a los estudiantes para utilizar las obras de referencia y en adiestrarlos para responder preguntas buscando en la fuente de consulta más adecuada. No se incluía nada sobre los principios que rigen al trabajo de referencia, sus características, sus principios y sus métodos. Y lo mismo sucedía con los cursos de procesos técnicos, los estudiantes eran entrenados en la catalogación de las obras de acuerdo con cada una de las reglas de los códigos de catalogación, y el énfasis en la elaboración de tarjetas se ponía en los espacios, los puntos y las comas. No se abordaban, entre otras cosas, los principios de la catalogación y la clasificación como instrumentos para ordenar documentos, o la filosofía que rige ese tipo de actividades.

Precisamente fueron estas características de la educación bibliotecaria las que motivaron la idea generalizada de que la bibliotecología era un conjunto de actividades que debían ser enseñadas y mejoradas mediante la aplicación de medidas correctivas; es decir que trataba aspectos rutinarios.

Además se concebía a la bibliotecología como la disciplina encargada de estudiar a la biblioteca y todo lo que en ella sucedía, con lo cual la percepción de que es la disciplina encargada de estudiar los fenómenos de generación, acopio, ordenación y difusión de los productos registrados del conocimiento humano se vio relegada. Esto provocó que el carácter práctico de la bibliotecología se enfatizara y que el campo de estudio se limitara a lo que acontecía dentro de los muros de la biblioteca. Si bien es cierto que este enfoque permite concentrarse en las actividades bibliotecarias, también lo es que limita enormemente el campo de estudio e investigación. Es por ello que entre otras razones la "investigación" se limitó a dar cuenta sobre los resultados de las acciones realizadas en las bibliotecas para mejorar los servicios bibliotecarios.

La enseñanza de la bibliotecología como práctica profesional basada en un grupo de rutinas y procedimientos repetitivos provocó que los conocimientos bibliotecológicos en particular, y la disciplina en general, se percibieran con carácter finito. Lo enseñado en las escuelas era todo el conocimiento existente y el único que se podía **adquirir**, y las adecuaciones a los procesos y los servicios se veían como rectificaciones o mejoramientos, pero en ningún momento se pensaba que era posible generar nuevo conocimiento bibliotecológico. Por eso Jarvis tiene razón cuando afirma lo siguiente: "Hoy, el conocimiento que adquiere la gente ya no es visto como algo cierto y concluido definitivamente, sino que más bien como algo relativo y cambiante",[1] de igual forma Isaac se pregunta si "El papel de la educación profesional debe ser examinado para determinar en qué medida las escuelas de bibliotecología disuaden a los estudiantes de hacer investigación avanzada en temas determinados".[2] A la luz de estos comentarios, resulta que, en buena medida, las escuelas de bibliotecología son las causantes de la falta de interés por hacer investigación, pues no fomentan su realización y transmiten la idea de que la labor bibliotecaria está exclusivamente relacionada con la práctica de los procesos y servicios que se realizan en la biblioteca.

Escudarse en que lo único que tienen que hacer los bibliotecarios es prestar servicio porque para eso fueron educados y por ello reciben un salario, es una visión extraordinariamente limitada. Nadie pretende que los bibliotecarios en servicio hagan todo; lo que se ha planteado y se reitera es que debe haber un grupo, no sé qué tan grande o pequeño, que se dedique a realizar investigación y que no esté a cargo del trabajo práctico que desarrolla la biblioteca. Ese grupo encargado de investigar será el que amplíe el conocimiento.

Con un objeto de estudio tan limitado y sin una fundamentación teórica, se intentó incluir a la bibliotecología en las ciencias sociales, al mismo tiempo que se pretendió aplicar los métodos y las técnicas empleados por éstas para solucionar los problemas bibliotecológicos. Así se introdujeron los estudios de caso, la estadística y la bibliometría, y se hicieron una gran cantidad de estudios que aportaban poco al conocimiento de la disciplina, pero que servían para comparar qué tan bien se realizaban y ejecutaban los procesos y los servicios llevados a cabo en la biblioteca.

---

1 Peter Jarvis. *The practitioner-researcher: developing theory from practice.* (San Francisco CA: Jossey Bass, 1999), 163.
2 Frederick Isaac. "The librarian, scholar , or author? The librarian's new dilemma." *Journal of Academic Librarianship* 9, no. 4 (September 1983), 218.

Esta sujeción de los pretendidos trabajos de investigación a las actividades prácticas es ejemplificada muy claramente por Swisher y McClure:

> Los principales medios para integrar a la investigación en el proceso de toma de decisiones y planeación son: (1) relacionar la investigación a las políticas metas y objetivos escritos de la biblioteca; (2) relacionar todos los proyectos de investigación a decisiones específicas que sean necesarias y que estén relacionadas con los fines y objetivos de la biblioteca; y (3) demostrar cómo los resultados de la investigación pueden ayudar a mejorar la efectividad y eficiencia de la biblioteca.[3]

También es cierto que no todos los bibliotecarios están interesados o al menos entienden el valor de la investigación en bibliotecología. Goldhor[4] nos dice que es importante hacer investigación, pero que posiblemente tan importante como eso es crear un grupo de personas que la entiendan. Por esto no sólo se refiere a que entiendan una determinada investigación, sino a que sean capaces de entender el valor de investigar como una actividad útil, que enriquece el conocimiento, fortalece la disciplina y nos permite avanzar en el conocimiento de la temática bibliotecológica. Isaac demuestra la falta de entendimiento que existe sobre la importancia que tiene la investigación, al mostrar más preocupación por la igualdad de los bibliotecarios que por los aportes que la investigación puede hacer para la disciplina.

> Un requisito de la investigación bibliotecológica puede crear, por ejemplo, una división jerárquica de los bibliotecarios entre un grupo que recibe salarios bajos y tiene un status bajo y que se ve obligado a hacer un número creciente de actividades diarias, mientras otro grupo tiene libertad para hacer investigación y publicar.[5]

Como puede apreciarse, el autor apunta hacia una amplia tendencia entre los profesionales que no comprenden el hecho de que es

---

3   Robert Swisher and Charles R McClure. *Research for decision making: methods for librarians.* (Chicago : American Library Association, 1984), 9.
4   Herbert Goldhor. *An introduction to scientific research in librarianship.* (Urbana, Ill. : University of Illinois, Graduate School of Library Science, 1972).
5   Frederick Isaac. "The Librarian, scholar, or author? The librarian's new dilemma", 218.

común en todas las disciplinas que mientras un grupo ejerce la profesión otro hace investigación, y que es justamente la investigación la que enriquece el campo del conocimiento disciplinar.

Lo que es cierto es que hay una serie de trabajos, que más adelante trataremos de caracterizar, que han sido elaborados por profesionales de la bibliotecología y que han sido presentados como "investigación" en diversos foros, seminarios, congresos e incluso en publicaciones periódicas especializadas.

Peter Jarvis ha trabajado durante muchos años la temática de aquellos profesionales que son considerados como solucionadores de problemas; es decir esos bibliotecarios que han enfrentado una dificultad en la práctica y que al darle alguna solución han publicado los resultados de ésta pensando que se trata del resultado de una investigación. Jarvis ha logrado identificar tres tipos de estos practicantes-investigadores:[6]

Los primeros son aquellos que abordan el estudio como si fuera una forma de educación continua o formal que estudia uno o más aspectos de su práctica profesional.

Los segundos son aquellos que realizan proyectos enfocados a la administración "[...] con el fin de proporcionar información para la toma de decisiones".[7] En este caso el énfasis se pone sobre las actividades prácticas que son importantes para la organización o institución.

El tercer tipo es aquél que realiza investigación de orientación práctica con el único fin de satisfacer su propia curiosidad.

Me parece que faltaría incluir un nuevo tipo de profesional que aborda la investigación con la finalidad de ampliar el conocimiento existente, o bien que intenta encontrar una nueva fundamentación de la disciplina, algo que sólo puede lograrse mediante la investigación. Este último no es necesariamente un practicante de la profesión en el más estrecho sentido de la palabra, es decir no es el bibliotecario que trabaja en una biblioteca y que organiza materiales

---

6   Peter Jarvis. *The practitioner-researcher*, 5-7.
7   *Ibid.*, 6.

o presta servicios. Es el profesional cuyas actividades principales son la enseñanza o bien la investigación.

Rebecca Watson-Boone amplía algunos de los conceptos presentados por Jarvis y nos señala que los tres tipos de bibliotecarios practicantes presentados anteriormente tienen en común las siguientes características "[...] ellos quieren comprender y entender mejor, así como ejercer la práctica de su profesión, además de que disfrutan aprendiendo".[8] De igual forma H. K. Morris Baskett y Victoria J. Mersick encuentran que "[...] los profesionales, en general ven al aprendizaje como una forma en la que ellos agregan nuevo sentido a lo que ya conocen".[9]

Goldhor categorizó la literatura bibliotecológica en relación con la investigación de la siguiente forma:

1. hay un cuerpo de publicaciones producto de la investigación, donde ésta es definida de una forma estrecha;
2. existe gran cantidad de estudios sobre los servicios publicados y sin publicar, o investigación aplicada;
3. hay un número aún mayor de informes y descripciones sobre situaciones específicas o simples opiniones; y
4. se trata de datos originales.

Shera[10] encontró que debido a la gran dependencia de observaciones locales y a la información limitada, la investigación es más bien parroquial que general en su aplicación .

Los profesionales tienden a comparar los nuevos conocimientos a los que deben enfrentarse con el caudal de conocimientos que ya poseen. Watson-Boon ha explicado con claridad ese proceso de encarar los nuevos conocimientos para incorporarlos a la práctica profesional.

---

8   Rebecca Watson-Boone. "Academic librarians as practitioner-researchers." *Journal of Academic Librarianship* 26, no. 2 (March 2000), 86.

9   H.K. Morris Baskett and Victoria J. Mersick. *Professional's ways of knowing: the new findings on how to improve professional education.* New directions for adult and continuing education, no. 55. (San Francisco CA., Jossey Bass, 1992).

10 Jesse H. Shera. "Darwin, Bacon, and research in librarianship" *Library Trends* 13 (July 1964),147.

Los profesionales de la bibliotecología cuando enfrentan nuevos conocimientos tienden a compararlos con las experiencias previas, adquiridas en el conocimiento básico, considerar similitudes y diferencias, derivadas de las formas de comparar y de abordar las nuevas situaciones e intentar varias posibilidades para su manejo. Algunos resultados de esos ejercicios incluyen el incremento de nuevas habilidades; nuevo conocimiento práctico y posiblemente una nueva comprensión de sus prácticas. En otras palabras, para transformar la *información* inicial en su propio *conocimiento* basado en la práctica, los profesionales principiantes dejan:
1. la confianza en principios abstractos para apoyarse en experiencias concretas,
2. de considerar la situación como una compilación de partes para verla como un todo, y
3. de ser observadores imparciales y se convierten en practicantes involucrantes.[11]

Así, los bibliotecarios prácticos abordan en forma distinta el problema de la investigación, pues ellos no están tan interesados en las especulaciones teóricas, ni básicas, sino más bien en solucionar los problemas que su práctica bibliotecaria cotidiana les presenta.

La mayor parte de lo que los practicantes consideran investigación se refiere a temas relacionados con la práctica, más que a los temas que están relacionados con la práctica en general. Los investigadores prácticos en las bibliotecas tienden a preferir la investigación aplicada sobre la que aborda problemas básicos porque la primera les permite solucionar problemas inmediatos.[12]

Posiblemente la característica más importante para tipificar la investigación como tal sea generalizar sus resultados: si es posible hacer extensivos los resultados de nuestros estudios a la mayor parte de las situaciones semejantes, entonces podremos decir que hemos hecho una investigación, y que aunque sus resultados no son leyes generales, al menos son generalizables en casos semejantes.

---

11 Rebecca Watson-Boone. "Academic librarians as practitioner-researchers", 86.
12 Ronald R. Powell. *Basic research methods for librarians.* (Norwood, New Jersey : Ablex, 1985), 44.

Mucho habría que discutir sobre lo que se entiende por investigación pero por el momento abordemos la definición de Mouly citada por Powell:

> La investigación se concibe mejor como el proceso de llegar a soluciones confiables a problemas mediante la recolección planeada, sistemática e interpretada de la información.[13]

Esta definición general sugiere que existen cuando menos dos tipos de investigación, una de las cuales es la investigación *básica*, también llamada teórica o científica. Esta investigación está interesada principalmente en producir conocimiento nuevo y sólo se relaciona indirectamente con la forma en que ese conocimiento será aplicado a problemas reales, específicos o prácticos. O como Vickery estableció en 1975: "La investigación científica... está concentrada en elucidar conceptos y sus relaciones, y las hipótesis y teorías que no están relacionadas directa o necesariamente con problemas técnicos o prácticos."[14] Este tipo de investigación, desde un punto de vista simplista, tiene fines propios.

El segundo tipo de investigación es el que se conoce como investigación aplicada, también denominada investigación activa o de acción, y comprende una amplia variedad de técnicas como el análisis de sistemas y la investigación de operaciones. En contraste con la investigación pura o básica, la investigación aplicada enfatiza la solución de problemas específicos en situaciones reales. La mayor parte de la investigación relacionada con la biblioteca ha sido investigación aplicada y ha abordado todo tipo de estudios, desde la evaluación de colecciones bibliográficas hasta la adopción de sistemas automatizados de préstamo para bibliotecas.

De acuerdo con Mouly,[15] la distinción entre investigación pura y aplicada no es muy clara. Todos los descubrimientos tarde o temprano serán útiles y prácticos, sin importar qué tan desinteresada esté la

---

13 George J. Mouly. *Educational research: the art and science of investigation.* (Boston, MA.: Allyn and Bacon, 1978), 12.

14 B. C. Vickery. "Academic research in library and information studies." *Journal of Librarianship* 7 (July 1975), 158.

15 George J. Mouly. *Educational research: the art and science of investigation,* 43.

investigación pura en la aplicación inmediata de sus resultados. Además ambos tipos de investigación están orientados hacia el descubrimiento de verdades científicas y las dos son prácticas en ese sentido, pues tienden a solucionar problemas del hombre y de la sociedad.

Los principales métodos de investigación se discuten brevemente a continuación, y se mencionan aquellas características básicas que facilitan su identificación y tipificación. Para esta parte de la presentación se ha seguido muy de cerca el trabajo de Rebecca Watson-Boone *"Academic Librarians as Practitioner-Researchers"*, el cual he completado con aportes propios o bien observaciones que me ha parecido pertinente presentar.

INVESTIGACIÓN ACTIVA O DE ACCIÓN

Este tipo de investigación presupone que algo cambiará si se le aplica el método propuesto a un problema, e implica que los afectados por el problema estén comprometidos con el esfuerzo de investigación. Este método contiene los siguientes elementos:

1. pretende mejorar la práctica de alguien en particular o la forma de hacer el trabajo;
2. pretende que el practicante mejore su comprensión de la práctica;
3. sus resultados deben incluir el mejoramiento racional y justificado de la practica social y educativa del bibliotecario practicante;
4. sus resultados pueden aportar desarrollo teórico, e incluir tanto aspectos teórico - prácticos como formales;
5. sus resultados deben fortalecer el desarrollo personal y profesional del practicante; y
6. sus resultados deben cambiar el sistema que forma el contexto de un proyecto de investigación activa o implicar cambios en sistemas relacionados, una comunidad, o una organización y sus culturas.

Este tipo de investigación no pretende encontrar postulados más o menos definitivos, puesto que la identificación de problemas y su solución es cíclica, más bien comprende el planeamiento, la ejecución, la observación y la reflexión.

INVESTIGACIÓN BASADA EN ESTUDIO DE CASOS

Este tipo de investigación se caracteriza por abordar un problema o un tema único, como por ejemplo las dificultades de una biblioteca, o bien un problema específico de una biblioteca. Además este tipo de investigación estudia problemas contemporáneos y la metodología de esta forma de investigación no se emplea en estudios de tipo histórico, ni teórico. Por ser contemporánea, su temática cubre asuntos que están afectando los procesos o los servicios que se desean mejorar.

Este tipo de trabajos fue muy socorrido sobre todo durante la segunda mitad del siglo XX. En un intento por solucionar los problemas específicos que afrontaban las distintas bibliotecas o bien algunos departamentos de ellas, y por pretender darle un carácter científico, lo que se utilizó extensivamente fue el estudio de casos.

Posiblemente la mayor limitación de este tipo de estudios es que no son, ni pretenden ser, extensivos a todas las bibliotecas o a la disciplina en general. No obstante, los estudios de caso llenaron las páginas de muchas publicaciones periódicas especializadas en bibliotecología. Esta metodología es propia de las ciencias sociales y su utilización intenta comprender una problemática determinada y encontrarle soluciones.

INVESTIGACIÓN EXPERIMENTAL

Este tipo de investigación se usa comúnmente, según Mary Ellen Soper, Larry Osborne y Douglas Zweizig, para "[...] probar una relación causal entre o con las variables involucradas. Una relación causal existe cuando uno o más fenómenos, variables o eventos causan, o al menos influyen, en otros eventos."[16] Esta forma de investigación requiere que el estudio sea conducido dentro de un diseño preestablecido para la recolección y el análisis de ciertas actividades. Esto funciona mejor cuando todos los factores que influyen en un objeto

---

16 Mary Ellen Soper, Larry N. Osborne and Duglas Zwezing. *The librarian's thesaurus.* (Chicago, Ill. : American Library Association, 1990), 25.

de estudio pueden ser controlados y el investigador puede manipular las variables independientes, y por tanto transformar las dependientes.

Con frecuencia, en las ciencias sociales en general, hacer investigación experimental quiere decir seleccionar un grupo de temas y hacer algo con ellos u observar el efecto de lo que se ha hecho o ha sucedido.

La clase más común de estudios experimentales en las bibliotecas académicas es el grupo de control que se prueba antes y después del experimento para medir los efectos de la instrucción bibliográfica. Por ejemplo, al comparar las habilidades de búsqueda bibliográfica de tres grupos, el grupo de control es probado antes y después de recibir instrucciones específicas y/o diferentes. Esto permite identificar el impacto de cada variable.[17]

INVESTIGACIÓN EVALUATIVA

Ésta es similar a la investigación experimental, pues generalmente busca verificar hipótesis. Se concentra entonces en una variable dependiente y establece controles sobre el mayor número de variables posible, a la vez que plantea problemas de confiabilidad y validez. Existen dos formas básicas de hacer investigación evaluativa: la formativa y la sumativa. La primera comprende la recolección de información o de datos mientras que el programa de estudio se está llevando a cabo. Dado que la evaluación se realiza a la mitad de los programas de actividades, los hallazgos sirven para revisar y mejorar el programa, por lo que el diseño del estudio debe permitir alguna flexibilidad para realizar cambios durante su desarrollo.

La evaluación de la administración (*performance measurement*) es una forma común de hacer investigación evaluativa, la cual implica características de los dos tipos. Es formativa porque su retroalimentación puede ser reunida, y se pueden hacer cambios en la medida en que el programa avanza. Es sumativa porque el investigador busca

---

17 Earl Babbie. *The practice of social research.* 5 ed. (Belmont, CA. : Wadsworth Publishing, 1989), 212.

comparar la realización real de un servicio o un departamento de la biblioteca con metas establecidas previamente.

Los cuestionarios, las entrevistas, la observación y otras técnicas son utilizadas con cualquiera de los tipos de investigación evaluativa.

INVESTIGACIÓN DE CAMPO (SURVEY)

Es éste un método familiar para casi todos aquellos que se muevan en el mundo académico de las ciencias sociales. No obstante estar ligado al uso de cuestionarios, este tipo de estudio de campo no puede identificarse sólo por el uso de éstos, debido a que los cuestionarios son instrumentos que se usan para reunir información, mientras que la investigación de campo es un método.

Cuando la investigación de campo se centra en las personas, se puede tener la seguridad de que el investigador está estudiando las percepciones, las actitudes o el comportamiento de los miembros de un grupo, de tal suerte que los hallazgos se puedan generalizar a todo el grupo. Este tipo de investigación también busca información sobre incidentes y desarrollos, distribución y frecuencias o políticas y procedimientos, pero su objetivo es permitir la generalización de sus resultados.

Las técnicas más usadas en las investigaciones de campo son los cuestionarios por correo o las entrevistas entre el investigador y el participante.[18]

INVESTIGACIÓN DOCUMENTAL

Este tipo de investigación se basa en fuentes escritas, estén éstas publicadas o no, y los datos recabados son utilizados para conocer mejor un aspecto específico. Muchos de los estudios históricos utilizan este tipo de investigación. Se busca en los archivos de los bibliotecarios, las bibliotecas o las escuelas de la especialidad, y se

---

18 Rebecca Watson-Boone. "Academic librarians as practitioner-researchers", 90.

construye una explicación lógica que permita comprender mejor un momento dado, las implicaciones de una acción o un fenómeno, el impacto de un determinado bibliotecario en el desarrollo de nuevos servicios, o ciertas teorías o concepciones sobre algún aspecto de la disciplina.

En la historia de la bibliotecología han existido desde muy temprano intentos que buscan fomentar que los bibliotecarios tengan una concepción histórica de su disciplina, pues se piensa que quien no está consciente de su historia poco puede hacer para realizar un trabajo cuyas raíces no comprende.

> Esta lucha por ganar para la historia un reconocimiento de su importancia, como un elemento en la actividad académica de investigación no se ha ganado en bibliotecología; en realidad ha perdido terreno debido a la tendencia creciente de adoptar para la investigación en bibliotecología, los métodos de investigación de otras ciencias sociales. En la urgencia de los bibliotecarios por aplicar la forma y no lo fundamental de las ciencias sociales, la investigación de los problemas bibliotecológicos ha significado confundir las formas con los fines, y las técnicas se han empleado sin considerar si eran apropiadas, los resultados han sido erróneamente interpretados o si el método histórico ha sido pisoteado.[19]

Lo peor es que muchos científicos sociales consideran que los estudios históricos o que la investigación histórica son totalmente estériles y de poca utilidad. Esta contradicción entre utilizar una metodología que se piensa como adecuada para fundamentar la ciencia bibliotecológica, y al mismo tiempo despreciar la historia, crea una confusión que nos ha llevado a ignorar este campo de investigación en nuestra disciplina

Además de los estudios históricos, la investigación documental ayuda a las investigaciones cuyo objetivo es conceptualizar algunos temas o conceptos de la disciplina. Así por ejemplo la definición de lo que es la biblioteca pública y sus alcances se basa en los conceptos que en distintos lugares y momentos se ha tenido acerca de este tipo de biblioteca, y para ello lo que se requiere es consultar los paradigmas

---

19 H. Jesse Shera. "On the value of library history." *Library Quarterly* 22 (July 1952), 240-41.

anteriores y documentarse con ellos, para intentar una nueva conceptualización de la biblioteca pública.

INVESTIGACIÓN MÉTRICA

Este tipo de investigación estuvo muy de moda los últimos 25 años del pasado siglo XX. Se realizaron una gran cantidad de estudios sobre todo tipo de temas. Se utilizó la estadística como instrumento de trabajo porque se pensó que esto le daba un carácter "científico" a la disciplina. La realidad fue muy distinta, se utilizó esta técnica para hacer una gran cantidad de mediciones sobre aspectos prácticos, pero no se amplió el conocimiento sobre este tema. Los estudios métricos emplearon principalmente la ley de Pareto sobre los óptimos económicos y ésta fue utilizada posteriormente por Bradford y aplicada a la información. Pero no se amplió el conocimiento ni se descubrieron nuevos instrumentos de análisis. De nueva cuenta, los bibliotecarios practicantes analizaron su temática de trabajo bajo la óptica de las matemáticas y la estadística, pero el enfoque continuó siendo encontrar solución para los problemas del servicio.

Como hemos dicho anteriormente, la investigación bibliotecológica ha pretendido encontrar en las ciencias sociales el paradigma a seguir para convertirse en una ciencia verdadera, y una de las técnicas que utilizó fue la estadística. Shera nos lo explica de la siguiente forma:

> Dado que la bibliotecología usó como modelo el método de las ciencias sociales en la investigación, esto la hizo apoyarse fuertemente en las estadísticas, de tal forma que durante algún tiempo investigación en bibliotecología fue sinónimo de investigación estadística; y el valor e importancia de un proyecto de investigación dependió del comprobable nivel de habilidades en el manejo de la estadística.[20]

---

20 H. Jesse Shera. "Darwin, Bacon and research in librarianship", 146.

Siete pasos comunes de los investigadores practicantes

Los investigadores que son practicantes de la profesión, tienden normalmente a enfocar sus investigaciones de modo que éstas solucionen los problemas existentes en la biblioteca. Por esta razón casi todos ellos siguen los siguientes pasos:

1. identificar el verdadero problema que necesita solución;
2. definir las posibles formas de resolver el problema;
3. seleccionar el proceso que se cree tiene las mayores oportunidades de funcionar exitosamente;
4. establecer los criterios contra los cuales se medirá el éxito de los esfuerzos por solucionar el problema;
5. llevar a cabo los esfuerzos que se han planeado;
6. evaluar qué resultados ha tenido el esfuerzo, y
7. reflexionar si los resultados han resuelto los problemas satisfactoriamente.[21]

Como puede observarse en los puntos anteriores, la investigación que tiene como objeto ampliar el conocimiento sobre un tema determinado y la investigación fundamental que se basa en teorías y valores, no están incluidas en la propuesta de Watson-Boone, éste es un magnífico ejemplo de lo que se planteó al principio de este trabajo, la investigación que se hace tiende principalmente a solucionar problemas prácticos del ejercicio profesional, o del funcionamiento de la biblioteca. Pero los temas que tienen que ver con la ampliación del conocimiento concitan un bajo interés.

Para concluir creo que es pertinente acercarnos a las definiciones que Shera nos ofrece en su artículo de 1964. En él, con gran claridad, expresa una serie de definiciones sobre lo que es la investigación en general, y en particular la bibliotecológica:

> Nosotros aprendemos tanto de Bacon como de Darwin que la investigación en sentido genérico es mucho más que un método o sistema de métodos, una tecnología o un cuerpo de prácticas. Aunque puede involucrar a cualquiera de estas cosas, no es sólo definida por ellas. Ni tampoco debe de ser equiparada con la invención, con la que frecuentemente es confundida por el lego. Es más bien un acto intelectual que

---

21 Rebecca Watson-Boone. "Academic librarians as practitioner-researchers", 90.

empieza haciéndose preguntas (que emergen de la conciencia de nuestra ignorancia) y progresa a través del examen crítico de evidencias que son tanto relevantes como confiables para la revelación de la verdad que es generalizable y universal. La meta de la investigación es el perfeccionamiento del conocimiento humano a través de la búsqueda de la verdad, meta que no puede ser alcanzada del todo pero que siempre debe asumirse como alcanzable.

Descrita como una serie de actos secuenciales, la investigación es un proceso intelectual por medio del cual se percibe un problema, se lo divide en sus elementos constituyentes y se lo analiza a la luz de ciertas suposiciones básicas; se recogen datos válidos y relevantes; y se ponen objetivamente a prueba o se rechazan, enmiendan o prueban hipótesis (si es que las hay). Los resultados generalizables de este proceso se convierten en principios, leyes o verdades que contribuyen al entendimiento del hombre por él mismo, su obra y su medio ambiente. Dicho de otra forma, la investigación es un intento sistemático para descubrir hechos nuevos o grupos de hechos, o una nueva relación entre ellos, a través de explicaciones preliminares o hipótesis que están sujetas a una investigación adecuada para validarlas o desaprobarlas.[22]

OBRAS CONSULTADAS

Babbie, Earl. *The practice of social research.* 5 ed. Belmont, CA. : Wadsworth Publishing, 1989. 501, [143] pp.

Baskett, H.K. Morris and Victoria J. Mersick. *Professionals' ways of knowing : new findings on how to improve professional education.* San Francisco . Jossey-Bass, 1992. 123 pp.

Goldhor, Herbert. *An Introduction to Scientific Research in Librarianship.* Urbana, ILL.: University of Illinois, Graduate School of Library Science, 1972. 203 pp.

Isaac, Frederick. "The Librarian, Scholar, or Author? The Librarian's New Dilemma" *The Journal of Academic Librarianship* vol. 9, no 4 (September 1983) : 216 – 20

---

22 H. Jesse Shera. "Darwin, Bacon and research in librarianship", 144.

Jarvis, Peter. *The Practitioner – Researcher: Developing Theory from Practice*. San Francisco, CA., Jossey – Bass, 1999. 199 pp.

Mouly, George J. *Educational Research: The Art and Science of Investigation*. Boston, MA: Allyn and Bacon, 1978. 390 pp.

Powell, Ronald. R. *Basic Research Methods for Librarians*, Norwood, NJ.: Ablex Publishing Co., 1985. 188 pp.

Reynolds, Sally Jo. "Sabbatical: The Pause that Refreshes" *The Journal of Academic Librarianship* 16, no. 2 (1990) : 90-93.

Shera, Jesse H. "Darwin, Bacon, and Research in Librarianship." *Library Trends,* 13 (July 1964): 141-49.

– – . "On the value of Library History." *Library Quarterly* 22 (July 1952) : 240-51

Soper, Mary Ellen, Larry N. Osborne and Douglas Zwezing. *The Librarian's Thesaurus.* Chicago Ill. : American Library Association, 1990. 164 pp.

Swischer, Robert y Charles R. McClure. *Research for Decision Making: Methods for Librarians.* Chicago, Ill.: American Library Association, 1984. 209 pp.

Vickery, B. C. "Academic research in Library and Information studies," *Journal of Librarianship* 7 (July 1975) : 153 – 60

Watson – Boone, Rebecca. "Academic Librarians as Practitioner-Researchers". *The Journal of Academic Librarianship* vol. 26, no. 2 (March 2000) : 85 -93

21

Uma proposta conceitual para a massa documental considerando o ciclo de interação entre tecnologia e o registro do conhecimento

ANTONIO MIRANDA
ELMIRA SIMEÃO
Universidade de Brasília, Brasil

> *Não devemos pensar que essa revolução se vincula unicamente e mecanicamente às transformações dos aparatos, se liga também a transformações culturais, políticas, sociais. Em seu famoso ensaio sobre a reprodução mecânica das imagens, Walter Benjamim afirma que as técnicas não têm sentido em si mesmas. Suas significações dependem do uso que podem as sociedades fazer delas. Isso é mais importante que qualquer determinismo tecnicista.*
>
> **Roger** **Chartier**

INTRODUÇÃO

O impacto das tecnologias no processo de comunicação tem provocado uma reordenação dos processos de produção e distribuição de conteúdos o que significa também mudanças nas práticas e rotinas profissionais. A superação da fase do processamento técnico para a formação de estoques insere os documentos e registros em um contexto de transferência e uso efetivo das informações. Todos estes avanços são decorrentes do ato comunicativo e sua necessidade de decifração, possível através do controle bibliográfico, da organização e da difusão de informações. (McGarry, 1984).

A polissemia do conceito de "informação" parece ser uma decorrência natural da apropriação do termo por diferentes áreas do conhecimento e está ligada ao fenômeno conhecido como "definição consuetudinária" em que diferentes especialistas se expressam conforme o estado da arte dos conhecimentos sobre determinado fenômeno. Tais definições estariam, conseqüentemente, sujeitas a reformulações e reconceitualizações *pari passu* com a evolução da pesquisa. A questão que se levanta constantemente é se a Ciência da Informação deveria ou não ter uma concepção única para o termo, o que parece não só impraticável, quanto inócuo.

Informação é matéria prima de todas as áreas do conhecimento, que a entendem conforme sua forma de apropriação, teorização, dependente do estágio de desenvolvimento de teorias e práticas metodológicas. A Ciência da Informação, por sua origem na indústria da informação, parece privilegiar a visão de informação como conhecimento (de alguma forma) registrado, atrelado ao conceito de documento na concepção popperiana do termo.[1] Barreto aponta sua análise fenomenológica na mesma direção:

> A estrutura da informação é aqui considerada como qualquer inscrição de informação em uma base física que a aceita; a estrutura é então pensada como sendo um conjunto de elementos que formam um todo ordenado e com princípios lógicos. Assim trabalhamos com o pressuposto de que uma estrutura de informação textual, um texto de informação, possui características de linguagem que admitem uma análise morfológica, e que esta permite extrair indicações para decisões estratégicas de gestão com intenções de conhecimentos. (BARRETO: http//www.dgzero.org/ago01/Art_01htm).

Todo documento (no sentido de informação registrada) está exposto a diferentes abordagens, dependendo dos propósitos de busca, mas seria possível apontar duas direções complementares e interdependentes: a primeira voltada para o conteúdo enquanto tal e a segunda para a estrutura do próprio documento. As diversas áreas

---

1   A propósito ler Miranda, Antonio. A Ciência da Informação e teoria do Conhecimento Objetivo: um relacionamento necessário. In: *Campo da Ciência da Informação: gênese, conexões e especificidades*. João Pessoa: Editora da UFPb, 2002. (No prelo).

as de pesquisa são conduzidas pelo conhecimento disciplinar consubstanciado nos registros, questionando-os e reformulando-os constantemente segundo a prática postulada pela Teoria do Conhecimento Objetivo (Popper) da cadeia produtiva das "conjecturas e refutações".

Na outra margem do processo estaria a Ciência da Informação trabalhando a massa documental para torná-la acessível valendo-se de suas teorias, metodologias e tecnologias de análise e manipulação estrutural. A massa documental, seja ela convencional ou virtual,[2] coloca-se como problema e pode ser abordada como objeto de estudo de várias ciências, incluindo a Ciência da Informação, voltada para compreender sua natureza e uso social por métodos quantitativos e qualitativos.

UMA PROPOSTA

Tendo em vista a idéia de que a Ciência da Informação centra-se na análise do fenômeno da massa documental, segundo os argumentos expostos anteriormente, seria oportuno, para seu melhor entendimento, a conceituação de seu elemento básico que é o próprio documento. Antes, porém, convém evitar a precipitação, aparentemente óbvia, de afirmar que a Ciência da Informação seria a ressurreição pós-moderna da Documentação.

É certo que tanto a Ciência da Informação como a Documentação Científica têm suas origens na questão da bibliografia especializada, baseada na produção científica, requerendo seu tratamento e organização para consumo da comunidade científica. Provavelmente, em

---

2   A diferença entre virtual e físico não faz muito sentido se atentarmos para a mediaticidade dos fenômenos em que tudo que é virtual tem sua base física necessária e sem esta não é possível o acesso e uso das informações. Pode-se traçar o paralelo entre os termos (aparentemente opostos) disponível e acessível, para afirmar que tudo que é acessível é, antes, disponível em algum ponto do sistema (ex. os documentos acessíveis da Biblioteca do Congresso dos Estados Unidos estão disponíveis também, embora a recíproca não seja verdadeira, pois nem tudo que está disponível naquela biblioteca está necessariamente acessível). Pode-se inferir que o virtual estará sempre baseado em alguma estrutura física.

virtude dessa coincidência, é que existe tanta celeuma em torno da origem da bibliometria, que foi o primeiro grande esforço teórico e metodológico para o tratamento e análise do então chamado fenômeno da explosão da informação, ou seja, da expansão da massa documental.[3]

O documento passa a ser a unidade ou objeto primeiro de estudo da Ciência da Informação como, por conseqüência, também de toda e qualquer ciência, segundo os seus enfoques e interesses próprios. Vamos igualmente fugir da discussão relativa à definição de documento. Sem dúvida que é importante dispor de enunciações adequadas– e, de fato, existem várias na literatura, –mas esta análise é a de sua natureza no denominado ciclo informacional. Para a discussão do fenômeno, partindo do pressuposto cartesiano de que um objeto complexo torna-se melhor observado mediante a decomposição em seus elementos constitutivos, propomos o seguinte esquema:

Figura 1
Elementos constitutivos do Documento - célula estrutural

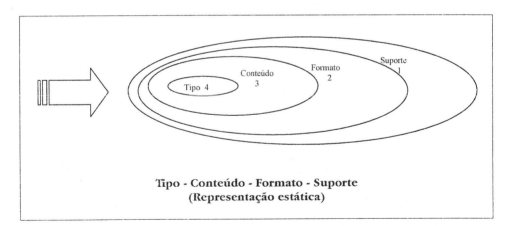

Tipo - Conteúdo - Formato - Suporte
(Representação estática)

---

3   Segundo Edson Nery da Fonseca, a bibliometria foi grafada pela primeira vez em 1900 por Paul Otlet e a confusão quanto à sua origem corre por conta do desconhecimento dos autores anglo-saxões das obras pioneiras dos ensaístas das línguas neolatinas.

Tipo

Para a compreensão do documento como objeto de estudo, deve-se partir de sua tipologia ou tipificação. O tipo do documento está intrínseca e indissociavelmente relacionado com a sua produção. No processo produtivo do conhecimento, há sempre uma eleição prévia conforme os objetivos perseguidos. Tipos tais como artigos científicos, relatórios técnicos, dissertações e teses acadêmicas, resenhas, recensões e resumos, livros e patentes têm configurações convencionais, consagradas pelo uso e sujeitos às exigências formais e normas adequadas à sua produção e veiculação. São formas que, por força de sua reconhecibilidade, predeterminam os modos de produção e uso.

Na prática, há expectativas maiores ou menores segundo os tipos de documentos por parte do público, objeto de instâncias reguladoras que vão das normalizações até aos mecanismos de editoração. O tipo de documento ou fonte também qualifica ou justifica o seu uso nas situações do processo produtivo da indústria da informação, criando veículos próprios para armazenagem e difusão. Bibliotecas especializadas, por exemplo, elegem determinados tipos de documentos como prioritários - tais como teses e publicações periódicas (coletânea de artigos, etc.) - na suposição de serem os mais adequados aos objetivos institucionais. É obvio que tais tipos de documentos são produtos marcados pelas exigências do mercado e estão sempre sujeitos a transformações impostas pela demanda e pela capacidade de renovação da oferta, simultaneamente com as tecnologias disponíveis. Se atentarmos para o caso específico do artigo científico e, por extensão, do periódico científico, como veículo principal da comunicação da ciência, constatamos transformações substanciais no processo constitutivo e estamos percebendo mudanças constantes em seu desenvolvimento recente.

Porque é importante identificar a tipologia do documento na presente análise? Certamente a resposta está na percepção de que o tipo de documento predispõe a autoria, condicionando o processo de registro do documento e, conseqüentemente, os demais elementos do ciclo informacional. Como registro público, o documento sacramenta

26

uma pré-disposição consentânea com um objetivo a ser atingido e um uso predeterminado que precisa ser identificado pelo público.

Conteúdo

É a parte substantiva do documento e está predeterminado pelo seu tipo, na medida em que está conformado às normas e condições de produção. Os dados, as informações e o conhecimento registrado seguem regras próprias do tipo escolhido. Por exemplo, num artigo científico existe a exigência da colocação de um problema mediante sua consubstanciação (seja por intermédio da argumentação e/ou de uma revisão ou estado da arte da literatura, ainda que limitada pela extensão do documento), seguida de uma análise de dados, segundo uma metodologia estabelecida e, finalmente, conclusões que apresentam a posição do autor em relação ao fenômeno abordado. Cada ciência se apropria do conteúdo conforme suas capacidades heurísticas e metodológicas, mas é justo assinalar que a tipificação do documento entra certamente na legitimação do processo de apropriação do conhecimento. Pode-se ir mais longe e afirmar que há uma indissociabilidade entre modo de produção e o registro mesmo do documento, em virtude de suas potencialidades e limitações. Em caso extremo, pode-se afirmar que só existe conhecimento científico no documento científico[4] e que sua materialidade é diferenciada por tipos de documentos convencionais.[5]

---

4   Esta concepção ultraísta de ciência pode ser questionável, mas é prática e administrável. No caso do documento, ele passa a ser toda e qualquer forma de registro do conhecimento, ou seja, todo e qualquer tipo de documento, desde os registros convencionais até aqueles do domínio da multimídia e mesmo, sem nenhuma inibição, todo e qualquer objeto colocado na condição de documento. Por exemplo, objetos coletados na natureza (plantas, fósseis, etc) e objetos construídos pelo engenho humano (equipamentos, obras de arte, etc.) conservados em museus e coleções científicas e culturais constituem uma documentação reconhecível como tal no processo. De fato, a eleição de um determinado modelo de máquina de escrever ou de arado numa coleção tecnológica inegavelmente transforma-a em um documento. Os ingleses chamam a esse tipo de documentação de realia em contraposição à documentação literária.

5   Convencionais no sentido de normas ou modelos negociados e aceitos pelos pares.

Formato

Está relacionado com o modo de concepção e exposição do conteúdo. O formato molda o conteúdo, tornando-o visível e inteligível na medida em que a forma também determina o significado, em que "a forma é a mensagem" numa leitura adaptada das concepções de McLuhan.[6] Ou melhor, a forma em última instância é o conteúdo, dada a indissociabilidade entre ambos. São vasos comunicantes que se complementam. No sentido oposto, diferentes formatos pressupõem diferentes conteúdos e exigem tratamentos técnicos diferenciados.

Na prática, assim como existem tipos "típicos" (valha a tautologia para exemplificar a tese ou o artigo científico) também é possível a determinação de formatos básicos, que servem de modelo ou de paradigma no processo criativo. Consequentemente são aceitos e copiados certos modelos para determinados tipos de registros que os autores seguem, daí porque as editoras costumam estabelecer regras e normas para os colaboradores. Faz parte do ritual acadêmico ou das práticas da indústria da informação a elaboração de tais formatos e instrumentos auxiliares –como programas de tratamento e exposição de dados– que facilitam tanto a produção quanto a leitura dos documentos pelo público acostumado com os códigos estabelecidos.

Suporte

É a parte visível e manipulável do documento, ou o documento propriamente dito, no senso comum. É a sua coisificação ou expressão física como produto, mas que compreende todas as características constitutivas já discutidas anteriormente. Um mesmo documento original –digamos uma tese– pode apresentar-se em diferentes suportes, como sejam no suporte impresso, na microficha, no CD-ROM ou, mais recentemente, em rede eletrônica. É comercializável, armazenável, transferível e sujeito a todos os procedimentos administrativos, legais e demais considerações institucionalizantes próprias do

---

6   Parafraseando McLuhan, autor de "Os meios de comunicação como extensões do homem", que utiliza a expressão o meio é a mensagem para explicar que um novo ambiente tecnológico trabalha por algum tempo com conteúdos de um ambiente anterior.

mercado editorial. Certamente que os suportes, assim como os outros elementos já discutidos, evoluem e representam valores e condições tecnológicas de seu momento histórico, mas seria ingênuo afirmar que a escolha do suporte não implica em condições de acesso e uso. E até mesmo de significados no sentido de vieses e diferenciações na sua apreciação. Roger Chartier (2001) em recente entrevista, afirmou:

> O problema fundamental é a adequação dos diversos gêneros aos suportes. Os textos que têm como característica essencial o caráter enciclopédico, como o dicionário e a própria enciclopédia, se adequam perfeitamente a essa leitura fragmentada, [referindo-se aos textos na mídia eletrônica da Internet] descontínua porque você procura a partir de um tópico. Já há enciclopédias que têm como única forma a eletrônica. Enquanto isso, há textos que pedem uma leitura contínua, que exigem a percepção de uma obra como uma unidade. Esses textos se encontram em posição menos cômoda na tecnologia.

Do exposto pode-se inferir que os suportes são mais ou menos adequados aos conteúdos e que a escolha dos meios (ou suportes) pressupõe usos diferenciados que implicam até na compreensão da obra mesma:

> A compreensão aqui do que é obra como um todo não é tão fácil [referindo-se ao texto na Internet]. No impresso, o livro como objeto corresponde a obra como entidade textual. No eletrônico a leitura de um fragmento pode ser dissociada de qualquer percepção da obra. Isso ainda é assim, não digo que isso será indefinidamente (*Opus cit.*).

O importante é constatar que há uma inter-relação necessária entre os elementos da seqüência: tipo - conteúdo - formato - suporte e que a alteração de um deles pressupõe alguma mudança nos demais.

A DESCONSTRUÇÃO DOS CONCEITOS

A ordem dos elementos constitutivos do documento em seu processo criativo - tipo - conteúdo - formato - suporte, na exposição precedente, respondeu aos interesses da argumentação mas pode ser vista de forma orgânica ou sistêmica, quando a variável humana e o conteúdo interagem com a tecnologia mudando padrões e convenções institucionais.

Observando as publicações, sua história e evolução, considera-se que a massa documental (o Mundo 3 de Popper), reconhecida como a expressão de pensamentos e experiências científicos, literários e artísticos, é codificada mediante uma arquitetura em várias dimensões. No ciclo da interação entre tecnologia e conhecimento existe uma dependência (mútua) em relação aos documentos.[7] É com base na arquitetura do documento que se desenvolvem, de fato, as práticas de comunicação. Os padrões ditam regras e, paradoxalmente, limitam as inovações. No entanto, o ciclo é dinâmico porque o conhecimento registrado, príncipe do processo, é gerado pelo especialista para responder a uma demanda social em constante transformação.[8]

Nesse movimento cíclico, em função da própria natureza científica do processo, existe uma construção física que representa as fases dessa interação. Definimos sucintamente cada uma das etapas do ciclo, visualizadas na prática profissional por claustros visíveis e mensuráveis. O conhecimento a ser disseminado terá que se integrar em um ciclo baseado nos suportes físicos, formatos, conteúdos específicos e uma classificação que tipifica cada documento. Esses elementos integram a arquitetura do ciclo.

- ✓ **Suporte** - base física que reúne as idéias construídas em um determinado formato.
- ✓ **Formato** - desenho ou arquitetura que determina a leitura de um texto e sua seqüência.
- ✓ **Conteúdo** - idéia (original ou não) que precisa ser disseminada para gerar novas idéias.
- ✓ **Tipificação** - formas de classificar as publicações que disseminam o conhecimento.

---

7   Aldo Barreto prefere denominar a massa documental como "estoques de informação", o que pressupõe, no entanto, uma idéia de coleção ou acervamento.

8   Quando, na concepção popperiana, o conhecimento registrado transfere-se para o universo real dos especialistas (seus estados mentais, inteligência, pensamentos), ou seja, o Mundo 2 de Popper.

As transformações observadas em cada ponto do ciclo de interação demonstram as respostas às reais necessidades de produção e comunicação dos cientistas, tecnólogos, acadêmicos, etc, ou seja, dos geradores e comunicadores envolvidos no processo.

Figura 2
Interação entre tecnologia e conhecimento registrado

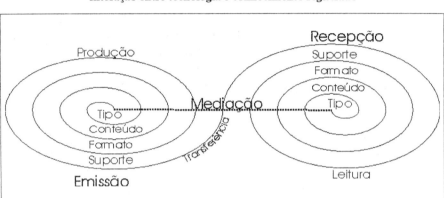

A massa documental, no conceito popperiano aqui defendido, faz parte do ciclo da comunicação científica em processo de reciclagem contínua (*Fig. 2*). A produção (registro) do conhecimento, conformada à tecnologia e aos elementos constitutivos do documento (tipo-conteúdo-formato-suporte), se dá através da mediação compreendida como absorção das novas idéias, análise e crítica para a complementaridade do conhecimento acumulado, "conjecturas e refutações", retornando ao ciclo através de novos documentos.

Ao analisar as transformações verificadas no contexto da comunicação científica, Meadows (1999) também detecta a interdependência entre a massa documental (em seus diferentes aspectos) e a tecnologia. É nessa interação que surgem as mudanças que modificam o ciclo da comunicação científica, determinado novas práticas e modelos. Até alcançar a transição para a rede eletrônica, o periódico passou por muitas modificações e serviu de treinamento para a comunidade ingressar em um contexto de comunicações mais rápidas e complexas:

31

A passagem do processamento de informação científica secundária para o processamento de informação primária dependeu da evolução do computador. A informação primária, porém, difere quanto ao conteúdo da informação secundária e isso, também tem afetado essa transição.(MEADOWS, 1999:34)

Cada tipo de documento tem sua própria transição. As bases de dados, por exemplo, adaptaram-se rapidamente ao novo suporte (em rede) porque tecnicamente têm mais afinidades operacionais com a Internet. Já a revista estaria numa posição intermediária, antes do livro, publicação com maior grau de complexidade, por trabalhar com um conteúdo mais denso. Estes aspectos determinam fases (*Quadro 1*) durante o processo de migração para um novo suporte. No primeiro momento quando se estabelecem padrões para a estrutura dos documentos (*fase 1*) eles permanecem inalterados até que, em um novo suporte, passam por uma fase híbrida (*fase 2*) porque os modelos da primeira etapa começam a ser desconstruídos, é uma fase intermediária. Posteriormente, os padrões são novamente retomados, já atualizados, definindo uma nova arquitetura para os documentos. Os tipos de documento mudam de designação, por força das transformações inovadoras buscando denominações apropriadas.

Este cenário, ao contrário do que possa parecer, não é uma situação nova. Chartier (1998) detecta essas mudanças já no século XVIII, quando as bibliotecas, além de acumularem e conservarem documentos, passaram a preocupar-se principalmente com a leitura. Os catálogos deixaram assim de ser inventários e tornaram-se instrumentos de consulta para acesso às obras. "A biblioteca sai da solidão do monastério ou do limitado espaço que lhes destinavam os bispos nas catedrais românicas, para se tornar urbana e ampla" (Idem, 1998:23). A integração dos documentos ao espaço de civilidade[9] transforma a massa documental em um instrumento de trabalho, uma ferramenta com propriedades físicas específicas e uma funcionalidade.

---

9   Chartier afirma que a civilidade introduz as instituições no espaço público.

Quadro 1 Fases de transição na arquitetura do conhecimento registrado				
	SUPORTE	FORMATO	CONTEÚDO	TIPIFICAÇÃO
Fase 1 – modelo estático, baseado na armazenagem.	Repete uma arquitetura que já está estabelecida, em **formatos** consagrados	Trabalha adequando o **conteúdo** em um sentido linear próprio das técnicas de apresentação de um texto	Vem inserido nos moldes de publicações **tipificadas** para disseminarem conteúdos específicos	Classifica as publicações obedecendo a uma ordem de discurso tradicional que atende a uma necessidade linear de compreensão própria do **suporte**
Fase 2 - híbrida	Altera o **formato** em função das necessidades de comunicação. Há uma mudança gradativa na arquitetura	Apresenta o **conteúdo** de forma interativa, hipertextual e multidimensional, descontruíndo a concepção tradicional (vigente)	Constrói o conhecimento de forma mais dinâmica saindo de uma seqüência linear de percepção, determinando a feitura de novos **tipos** de documentos	Apresenta novas classificações para os documentos em **suportes** que atendem de forma mais completa as necessidades de comunicação
Fase 3 – modelo extensivo, baseado na acessibilidade.	Arquitetura estabelecida	**Modelo extensivo de comunicação**	Distribuído numa rede de conexões	Os suportes conectando redes de especialistas (criadores de conteúdos)

REFERÊNCIAS BIBLIOGRÁFICAS

BARRETO, Aldo. http//www.dgzero.org/ago01/Art_01.htm

CHARTIER, Roger. Navegar é preciso. Entrevista disponível em http://babel.no.com.br (acessada em 11 de maio de 2001) e também no Observatório da Imprensa http://observatoriodaimprensa.com.br/artigos (acessada em 11 de maio de 2001).

CHARTIER, R., CAVALLO, Guglielmo (Org). História da leitura no mundo ocidental, vol. 1. Coleção Múltiplas Escolhas. Editora Ática, 1998. Tradução do original Histoire da la lecture dans le monde occidental, Editora Laterza du Seuil, 1997.

FONSECA, Edson Nery. (Org.) Bibliometria: teoria e prática. Textos de Paul Otlet et alli. São Paulo: Cultrix, Editora da Universidade de São Paulo, 1986. 141p.

MEADOWS, A.J. A Comunicação Científica. Tradução de Antonio Briquet de Lemos. Brasília, DF: Briquet de Lemos Livros, 1999. Título original: Communicating research.

McGARRY, K. Da documentação à informação - um contexto em evolução. Editorial Presença. Tradução do original The Changing context of information - an introductory analysis.

McLUHAN, M. Os meios de comunicação como extensões do homem (understanding media). Tradução de Décio Pignatari. Editora Cultrix, São Paulo. Publicado nos Estados Unidos por Mcgraw-hill Book Company (lançado em Nova Iorque, Toronto e Londres) em 1964.

MIRANDA, A. "A profissionalização da Ciência da Informação no marco da globalização: paradigmas e propostas". Informação e Informática. In: Nídia M. Lubisco, Lídia Brandão.(Org.). EDUFBA, 2000. 307p.

POPPER, Karl Raymond. Conjecturas e Refutações. Trad. de Sergio Bath. 3ed. Brasília: Editora Universidade de Brasília, 1994. 449p.

POPPER, Karl Raymond. Conhecimento objetivo: uma abordagem revolucionária. Belo Horizonte: Editora Itatiaia; São Paulo. Ed. da Universidade de São Paulo, 1975. 394p. (Espírito de Nosso Tempo, V.13).

PONENCIAS

Evaluación cualitativa de la investigación bibliotecológica y de la información

JOSÉ LÓPEZ YEPES
Universidad Complutense de Madrid

JUDITH PRAT SEDEÑO
Universitat de Lleida

OBJETIVOS DE LA PONENCIA

La presente ponencia tiene como objetivos esenciales los siguientes:

1) Fijar a modo de cuestiones preliminares las funciones de la bibliotecología en el ámbito de la comunicación científica, y las características peculiares de la investigación bibliotecológica.
2) Establecer los principios de evaluación de la investigación bibliotecológica en los aspectos cuantitativos y cualitativos.
3) Proponer una metodología de evaluación de la investigación mediante el análisis cualitativo de las citas como objeto nuclear de la presente ponencia (López Yepes, 2003a y b).

LAS FUNCIONES DE LA BIBLIOTECOLOGÍA EN EL ÁMBITO DE LA CIENCIA Y LAS CARACTERÍSTICAS PECULIARES DE LA INVESTIGACIÓN BIBLIOTECOLÓGICA

En un trabajo anterior (López Yepes, 1999) publicado precisamente en la revista del CUIB hemos establecido las funciones de la ciencia bibliotecológica o de la documentación en el ámbito de la ciencia. En efecto, los conocimientos científicos se crean y se difunden mediante un proceso en que un emisor transmite un mensaje científico en forma de documento a un receptor o investigador que lo utiliza para obtener nuevo conocimiento científico, de ahí que ciencia y comunicación científica puedan considerarse como términos sinónimos. Las funciones a las que aludimos son por orden de aparición en escena la función de apoyo al crecimiento de todos los saberes en cuanto requieren de las fuentes de información. Una segunda función de instrumento al servicio de la difusión de los hallazgos científicos es que ello se produce mediante el concurso de las infraestructuras documentales de conserva, recuperación y difusión de la información. La tercera función permite la evaluación de la calidad de los trabajos científicos con las evidentes repercusiones en la estimación de la labor de los autores y en la planificación de las políticas científicas, entre otros propósitos.

Pero si la comunidad científica reconoce sin excepción el papel que nosotros desempeñamos en el éxito de sus quehaceres, procede afirmar, en consecuencia, que la característica quizá mas peculiar de nuestra actividad investigadora es que cualquier logro en ella conseguido, repercute necesariamente en el resto de los saberes científicos, independientemente de la repercusión en el saber que todos nosotros cultivamos.

LOS PRINCIPIOS DE EVALUACIÓN DE LA INVESTIGACIÓN
BIBLIOTECÓLOGICA EN LOS ASPECTOS CUANTITATIVO Y
CUALITATIVO

A partir de lo antedicho, la investigación bibliotecológica se proyecta como objeto de evaluación mediante el uso de indicadores bibliométricos en trabajos cada vez más abundantes aparecidos primero en el área angloamericana pero que en el área de la lengua española aumentan de modo progresivo quizá como síntoma de la madurez de nuestra investigación (Delgado López-Cózar, 2002). Como en el resto de los países, la aproximación cuantitativa es la base y fundamento de toda acción cualitativa posterior, sin duda más dificultosa, y se manifiesta como medida de diversos factores como son:

a) la productividad de los autores (Jiménez Contreras y Moya, 1997).
   y el análisis de citas que facilita, entre otros, aspectos como:
b) la determinación de frentes de investigación (Moya y Jiménez Contreras, 1998).
c) el factor de impacto de las publicaciones periódicas (Delgado López-Cózar, 2001).
d) las tendencias temáticas (Tramullas, 1996; Frías y Romero, 1998; Delgado López-Cózar, 2000).
e) las escuelas científicas y los focos de investigación (López Yepes, 2002).
e) el presunto prestigio de los autores según el número de citas recibidas (Moya y Jiménez Contreras, 1999; Moya, 2000 y Arquero, 2002).
f) o de los centros docentes y de investigación donde ellos ejercen (López Yepes y Prat, 2002).
g) temas monográficos como el sector de las tesis doctorales donde se conjugan aspectos de productividad de directores, tendencias temáticas e influencia de los departamentos en otras Universidades (López Yepes, 2002).

h) trabajos generales de evaluación de la producción científica (Arquero, 2001; Moneda, 2003).

i) el estudio de las revistas científicas de bibliotecología, actas de reuniones científicas y su factor de impacto, así como las tendencias temáticas (Cano, López Gijón y otros, 1995; Ríos Hilario, 1998).

j) el estudio de los métodos de investigación utilizados como medida de evaluación de la misma (Borrego, 1999 y 2001, y Delgado López-Cózar, 2000).

k) el estudio de la obsolescencia (Ruiz Baños y Jiménez Contreras, 1996).

l) el estudio de la visibilidad internacional de la producción científica iberoamericana (Gómez Caridad y otros, 1999, y Moya y Solana, 2000).

Sin embargo, creemos firmemente que el uso de estos indicadores y su consiguiente expresión gráfica son muy útiles e incluso facilitan de modo práctico las evaluaciones correspondientes de honda repercusión en lo tocante a las recompensas de los científicos, pero en modo alguno deben quedarse en ello por los inconvenientes que comportan y otras notables incompresiones, insuficiencias e injusticias a veces irreparables. Por el contrario una aproximación cualitativa a la evaluación de la comunicación científica globalmente considerada permitiría cumplir con mayor rigor los objetivos perseguidos mediante el análisis de citas. La correcta aplicación del mismo debería basarse en el logro de una serie de principios de evaluación de índole cualitativa que serían aplicados a los siguientes factores:

1) El estudio del contenido de las citas utilizadas por los autores para conocer su formación y su vinculación a escuelas científicas y el uso de determinadas fuentes de información, especialmente las revistas científicas.

2) El estudio del contenido de las citas recibidas por los autores a fin de conocer su impacto y la promoción de posibles nuevas escuelas científicas.

3) El estudio de la creación y propagación de las ideas científicas mediante el itinerario experimentado por las citas que las contienen.
4) El estudio de la primacía cronológica de las ideas atribuidas a los autores y la detección de fraudes como el plagio o la no utilización de fuentes genuinas.

PROPUESTA DE UNA METODOLOGÍA DE EVALUACIÓN DE LA INVESTIGACIÓN MEDIANTE EL ANÁLISIS CUALITATIVO DE LAS CITAS COMO OBJETO NUCLEAR DE LA PRESENTE PONENCIA

Como decíamos al principio, la propuesta metodológica que ahora presentamos trata de alcanzar los siguientes objetivos:
1) Conocer cómo se propagan las ideas científicas mediante el estudio de las citas de otros utilizadas por un autor determinado (base científica deudora) y las citas de éste último utilizadas por otros autores (base científica acreedora).
2) Establecer las líneas de investigación de un autor determinado y su adscripción a un foco de investigación o a una escuela científica en cuanto perteneciente a un grupo de citantes o citados.
3) Indicar los hitos cronológicos en la transmisión de las ideas.
4) Contribuir a la historia y al estado de la investigación en un determinado campo del saber.
5) Aportar algunos elementos metodológicos en orden a la evaluación cualitativa de los resultados científicos y, en consecuencia, de sus autores.

La metodología de evaluación cualitativa que proponemos mediante el análisis de citas se lleva a cabo teniendo en cuenta los siguientes elementos: 1) El valor cualitativo de las citas de autor o citas de calidad propiamente dichas. 2) La determinación de las denominadas base científica deudora y base científica acreedora. 3) La repercusión de las ideas científicas obtenidas por un autor en el resto de los autores de la comunidad científica.

El valor cualitativo de las citas de autor

Como se sabe, el resultado transmisible en el espacio y en el tiempo de los hallazgos científicos es lo que denominamos habitualmente *trabajo científico* que, dado a conocer generalmente mediante su publicación, es verdaderamente científico cuando ofrece nuevas ideas o soluciones a problemas correctamente planteados, o, de otro modo, cuando propone un objeto o tema de investigación; diseña el método adecuado; efectúa una correcta selección de las fuentes sobre las que ha de reflexionar el autor y, finalmente, propone una serie de conclusiones como respuesta a los problemas planteados.

El análisis cuantitativo aparece como factor imprescindible que nos facilita el número de citas y su exacta localización. Las citas deben ser, a nuestro entender, el verdadero hilo conductor en que se mece la idea científica bien cuando el autor se apoya en ellas para obtener nuevo conocimiento o bien cuando éste –la nueva idea científica– se propaga merced a las citas correspondientes que efectúan los autores que continúan la investigación. Son éstas las auténticas citas de calidad y, por tanto, un elemento imprescindible en el quehacer de la ciencia y su análisis permite, a mayor abundamiento, y entre otras utilidades, observar cómo se transmiten las ideas científicas, cómo se configuran los frentes y los temas de investigación y, también, la medida del impacto y el prestigio que tienen los científicos. En suma, las citas portadoras de ideas son aquéllas que se aceptan como tales o sirven de base de reflexión para mejorarlas y para obtener, en suma, nueva ideas. Obviamente tienen mucha menor importancia, para estos propósitos, el resto de los tipos de citas como:

a) Citas de autores que reflejan el panorama de una corriente de pensamiento, estado de opinión o estudio de un determinado tema. Con frecuencia, el autor citante no conoce directamente todas las obras citadas.

b) Referencias en la bibliografía final de la obra de trabajos no utilizados.

c) Citas de segunda mano, incluso sin ser conscientes de ello.

d) Notas aclaratorias.

e) Citas de agradecimiento y citas innecesarias.

f) Autocitas no justificadas.

Por el contrario, se observa, a veces, la ausencia de citas de autor necesarias pero olvidadas conscientemente por razones personales. Otras ausencias producen en el autor de la idea no citada una sensación agridulce; ello ocurre cuando éste es tan bien aceptada por la comunidad científica que la incorpora a su propia entraña y, a modo de patrimonio de todos, se acaba olvidando a su descubridor.

La determinación de la base científica deudora y acreedora

Y así, partiendo –desde la perspectiva del análisis de la obra de un científico– proponemos la noción de *base científica deudora* o conjunto de ideas tomadas de otros autores como base de nuevo conocimiento para dar cima a su obra y la noción de *base científica acreedora* o conjunto de ideas aportadas por el mismo y aprovechadas en las obras de los restantes.

Como se verá, los elementos del método que proponemos se pliegan a determinar la composición de las bases científicas deudora y acreedora de una determinada obra, es decir, qué ideas de otros autores han permitido su redacción y la obtención de las correspondientes conclusiones o ideas propias y en qué medida éstas han contribuido a abrir nuevas vías conceptuales y a fortalecer las obras de otros autores. Dichos elementos, ejemplificados con base en el capítulo 10 : **El concepto de Documentación** de mi libro *La Documentación como disciplina. Teoría e historia* (Pamplona, Eunsa, 1995, 1a. ed. 1978)) se ofrecen a continuación como elementos para la

A) Determinación de la base científica deudora

La misma está constituida por los autores y sus citas portadoras de ideas aprovechadas para la redacción del capítulo citado así como el contenido temático de las mismas.

1. Autores citados portadores de ideas científicas
   Belkin, cita 21
   Borko, c.13
   Desantes, c.1, 16
   Fenández Molina, c. 19 y 23
   Fondin, c.25 y 28
   Ingwersen, c.22
   Kolobrodova, c.6
   López Yepes, J. c.15
   Mikhailov, Chernyi y Gilyarevskii, c. 14
   Pratt, c.20
   Saracevic, c. 2
   Schrader, c.10 y 27
   Woledge, c.11
2. Contenido temático de las citas utilizadas en la obra objeto de eva-
   luación
   Criterios para el establecimiento del concepto: Desantes
   (1977) y Saracevic (1991).
   El término Documentación: Kolobrodova (1977), Woledge
   (1983) y Schrader (1984).
   Naturaleza del proceso informativo-documental: Borko
   (1968), Mikhailov, Chernyi y Gilyarevskii (1973) y Lopez Yepes,
   J. (1977).
   Naturaleza de la información documental: Belkin (1977), Pratt
   (1977), Desantes (1987), Fondin (1987), Ingwersen (1992) y
   Fernández Molina (1994).
   Características de la disciplina Documentación: Schrader
   (1984), Fondin (1987)
B) Determinación de la base científica acreedora
La base científica objetiva del capítulo objeto de evaluación cualitativa podría construirse de acuerdo con los siguientes factores:
1. Temática de las nuevas ideas contenidas en el capítulo 10, de las
   que se han podido servir otros autores.

a) Caracterización de la documentación como ciencia informativa y de su objeto, el proceso documental.

b) La figura de Otlet y su significación en el movimiento documental.

c) Descripción de las teorías y escuelas acerca de la disciplina documental.

d) Evolución de la documentación en España. El concepto y el término.

e) Propuesta de criterios para una definición de documentación.

f) Definición integradora de documentación.

2. Repertorio bibliográfico de autores citantes por orden cronológico

La primera edición es ya citada en 1979, al año siguiente de su aparición, y continúa siendo citada hasta 1998; es decir, tres años después de la aparición de la segunda edición. En este apartado, procede estudiar la procedencia de los autores y la cronología de sus trabajos. He aquí el repertorio:

Terrada, M. Luz y López Piñero, José M. Historia del concepto de Documentación. "Documentación de las Ciencias de la Información", 4, 1980, pp. 229-248.

Alonso Erausquín, Manuel. El concepto de documentación escolar en el contexto de los medios de comunicación. "Documentación de las Ciencias de la Información", 5, 1981, pp. 51-66.

García Gutiérrez, A. Hacia un modelo... "Documentación de las Ciencias de la Información, 5, 1981, pp. 23-50.

Sagredo, F. E Izquierdo, J.M. Análisis formal de las definiciones de Documentación. "Boletín Millares Carlo", III, 6,1982, pp. 239-287-

Sancho Lozano, Rosa. Áreas de investigación a desarrollar en el campo de la información y documentación científica y técnica. "Boletín de Anabad", 32,4,1983, pp. 669-678.

Abadal Falgueras, Ernest.Una nova Babel: La designació de la disciplina documental a l'Estat espanyol. "Jornades Catalanes de Documentació". Barcelona, 1989, vol. II, pp. C-3- C-15.

García Gutiérrez, Antonio. Connotaciones lingüísticas para una teoría de la Documentación. "Ciencias de la Documentación", 1, 1990, pp. 13-21.

López Huertas, María José. Lenguajes documentales: Terminología para un concepto. "Boletín de la Anabad", 41, 1991, 2, pp. 171-190.

Pinto Molina, María. El circuito enseñanza-aprendizaje en análisis documental: Procedimientos. "Documentación de las Ciencias de la Información", 14, 1991, pp .23-44.

Pérez Madrid, J. E. La Ciencia de la Documentación y la reforma de las enseñanzas universitarias. "Revista General de Información y Documentación", 2, 1, 1992, pp. 108-120.

Garrido Arilla, Rosa. Consideraciones metodológicas sobre el análisis documental. "Revista General de Información y Documentación", 2, 2, 1992, pp.

Martínez Montalvo, Esperanza y Martínez Comeche, Juan A. Adecuación de modelos matemáticos a la Ciencia de la Documentación. "Documentación de las Ciencias de la Información", 16, 1993, pp. 16-93.

Asensi Artiga, Vivina. Evolución histórica de las tecnologías de la información y su aplicación en el proceso documental."Revista General de Información y Documentación", 3, 2, 1993, pp. 131-141.

Garrido Arilla, Rosa. Ponderación ontológica del origen del análisis documental. "Revista General de Información y Documentación", 1, 1993, pp. 29-36.

Clausó, Adelina. Fundamentos científicos del análisis documental. "Revista General de Información y Documentación", 4, 1, 1994, pp. 79-88.

Ros García, Juan y García Cuadrado, Amparo. Bases para la elaboración de un programa de la disciplina de Documentación General. "Revista General de Información y Documentación", 1, 1994, pp. 205-234.

García Valenzuela, Hortensia. Una aportación teórica a la evolución del concepto, término y definición de Biblioteconomía. "Revista general de Información y Documentación", 8, 1, 1998, pp. 111-139.

Citantes de *La Documentación como disciplina (2ª ed.)*

Sánchez Vigil, Juan Miguel. La documentación fotográfica. "Revista General de Información y Documentación", 1, 1996, pp. 161-193.

Vieites Alonso, Beatriz. Definiciones del concepto de Documentación en España: 1980-1995. "Boletín de la Asociación Andaluza de Bibliotecarios", 43, junio 1996, pp. 9-41.

Fernández Bajón, M. Teresa. Documentación administrativa: Una revisión de las tipologías documentales administrativas comunes. "Revista General de Información y Documentación",6, 2, 1996, pp. 67-90.

Pacios Lozano, Ana Reyes. La administración de las unidades de información: Una aproximación a su concepto y evolución. "Documentación de las Ciencias de la Información", 20, 1997, pp. 225-248.

Tramullas, Jesús. Una propuesta de concepto y definición para la disciplina "Documentación automatizada". "Revista General de Información y Documentación", 1, 1998

Rendón Rojas, Miguel Angel. La ciencia bibliotecológica y de la información, ¿tradición o innovación en su paradigma científico?. "Investigación bibliotecológica" (México), 14, 28, 2000, pp. 34-52.

3. Número de citas tomadas de la obra en un periodo determinado y medios de publicación donde aparecen las mismas.

En el periodo 1979-2000, y de acuerdo con los datos facilitados por la profesora Arquero y la base de datos mantenida por el Departamento de Biblioteconomía y Documentación de la Universidad de Granada, del capítulo 10 de la obra referenciada en sus dos ediciones se han hecho 27 citas contenidas en 21 artículos en los siguientes medios de publicación:

"Documentación de las Ciencias de la Información", 5 artículos.

"Revista General de Información y Documentación", 10 artículos.

"Boletín de la Asociación Andaluza de Bibliotecarios" , 1 artículo.

"Boletín de la Anabad", 1 artículo.

"Ciencias de la Documentación", 1 artículo.

"Investigación Bibliotecológica" (México), 1 artículo.

"Boletín Millares Carlo", 1 artículo.

"Jornades Catalanes de Documentació", 1 artículo.

Total: 21 artículos.

La repercusión de las ideas científicas obtenidas por un autor en el resto de los autores de la comunidad científica. Temática y contenido de las ideas que han tomado los autores citantes

En este apartado se recogen por orden cronólógico las citas (entre comillas las citas literales procedentes del capítulo) que efectúan los autores en el campo temático que corresponde al capítulo 10 de ambas ediciones a saber:

Documentación. Concepto, definición y terminología
Terrada, 1980, p. 237, n. 244

Otlet, autor nada o muy superficialmente conocido hasta la reciente revisión que le ha dedicado L.Y.

Terrada, 1980, p. 244
"La noción de Information Science, tras algunos precedentes recogidos por el prof. L.Y. en su revisión sobre el tema..."

Alonso Erausquín, 1981, p. 53, n. 6-15
"El profesor LY ha realizado una completa investigación sobre los estudios y aportaciones de carácter doctrinal que ha merecido el tema con el fin de construir un cuerpo teórico global y pleno de la Ciencia de la Documentación".

Sagredo e Izquierdo, 1982, p. 239, c. 1
"Qué es la Ciencia de la Documentación, por qué es y para qué son las tres grandes interrogantes que, por vía de síntesis, constituyen el concepto unitario –la concepción científica en sentido estricto- de lo que llamamos Ciencia de la Documentación". (LY)

Sagredo e Izquierdo, 1982, p. 239, c. 2
"En la tabla de definiciones que presentamos analizaremos, al menos, dieciséis interpretaciones que López Yepes da sobre el problema definicional con una progresiva matización y precisión conceptual y metolológica (c. 2)".

Sagredo e Izquierdo, 1982, p. 268
"Ciencia de la actividad científico-informativa".... "Ciencia del proceso documental globalmente considerado". (LY)

Sagredo e Izquierdo, 1982, pp. 259, 261, 263, 265, 273, 275, 277 y 279
Definiciones de diversos autores extraídas de López Yepes.

Sagredo e Izquierdo, 1982, p. 241, c. 5
"La verdadera caracterización y fijación de los límites de una ciencia viene determinada, en último término, por el objeto, por el moldeamiento del contorno...". (LY)

Sancho, 1983, p. 672, c. 3

"Según L.Y. esta ciencia estudia los procesos de comunicación científica tendentes a establecer las bases de los nuevos conocimientos, es decir, investiga los fundamentos informativos de la propia investigación".

Abadal, 1989, p. C-10

"Ciencia de la Documentación: El profesor LY en la seva obra Teoria de la Documentación (1978) parla de forma repetida d'aquest terme tot i que també empra documentació, tant en aquesta monografia com en d'altres parts de la seva abundant bibliografía".

García Gutiérrez, 1990, p. 19, n. 16

"Se corre el riesgo de condicionar la definición de una disciplina a la mera defensa de un significante como atestiguan las denominaciones y cismas terminológicos actuales: Información, Informatika, Ciencias o Ciencia de la Documentación, Documentación, Información científica... tal como son recogidos por LY".

García Gutiérrez, 1990, p. 15, n. 6

"Las corrientes de superposición, yuxtaposición e infraposición que sobrevaloran, equiparan o detractan, respectivamente, el supuesto objeto abarcado por la Documentación....".Nota 6: "Estudiadas ampliamente por LY".

Izquierdo, 1990, p. 94, c. 25

"Para unos tratadistas, la Ciencia de la Documentación está constituida por las especialidades siguientes: Filosofía de la Ciencia, Sociología de la Ciencia, Psicología de la creatividad científica e Historia de la Ciencia" (LY).

Pinto, 1991, p. 25, c. 6

"La Documentación es parte integrante e indispensable del trabajo científico y paralela a los complejos procesos actuales de la ciencia que otorgan un carácter colectivo e interdisciplinar a las investigaciones. La Ciencia de la Documentación es ciencia generalizadorqa y ello viene dado por su condición de ciencia de la ciencia... por cuanto asienta las pautas del conocimiento de las fuentes". (LY)

López Huertas, 1991, p. 184, n. 62
"Según el profesor LY hasta la década de los cincuenta no se "aclimata" el concepto de Documentación en España".

Pérez Madrid, 1992, p. 110, c. 2
"La Documentación condiciona el tiempo y nos permite poseerlo merced a su retención" (LY)

Garrido, 1992, p. 117, n. 36
Carácter interdisciplinario de la Documentación

Garrido, 1992, p. 118, n. 39
Sobre la naturaleza interdisciplinaria de la Documentación, "ciencia para la ciencia como coadyuvadora a establecer las causas últimas de otras ciencias por medio de diferentes instrumentos ofrecidos a aquéllas". (LY)

Martínez Montalvo y Martínez Comeche, 1993, p. 156, n. 2
"El resumen y evaluación de esas concepciones /escuelas anglosajona, alemana y soviética/se encuentra en L.Y."

Asensi, 1993, p. 132, c. 3
"De este modo se inició la ubicación, en su contexto científico y global, de las actividades de transmisión de los conocimientos "con objeto de organizarlos a su vez en fuentes de documentación para las nuevas investigaciones" "(LY).

Garrido, 1993, p. 30, c. 4
"Ciencia para la ciencia como coadyuvadora a establecer las causas últimas de otras ciencias por medio de diferentes instrumentos ofrecidas a aquéllas." (LY)

Clausó, 1994, p. 82, n. 7

La palabra documentación, como apunta el profesor L.Y., ha perdido acento pasando a tener prioridad el término información, dejando de ser el documento la esencia de la documentación para serlo de la información misma.

Ros y García Cuadrado, 1994, p. 205, c. 1

"La Ciencia de la Documentación aparece como ciencia para la ciencia, como coadyuvadora a establecer las causas últimas de otras ciencias por medio de diferentes alternativas, instrumentos o procesos documentales ofrecidos a aquéllas…"(LY).

"La Ciencia de la Documentación es ciencia y es información. Como ciencia se enmarca en el contexto de la ciencia de la ciencia y, por ello, utiliza los conceptos de la misma. Como información se aprovecha de los conceptos de la ciencia de los procesos informativos. Los dos componentes se unen con el objeto de estudiar los procesos de comunicación científica tendentes a establecer las bases de los nuevos conocimientos" (LY).

Clausó, 1994, p. 83, n. 12

Doctrina de Shera, tomada de López Yepes.

Vieites, 1996, p. 13, c. 23

"Ciencia general que tiene por objeto el estudio del proceso de adecuación y transmisión de las fuentes para la obtención de nuevo conocimiento". (LY)

Sánchez Vigil, 1996, p. 162, n. 2

El concepto de Documentación según Otlet.

Fernández Bajón, 1996, p. 68, n. 2 DD

"Concepciones más recientes de la Documentación como disciplina insisten en señalar su carácter dual. Y así destacan que, siendo una disciplina general, es también una disciplina especializada en cada área de conocimientos".

Sánchez Vigil, 1996, p. 162, n .3
"Los signos y los soportes –los documentos en definitiva- son el objeto propio de la Documentación que deben ser estudiados en todos sus aspectos como las interrelaciones entre ideas, palabras e imágenes". (LY)

Pacios, 1997, p. 241, c. 51 (DD)
"Al igual que la Biblioteconomía, también la Documentación como asignatura o como parte de la misma se ha ocupado de los contextos organizados donde tienen lugar las operaciones del proceso documental.... Ese ocuparse de los "contextos organizados", en palabras del profesor L.Y. supone tratar algunos aspectos relacionados con la gestión del centro…"

García Valenzuela, 1998, pp. 118-119, c. 10
"Uno de los primeros estudiosos de la Documentación en nuestro país es el profesor López Yepes. En su obra *Teoría de la Documentación* hace una reflexión y exposición sobre esta ciencia de la cual ofrece una definición en el último capítulo de dicha obra. Para él, esta disciplina no es rama desgajada de un tronco común sino, por el contrario, configuración troncal de actividades aparentemente dispersas que, por ciertas motivaciones sobrevenidas en relación con los problemas de la investigación científica y el trabajo intelectual en general, ha ocasionado la necesidad de reconstitución y modelamiento como disciplina científica…" "Documentación es la ciencia general que tiene por objeto el estudio del proceso de información de las fuentes para la obtención de conocimiento (proceso informativo-documental) en el nivel común o universal; específico de las Ciencias de la Información y aplicado al trabajo informativo". (LY)

Tramullas. 1998, p. 268, n. 18
"Véanse las definiciones propuestas por Moers y por Vickery estudiadas por LY."

Rendón, 1999, p. 36. c. 6
"Ciencia general que tiene por objeto el estudio del proceso de adecuación y transmisión de las fuentes para la obtención de nuevo conocimiento". (LY)

En resumen, se trata de tres ideas o contenidos reflejados en las citas de los autores referenciados y que cabe sintetizar del siguiente modo:

1) El redescubrimiento de la figura de Paul Otlet: Terrada, 1980 y Sánchez Vigil, 1996.
2) La configuración de las corrientes doctrinales de la Documentación: Terrada, 1980; Sagredo/Izquierdo, 1982; García Gutiérrez, 1990; Martínez Montalvo/Martínez Comeche, 1993 y Clausó, 1994.
3) Propuesta de un concepto y definición de Documentación: Alonso Erausquín, 1981; Sagredo/Izquierdo, 1982; Sancho, 1983; García Gutiérrez, 1990; Izquierdo, 1990; Pinto, 1991; Pérez Madrid, 1992; Garrido, 1992; Asensi, 1993; Garrido, 1993; Ros/García Cuadrado, 1993; Vieites, 1993; Fenández Bajón, 1996; Sánchez Vigil, 1996; Pacios, 1997; García Valenzuela, 1998 y Rendón, 1999.

CONSIDERACIONES FINALES

1) El análisis cuantitativo de citas es, obviamente, la base imprescindible para acometer el estudio cualitativo de las mismas.
2) El análisis cualitativo de citas –a partir de la metodología propuesta en este trabajo en la medida de su aceptación– permite conocer los siguientes extremos:
   a) La propagación de las ideas científicas a lo largo de un periodo cronológico determinado.
   b) Los ideas científicas propias obtenidas por un autor.
   c) Los antecedentes en los que se basa la construcción de las ideas propias de un determinado autor (base científica deudora).

d) La validez y vigencia temporal de las mismas en tanto en cuanto son aceptadas por otros autores de la comunidad científica (base científica acreedora).

e) El origen e importancia de los autores que constituyen la base científica acreedora.

e) La aportación de las obras y autores objeto de evaluación en la constitución de tendencias, frentes y focos de investigación así como de escuelas científicas.

f) En suma, la evaluación más objetiva y real de la calidad de obras y autores citados.

3) Los contenidos de las citas de calidad que reciben los autores objeto de evaluación pueden ser incorporados a los programas informáticos que se utilizan habitualmente en el análisis cuantitativo de citas.

4) La aplicación de la metodología descrita exige notable dedicación temporal y conocimiento previo de la materia contenida en las obras y autores a evaluar.

5) Los resultados de dicha aplicación son susceptibles de expresión gráfica y cartográfica.

REFERENCIAS BIBLIOGRÁFICAS

Arquero Avilés, Rosario. *La producción científica española en Biblioteconomía y Documentación (1975-1983)*. Tesis doctoral. Madrid, facultad de Ciencias de la Información, UCM, 2001.

Arquero Avilés, Rosario. *Autores más citados en publicaciones periódicas del área de Biblioteconomía y Documentación: España 1975-1984*. "El Profesional de la Documentación", 11, 6, noviembre-diciembre 2002, pp. 436-441.

Borrego Huerta, Angel. *La investigación cualitativa y sus aplicaciones en Biblioteconomía y Documentación*. "Revista Española de Documentación Científica", 22, 2, 1999, pp. 139-156.

Borrego Huerta, Angel. *Metodología cualitativa de investigación en Biblioteconomía y Documentación.* Tesis doctoral dir. por J.A. Frías. Salamanca, Universidad de Salamanca, 2001, inédita.

Cano, Virginia. *Bibliometric Overview of Library and Information Science Research in Spain.* "Journal of the American Society for Information Science", vol. 50, nº 8, 1999, pp. 675-680.

Delgado López-Cózar, Emilio. *Las revistas españolas de ciencias de la documentación., productos manifiestamente mejorables.* "El Profesional de la Documentación", 19, 12, 2001, pp. 46-56.

Delgado López-Cózar, Emilio. *Diagnóstico de la investigación en Biblioteconomía y Documentación en España (1976-1996).* "Journal of Spanish Research on Information Science", I, 1, January-June 2000, pp. 79-93.

Delgado López-Cózar, Emilio. *La investigación en Biblioteconomía y Documentación.* Gijón, Trea, 2002, 254 págs.

Frías, J. A. y Romero, P. *¿Quienes son y qué citan los investigadores que publican en las revistas españolas de Biblioteconomía y Documentación?* "Anales de Documentación", 1, 1998, pp. 29-53.

Gómez Caridad, I.; Sancho, Rosa y Moreno, Luz y Fernández, M. Teresa. *Influence of Latin American Journals coverage by international databases.* "Scientometrics", 46, 3, 1999, pp. 443-456.

Jiménez Contreras, Evaristo y Moya Anegón, Félix de. *Análisis de la autoría en revistas españolas de Biblioteconomía y Documentación, 1975-1995.* "Revista Española de Documentación Científica", 20 (3), 1997, pp. 252-267.

López Gijón, J.A.; Pérez López, A. y Ruiz de Villegas, M. *Siete Jornadas Bibliotecarias de Andalucia. Un análisis.* En *VII Jornadas Bibliotecarias de Andalucía.* Huelva, Diputación Provincial, 1995, pp. 229-246.

López Yepes, José y Prat Sedeño, Judith. *Propuesta de criterios para la evaluación de la investigación española en Biblioteconomía y Documentación: El impacto de los científicos y de los centros docentes y de investigación.* "Investigación Bibliotecológica", 16, 32, enero-junio 2002, pp. 102-125.

López Yepes, José. *La evaluación de la ciencia en el contexto de las Ciencias de la Documentación.* "Investigación Bibliotecológica", vol. 13, n° 27, julio-diciembre 1999, pp. 195-212.

López Yepes, José. *Focos de investigación y escuelas científicas en Documentación . La experiencia de las tesis doctorales.* "El Profesional de la Información", 11, 1, enero-febrero 2002, pp. 46-52.

López Yepes, José. *Focos de investigación y escuelas científicas en Documentación a través de la realización y dirección de tesis doctorales.* "Documentación de las Ciencias de la Información", 25, 2002, pp. 19-54.

López Yepes, José.a. *El análisis cualitativo de citas como instrumento para el estudio de la creaión y transmisión de las ideas científicas.* "Documentación de las Ciencias de la Información", 26, 2003 (en prensa).

López Yepes, José.b. *Propuesta de método para efectuar el análisis cualitativo de citas en los trabajos científicos.* "El Profesional de la Información", 12, 5, septiembre-octubre 2003 (en prensa).

Marques de Melo, José. *Ciencias de la Información: Clasificación y conceptos.* "Estudios de Información", 9, enero-marzo 1060, pp. 27-53.

Moneda Corrochano, Mercedes de la. *Análisis bibliométrico de la producción bibliográfica española en Biblioteconomía y Documentación, 1984-1999.* Tesis doctoral dirigida por los profesores Félix de Moya Anegón y Evaristo Jiménez Contreras. Granada, Facultad de Biblioteconomía y Documentación, U. de Granada, 2003, 409 págs.

Moya Anegón, F. y Jiménez Contreras, E. *Research Fronts in Library and Information Science in Spain (1985-1994)*. "Scientometrics", 42,2, 1998, pp. 229-246.

Moya Anegón, Félix de, y Jiménez Contreras, Evaristo. *Autores españoles más citados en Biblioteconomía y Documentación*. "El profesional de la información", vol. 8, nº 5, mayo 1999, pp. 28-29.

Moya Anegón, Félix de y Herrero Solana, Víctor. *Visibilidad internacional de la producción científica iberoamericana en Biblioteconomía y Documentación. (1991-1999)* En *V Encuentro EDIBCIT*. Granada, Universidad de Granada, 2000, pp. 341-370.

Moya Anegón, Félix de. *La investigación española en Recuperación de la Información: Análisis bibliométrico (1984-1999)*. "Journal of Spanish Research on Information Science", I, 1, enero-junio 2000, pp. 117-123.

Ríos Hilario, Ana Belén. *Metodologías, técnicas y estrategias de investigación en las Jornadas Españolas de Documentación Automatizada (1981-1996)*. En *VI Jornadas Españolas de Documentación*. Valencia, 1998, pp. Jornadas Fesabid. Valencia, 1998, II, pp. 735-743.

Ruiz Baños, C. y Jiménez Contreras, E. *Envejecimiento de la literatura científica en Documentación: Influencia del origen nacional de las revistas. Estudio de una muestra*. "Revista Española de Documentación Científica", 19, 1, 1996, pp. 39-49.

Tramullas Saz, Jesús (Ed.). *Tendencias de la investigación en Documentación*. Zaragoza, Universidad de Zaragoza, 1996, 259 págs.

Juana Manrique de Lara 1924, una propuesta integral para la formación de bibliotecarios

MARTHA ALICIA AÑORVE GUILLÉN
Universidad Nacional Autónoma de México

INTRODUCCIÓN

Mi investigación en este Centro está dirigida a analizar las aportaciones que hizo Juana Manrique de Lara a la bibliotecología mexicana.

Manrique de Lara se reconoce como la primera bibliotecaria mexicana formada tanto en la primera Escuela Nacional de Bibliotecarios y Archiveros que funcionó en la ciudad de México de 1916-1919, como en la Escuela de Bibliotecarios de la Biblioteca Pública de Nueva York en donde hizo estudios en el periodo 1923-1924. Independientemente de que Juana no haya sido la primera bibliotecaria que durante el periodo de Vasconcelos se formó en Estados Unidos, es ella quien dedica su vida a la biblioteconomía, dejando importantes aportaciones que aún en el presente conviene rescatar como elementos que ayudarán a comprender el desarrollo de nuestra disciplina.

Para ubicar las contribuciones de este personaje es necesario acudir tanto al contexto bibliotecario en el que se daban sus escritos, acciones y propuestas, como al pasado próximo; y en ambos casos no sólo en el ámbito nacional, sino también en el internacional, sobre todo el estadunidense, por haber sido uno de los principales referentes no sólo para Juana sino para el desarrollo bibliotecario mexicano del México revolucionario y posrevolucionario.

LA FORMACIÓN DEL BIBLIOTECARIO ANTES DE LA PROPUESTA DE MANRIQUE DE LARA

En el siglo XIX, hombres como el historiador Carlos María Bustamante consideraban que el cargo de bibliotecario debía ser desempeñado por "[...]un sabio; pero hombre de bien que ame a las letras tanto como a la patria y que viva persuadido de que la República será tanto más feliz y opulenta, cuantos más sabios abunden en ella, y que aquella debe ser su almáciga para formarlos."[1]

Un año antes del planteamiento anterior el ilustre político liberal José María Irigoyen, quien en el contexto de la secularización de la enseñanza y la cultura, le proponía a la Cámara de Diputados la creación de la Biblioteca Nacional, reconocía la necesidad de que el manejo, al menos de los acervos, estuviera al cuidado de especialistas, no de políticos.[2]

No obstante lo planteado por Irigoyen, en la práctica, bibliotecas como la Nacional estuvieron en manos de hombres de letras por considerar que su bagaje cultural y el amplio conocimiento del mundo cultural y científico les permitía ocuparse de la selección de colecciones, de la guía del público a la lectura y aun de la clasificación y

---

1   [Carta de Carlos María Bustamante, dirigida al Poder Ejecutivo, el día 27 de septiembre de 1829]. Citada en: Herrero Bervera, Carlos. "Las bibliotecas en México: 1821-1850". En: Vázquez Mantecón, Carmen, Alfonso Flamenco Ramírez y Carlos Herrera Bervera, *Las bibliotecas mexicanas en el siglo XIX*. México : SEP, Dirección General de Bibliotecas, *1987*, p. 27

2   Herrero Bervera, Carlos. "Las bibliotecas en México: 1821-1850". En: Vázquez Mantecón, Carmen, Alfonso Flamenco Ramírez y Carlos Herrera Bervera, *Las bibliotecas mexicanas en el siglo XIX*. México: SEP, Dirección General de Bibliotecas, *1987*, p. 24.

catalogación. De esta forma el tema de la formación bibliotecaria no fue entonces una preocupación.

En la realidad, por los cargos que de manera simultánea desempeñaban algunos de estos directores, no siempre las bibliotecas recibían la atención que necesitaban y ante su ausencia quedaban a cargo de personal menos calificado pero de mayor permanencia en ellas, quienes tenían que realizar tareas que exigían conocimientos tanto del ámbito de la cultura como específicamente de la biblioteconomía, y por lo general estas personas no lo poseían.

Así llegamos al siglo XX con bibliotecas que muchas veces estaban a cargo de personal de baja preparación y en ocasiones sin ninguna vocación. El panorama de algunas bibliotecas se agravó más con la lucha revolucionaria, tal que bibliotecas como la Nacional, que contaban ya con buena parte del acervo clasificado, fueron saqueadas y desordenadas. Estas situaciones y la necesidad de abrir las bibliotecas al público justificaban más que sobradamente la inminencia de preparar personal para desempeñarse en las bibliotecas.

La necesidad de formar bibliotecarios cobra fuerza y posibilidad nacional, en nuestro país, a partir de 1915, y la fundación de la primera Escuela Nacional de Bibliotecarios y Archiveros se da en 1916, en forma paralela a la urgencia de dar cumplimiento a las demandas educativas y culturales para el pueblo, planteadas ya desde el siglo XIX, y de las que fueron tomando conciencia los líderes de las facciones revolucionarias, quienes finalmente se incorporaron al proyecto del constitucionalismo revolucionario.

Así el planteamiento en el discurso constitucionalista fue abrir las bibliotecas existentes a todo el público y crear nuevas bibliotecas para estar en posibilidad de atender efectivamente a los diferentes sectores de la sociedad. No obstante que la intención era servir con las bibliotecas a los diferentes grupos y estratos sociales, la formación de bibliotecarios y archiveros estuvo dirigida, especialmente, a la organización técnica de los acervos y en cierta medida a la administración de bibliotecas, perspectiva que quedó expresada en el objetivo de creación de la escuela. Así, Agustín Loera Chávez su fundador, señaló que la "Escuela se crea con el fin de realizar la preparación de bibliotecarios y archiveros idóneos, capacitados para llevar a cabo la reorganización y dirigir el funcionamiento de las Bibliotecas y los Archivos Oficiales."[3] De esta manera la formación del bibliotecario para atender el servicio de consulta y participar en la selección prácticamente quedaron fuera del programa, no obstante que esta preparación fuera importante para que las bibliotecas estuvieran en posibilidad de atender la pretensión de que cada sector de la población encontrara en ellas las obras convenientes. Esta inconsistencia entre el ideal y la realidad quedó más claramente manifiesta cuando estas funciones tampoco se contemplaron como parte de la pretendida Dirección Bibliográfica de la República, ya que se señaló que ésta se creaba para unificar el funcionamiento y la organización técnica de las bibliotecas del país[4] y para contribuir a la formación del hábito de lectura y fundar bibliotecas infantiles.[5]

Así aunque parece que las miras en la formación de bibliotecarios y archiveros se limitaban porque las circunstancias obligaban a quedarse, y por tanto a capacitar al personal que ya estaba adscrito a las bibliotecas y que como sabemos eran más bien personas con baja escolaridad, observamos que en la conformación del segundo plan de estudios que se formuló para la citada Escuela, tampoco se contemplaban las asignaturas de selección y consulta no obstante que para ese momento el plan de estudios se ampliara con la inclusión de

---

3 Loera y Chávez, Agustín. "La primera Escuela N. De Bibliotecarios y Archiveros". En: *Boletín de la Biblioteca Nacional de México. Vol. 2*, no. 3 (ene., 1916), p. 22.

4 Aunque no es objeto de este trabajo no quiero dejar de plantear, que ante la independencia de los Estados de la República en materia educativa, situación que elevarían a nivel constitucional los congresistas de 1917, se hacía difícil que la Dirección antes citada rigiera a las bibliotecas del país.

5 Quintana Pali, Guadalupe "Las bibliotecas públicas durante los años de la revolución". En: Quintana Pali, Guadalupe, Cristina Gil Villegas y Guadalupe Tolosa Sánchez. *Bibliotecas públicas en México: 1910-1940*. México: SEP, Dirección General de Bibliotecas, *1988*, p.74.

nuevas asignaturas y que la promoción de la carrera de bibliotecarios y archiveros se hiciera ya entre los estudiantes de la preparatoria.[6]

Ya para la época de Vasconcelos, (1922-1924) aunque se envió personal para prepararse como bibliotecarios en los Estados Unidos, la formación del bibliotecario llevada a efecto en México se hizo no desde una escuela de bibliotecarios sino mediante cursos por conferencias. En un primer momento las conferencias, dictadas una vez por semana, se dirigieron al público en general con el fin de captar personal para trabajar en las bibliotecas.[7] En un segundo momento, con un programa más detallado y con el dictado de las conferencias dos veces por semana, se buscaba capacitar "[...]a los empleados del Departamento que aspiraban al título de bibliotecario"[8] y "[...]muy principalmente a los que tienen a su inmediato cuidado las bibliotecas públicas."[9]

No obstante que el ideal manifiesto en esta época fuera el que las bibliotecas, el libro, al igual que la alfabetización, la escuela y el arte nacional, se constituyeran en verdaderos colaboradores para lograr la anhelada reconstrucción cultural, educativa y de progreso para el

---

6   León, Nicolás. "El conocimiento y manejo del libro, como elemento para una profesión lucrativa: plática hecha a los alumnos de la Escuela Nacional Preparatoria aptos para elegir carrera profesional". En: León, Nicolás. *Notas de las lecciones orales del profesor Nicolás León en la Escuela Nacional de Bibliotecarios y Archiveros*. México: Antigua Imprenta de Munguía, 1918, p. 138-142.

7   "Aviso". En: *El Libro y el Pueblo. Vol.* I, no. 2 (abr., 1922), p. 16. En dicho aviso se señalaba que el Departamento de Bibliotecas inauguraba "un ciclo de conferencias destinadas a divulgar conocimientos prácticos de bibliografía, biblioteconomía y bibliofília" y se decía específicamente: "Las personas que deseen inscribirse pueden hacerlo desde luego en la inteligencia de que habrá de preferírseles en el futuro para cualquier nombramiento y que recibirán como comprobante de sus estudios un diploma de aptitud [...]"

8   "Informe leído del Departamento en el Congreso de Bibliotecarios, de Austin Texas". En: *Boletín de la Secretaría de Educación Pública. Vol. II*, no. 3 (ene., 1923), p. 335.

9   García Núñez, Luz. "Memoria de la conferencia de la American Library Association y la Southwest Library Association". En: *Boletín de la Secretaría de Educación Pública. Vol.* I, no.4 (!er. Sem., 1923), p. 280.

pueblo mexicano, que desde nuestro punto de vista demandaba que el bibliotecario tuviera una participación consciente y directa con el público, basada en conocimientos y metodologías de la biblioteconomía y en una sólida cultura general, la capacitación del bibliotecario también giró en torno a la catalogación y la clasificación, toda vez que la organización técnica de las colecciones fue contemplada como la tarea fundamental del bibliotecario. Así, en el Reglamento de Bibliotecas Públicas se señalaba como obligación de los responsables de bibliotecas: "[...]llevar a cabo o dirigir las labores de catalogación" (entiéndase por ello la organización técnica), con esta obligación se pensó favorecer no únicamente a la biblioteca que se tenía a cargo, sino a la conformación del catálogo central que integraría la Dirección Central de Bibliografía que se planeó crear para "[..]poder indicar en cualquier momento el lugar en que se encuentra cualquier obra".[10]

La selección de libros y revistas eran también y respectivamente atribuciones del Departamento de Bibliotecas y de su citada Dirección Central de Bibliografía, mismas que se llevaban a cabo a través de sus hombres de letras. La participación del bibliotecario en la selección ya no digamos del conjunto de las bibliotecas del país, sino aún en la de su propia biblioteca, era tangencial. De acuerdo con el Reglamento de las Bibliotecas Públicas, los inspectores de bibliotecas o los bibliotecarios tenían la atribución de proponerle a la SEP "[...]las obras que deban adquirirse según las necesidades de cada biblioteca"[11]

En lo que toca al uso de la biblioteca, se le pedía al bibliotecario lo siguiente: "Hacer una propaganda real y efectiva para lograr el aumento de lectores en la Biblioteca, en las fábricas, talleres y escuelas del lugar", específicamente "[...]pedir a los directores de las Escuelas

---

10 "Invitación al pueblo y a la prensa". En: *El libro y el Pueblo. Vol. 1, no.* 1 (mar., 1922), p. 1.

11 "Reglamento de las Bibliotecas Públicas: disposiciones generales". En: El *Libro y el Pueblo. Vol. 1, no. 4* (jun., 1922), p. 26.

que existan en el lugar, que lleven a los alumnos a las salas de lectura, al efecto de acostumbrarlos desde pequeños a frecuentar estos centros de cultura" y "[...]organizar las conferencias y lecturas" que se dictarían en la fiesta pública mensual que cada biblioteca debía organizar, por lo menos una vez al mes.[12]

Desde nuestro punto de vista el cumplimiento de estas tareas demandaba la formación que le permitiera al bibliotecario en primer lugar hacer suyo el convencimiento del papel tan importante que las bibliotecas jugaban en la democratización del libro, la lectura y el acceso a la información, y en segundo el conocimiento y manejo de las metodologías correspondientes; no obstante ello lo que realmente se decidió fue dotar a los bibliotecarios de la cultura "indispensable",[13] y la capacitación se centró en la catalogación y la clasificación. Esta decisión muestra que en la práctica no se le asignaba a la biblioteca ese papel central frente a la democratización del libro, el desarrollo del gusto lector y la guía a la lectura que sí se le atribuía en otros países.

Aunque el ideal manifiesto por el Departamento de Bibliotecas de la SEP era contratar bibliotecarios con preparación correspondiente a preparatoria o enseñanza normal, nuevamente, debido entre otros aspectos a los bajos salarios, entendemos que se contrataron bibliotecarios de menor escolaridad y que la baja preparación del personal bibliotecario afectó seriamente, los objetivos de contar con un catálogo general de bibliotecas públicas y, más aún, de que los acervos de todas las bibliotecas estuvieran técnicamente organizados. Al respecto, Esperanza Velázquez Bringas al tomar la Dirección del Departamento

---

12 *Ibid.*
13 "Invitación al pueblo y la prensa". En: *El libro y el Pueblo. Vol. 1, no.* I (mar., 1922), p. 1. Refiriéndose a las funciones de la Sección de Propaganda e informes de la Dirección Central de Bibliografía, se señaló que ésta organizaría "conferencias semanarias sobre la cultura indispensable para el bibliotecario, convenientemente alternadas con las lecciones del curso sobre bibliografía para los habitantes de la ciudad de México. Las conferencias sobre la cultura del bibliotecario se imprimirán en la 'Revista de Bibliografía' con el fin de que sean conocidas en todo el país."

de Bibliotecas, señaló que "[...]solamente había tres bibliotecas catalogadas",[14] situación que a su juicio se debía tanto a negligencia como a falta de conocimientos por parte del personal de bibliotecas.[15]

Para nosotros es claro que el aprendizaje de la organización técnica de las colecciones exige, ya desde el manejo de los instrumentos de catalogación y clasificación, una escolaridad de nivel medio superior y un buen nivel cultural, máxime para la asignación de la clasificación y el encabezamiento de los documentos.

No obstante ello, la deficiencia en la formación general y la falta de vocación del personal que aspiraba a formarse en biblioteconomía no sería debidamente dimensionada en la propuesta de formación de Manrique de Lara presentada en 1924.

EL CONCEPTO DE BIBLIOTECA Y DE BIBLIOTECARIO MODERNO, SUSTENTO DE LA PROPUESTA DE FORMACIÓN DE JUANA MANRIQUE DE LARA

A pesar de que Juana tampoco señaló de manera explícita que para optar por la formación de bibliotecario era necesario contar con estudios de nivel medio superior, presentamos su propuesta porque hemos encontrado que es ella quien plantea por primera una formación integral para los bibliotecarios, congruente con los objetivos y funciones que se le asignaban a la biblioteca moderna, por que esta propuesta fue el sustento de los planes de estudio de las escuelas de bibliotecarios que se fundaron en México, al menos durante el siglo XX y, además, por que el México actual aún demanda que las bibliotecas públicas, ahora permeadas por las tecnologías de la información, realmente cumplan con su cometido social.

---

14 "Informe que rinde la Señorita Esperanza Velázquez Bringas, Jefe del Departamento de Bibliotecas al Doctor José Manuel Ruiz Casaurana, secretario de Educación Pública, acerca de las labores desarrolladas durante el mes de enero". En: Boletín de la Secretaria de Educación Pública. Vol. 3, no. 9 (feb., 1925), p. 137.
15 *Ibid.*

Bajo el principio de que "[...]los libros están en la biblioteca para que el público los lea y [por tanto] se debe fomentar a toda costa el amor y la facilidad para su lectura"[16] y que especialmente la biblioteca popular tiene un papel ineludible en la guía a la lectura de calidad y en la formación del gusto lector, Juana señala que la biblioteca moderna debe contar con acervos bibliográficos "[...]escogidos según las necesidades de la región, el grado de intelectualidad de sus lectores y los diferentes fines para [los que ha sido establecida]"[17] y que esos acervos deben estar arreglados "[...]conforme a las reglas técnicas de la biblioteconomía",[18] y, en consecuencia, deben contar con catálogos accesibles y proporcionarle al público todas las facilidades para la consulta de los libros, recordando que si bien "la reglamentación y métodos son necesarios para el orden de la biblioteca; [...] nunca deben ser un obstáculo para que el lector se acerque con libertad al libro que necesite."[19]

De acuerdo con Manrique de Lara la biblioteca moderna "[...]debe ser un centro eficiente y gratuito de información tanto bibliográfica como general y estar siempre en aptitud de contestar toda clase de preguntas que el público le haga."[20]

Para Manrique de Lara el bibliotecario es el elemento clave para lograr que la biblioteca moderna cumpla con la función social que tiene encomendada. Tal convencimiento la llevó a afirmar que:

A pesar de todas las ventajas de una buena organización material de las bibliotecas, puede decirse que el éxito o fracaso de ellas depende casi por completo del bibliotecario que posea.[21]

Así, para ella el bibliotecario moderno es:

16 Manrique de Lara, Juana. "Bibliotecas y bibliotecarios". En: *El Libro y el Pueblo"*. *Vol. 3*I, no. 3 (ene.-mar., 1924) p.35.
17 *Ibid.,* p. 33.
18 *Ibid.*
19 *Ibid.,* p. 35
20 *Ibid.,* p. 34
21 *Ibid.*

[...]un profesionista que necesita hacer estudios técnicos, serios, sobre su profesión y no un simple "guardador y mozo de libros" como hasta hace poco se creía [...]. Aparte de esto, se le exige ante todo una buena y extensa cultura general, espíritu de cortesía y de servicio, imaginación práctica y entusiasmo por su trabajo.[22]

El concepto de biblioteca moderna, las ideas expresadas por Manrique de Lara acerca del cometido de ésta, permiten entender la importancia de que la formación del bibliotecario se sustente en "[...]una buena y extensa cultura general", en un "[...]espíritu de cortesía y de servicio", en "[...]imaginación práctica y entusiasmo por su trabajo", y en dimensionar el amplio y profundo significado que para ella tienen, lo que ha denominado "[...]los estudios técnicos en biblioteconomía".

Entendemos que para Juana la formación técnica no se reduce a impartir conocimientos y habilidades para la organización técnica de las colecciones y para la consecuente elaboración y organización de catálogos, sino a lograr una verdadera comprensión del cometido social de la biblioteca y de las metodologías biblioteconómicas que contribuyen a que el bibliotecario sea agente activo en la selección de los acervos, en la guía a la lectura y, en términos más generales, en el logro de la democratización de ésta y de la información, y de que la biblioteca se convierta en un espacio importante en el que la comunidad encuentre educación, información y recreación.

1924, PROPUESTA INTEGRAL PARA LA FORMACIÓN DEL BIBLIOTECARIO

Aunque parece que el México emanado de la revolución aspiraba a constituir bibliotecas comprometidas con la democratización del libro, la lectura, la información y la formación del gusto lector, paradójicamente y a pesar de la gran inversión que la SEP erogaba en materia

---

22 *Ibid.*.

de colecciones y propaganda, la educación del bibliotecario, en el momento cumbre de fundación de bibliotecas por todo el país, no era un proyecto central; mas aún, su capacitación no era congruente con los cometidos atribuidos a nivel internacional a la biblioteca moderna.

Es por ello que bajo el concepto de la biblioteca moderna, Juana le propone a Jaime Torres Bodet, Jefe del Departamento de Bibliotecas de la SEP, una serie de proyectos para mejorar las condiciones de las bibliotecas de nuestro país, entre ellos la centralización de la catalogación y la clasificación, pero le comenta que el proyecto de formación de bibliotecarios es el que permitirá el funcionamiento de los otros.

Aunque Manrique de Lara señalaba la necesidad de restablecer la escuela de bibliotecarios[23] en el marco de la posibilidad del momento, lo que le sugiere a Torres Bodet es enriquecer, por lo pronto con nuevas materias, la capacitación impulsada por Vasconcelos; es por ello que le comenta:

> El primero e indispensable paso que es necesario dar con el objeto de un mejoramiento general de las condiciones presentes del trabajo de bibliotecas, es el de *continuar y reforzar con clases nuevas las conferencias de biblioteconomía* que hasta ahora dirige el señor Juan B. Iguíniz con el cuerpo de bibliotecarios de la ciudad de México. Las clases que sería necesario introducir, serían las de Selección de Libros, Encabezados de Materia y Administración propiamente dicha, dando además, elemental información sobre sucesos mundiales y domésticos, servicio de consulta en bibliotecas, y algunas pláticas sobre las bibliotecas de diferentes tipos en los Estados Unidos. Como

---

23 Manrique de Lara, Juana. "Programa de la Escuela de Bibliotecarios anexa a la Biblioteca Pública de la ciudad de Nueva York". En: *El Libro y el Pueblo. Vol. 2*, nos. 8-10 (oct.-dic., 1923), p. 201. En este documento Juana le señalaba a Torres Bodet la idea de abrir una escuela de bibliotecarios cuando le comentaba: "Mi objeto al enviarle nota detallada de los estudios que estoy haciendo en esta escuela es, en primer lugar, hacer de su conocimiento la importancia y extensión de los estudios y enseguida, el de hacerle un esquema del curso por entero con el fin de que pueda, en el futuro sernos útil, ya sea que se establezca en México una Escuela de Bibliotecarios, o cuando menos para que se puedan dar conferencias sobre diferentes materias bibliográficas, llevando un plan determinado."

consecuencia de este trabajo de enseñanza vendrá la necesidad de establecer el escalafón de los empleados de bibliotecas.[24]

En esta propuesta se observa un concepto más amplio de la formación técnica en biblioteconomía y el rescate de la formación cultural general.

La perspectiva integral, congruente con el concepto de biblioteca moderna, Juana la encontró reflejada en el plan de estudios que cursaba en la citada escuela de bibliotecarios de Nueva York, y por ello proporcionó como base para la impartición de los cursos que ella proponía, los programas de las materias que allá cursaba.

Manrique de Lara estaba convencida de la importancia que para el funcionamiento real de la biblioteca moderna tenían las "nuevas" materias que proponía para la formación del bibliotecario.

Sostenía, por ejemplo que el bibliotecario debía participar en la selección, tal que señalaba:

Una de las atribuciones del bibliotecario consiste en rechazar o aceptar los libros que se le propongan para adquisición de la biblioteca, y no sólo deberá rechazar aquellos que por su inmoralidad o falta de mérito no deban ser adquiridos, sino los que por su carácter especial no se adapten a la índole de la biblioteca, ya sea porque son libros raros o preciosos, en cuyo caso deben ser adquiridos por las bibliotecas-museos o por las grandes bibliotecas, o ya porque traten de materias cuya bibliografía sea muy extensa en su establecimiento o porque no haya probabilidad de ser solicitados.[25]

Así, para ayudar a los bibliotecarios mexicanos, principalmente los de las bibliotecas públicas populares, a asumir su papel fundamental en la selección, escribió el articulo denominado "La selección de libros

---

24 Manrique de Lara, Juana. "Proyecto de reformas e introducción de sistemas de Biblioteconomía, según los métodos Norte Americanos, en las bibliotecas de la República mexicana". En: *El Libro y el Pueblo. Vol. 3*, nos. 7-9 (jul.-sep., 1924), p. 174. En la última parte de esta cita encontramos que Juana tocaba ya la necesidad de mejorar la situación económica de los bibliotecario.
25 Manrique de Lara, Juana. "Bibliotecas y Bibliotecarios". En: *El Libro y el Pueblo*. Vol. 3, no. 3 (ene.-mar., 1924), p. 35.

para las diferentes clases de bibliotecas y en especial para las bibliotecas públicas."[26]

Asimismo Juana estaba convencida de la importancia del bibliotecario en el servicio y la consulta, tal que asume el siguiente comentario:

> Se dice que es preferible que una biblioteca esté técnicamente mal arreglada, pero que tenga un bibliotecario amable y bien dispuesto a ayudar al público en la busca de libros, que una cuya organización sea irreprochable, pero cuyo bibliotecario malhumorado y áspero ahuyente a los lectores.[27]

Aunque Manrique de Lara no escribió en los años de 1923-1924 un artículo sobre el servicio de consulta, sostuvo que la guía a la lectura es uno de los principales cometidos de la biblioteca moderna, y también indicaba que la labor de información es una de las mas importantes funciones que debe realizar el bibliotecario.[28]

Apoyada entre otras cosas en la expectativa de que "[...]el catálogo del porvenir será anotado,"[29] en el convencimiento de "[...]que las simples listas de títulos al antiguo estilo no cumplen ni con mucho con lo que se espera de ellas", de que "[...]el principal objeto de la anotación es despertar el interés sobre un libro dado, con el objeto de que el lector sienta el deseo de leerlo[...]",[30] y de que las bibliografías anotadas son importantes no sólo para los estudiosos e investigadores sino también para el trabajo técnico de los propios bibliotecarios,[31] Juana pugnó también por que se formara al bibliotecario en la elaboración de resúmenes de libros y revistas. Al respecto sostenía:

---

26 Manrique de Lara, Juana. "La selección de libros para las diferentes clases de bibliotecas y en especial para las bibliotecas públicas". En: *El Libro y el Pueblo. Vol. 3*, nos. 10-12 (oct.-dic., 1924), p.227-229.

27 Manrique de Lara, Juana. "Bibliotecas y bibliotecarios".. En: El Libro y el Pueblo. Vol. 3, no. 3 (ene.-mar., 1924)., p. 35.

28 *Ibid.*

29 Manrique de Lara, Juana. "Anotaciones y revistas de libros". En: *El Libro y el Pueblo. Vol. 3*, nos. 4-6 (abr. –jun., 1924), p. 92.

30 *Ibid.*, p.91.

31 *Ibid.*, p.92.

Todo moderno bibliotecario está obligado a conocer hasta en sus menores detalles, el arte de la anotación bibliográfica, y también el de hacer revistas de libros que puedan llevar el sello de su personalidad y una clara y justificada crítica de los libros que intenta juzgar.[32]

Para apoyar la formación del bibliotecario en la elaboración de resúmenes Juana escribe en ese momento el artículo "Anotación y revistas de libros".[33]

A MANERA DE CONCLUSIONES

La propuesta de formación de bibliotecarios de Manrique de Lara se adoptó de manera inmediata en la segunda Escuela Nacional de Bibliotecarios que funcionó en 1925, y que fue impulsada por ella y la Asociación de Bibliotecarios y apoyada para su operación por Esperanza Velázquez Bringas Jefa del Departamento de Bibliotecas durante el periodo de gobierno de Plutarco Elías Calles.

Cabe señalar que aunque la sugerencia de formación hecha por Juana fue valorada en su momento por Torres Bodet, este personaje, ante la caída de Vasconcelos, no pudo ponerla en práctica sino hasta 1945, cuando, como Secretario de Educación Pública, tuvo la oportunidad de abrir la Escuela Nacional de Bibliotecarios y Archivistas.

La concepción del plan de estudios propuesto por Manrique de Lara y traído por ella desde los Estados Unidos permeó no sólo a la escuela de 1925, sino a las demás que se fueron abriendo.

No obstante la lenta pero creciente existencia de profesionales de la bibliotecología, los bajos salarios pagados en las bibliotecas públicas no han permitido que el bibliotecario profesional se desempeñe en ellas, situación que, de darse, a nuestro juicio contribuiría a mejorar,

---

32 *Ibid.*, p. 89.
33 *Ibid.*, pp. 89-92.

en el contexto de un impulso, este fundamental tipo de biblioteca, y a cumplir su papel social, ahora favorecido al menos teóricamente, por la existencia de las tecnologías de la información.

OBRAS CONSULTADAS

"Aviso". En: *El Libro y el Pueblo*. Vol. 1, no. 2 (abr., 1922), p. 16.

"Informe leído del Departamento en el Congreso de Bibliotecarios de Austin Texas". En: *Boletín de la Secretaría de Educación Pública. Vol. 1, no.* 3 (ene., 1923), p. 334-339.

"Informe que rinde la Señorita Esperanza Velázquez Bringas, Jefe del Departamento de Bibliotecas al Doctor José Manuel Ruiz Casaurana, secretario de Educación Pública, acerca de las labores desarrolladas durante el mes de enero". En: Boletín de la Secretaria de Educación Pública. Vol. 3, no. 9 (feb., 1925), p. 137-142.

"Invitación al pueblo y a la prensa". En: *El Libro y el Pueblo. Vol. 1*, no. 1 (mar., 1922), p. 1.

"Reglamento de las Bibliotecas Públicas: disposiciones generales". En: *El Libro y el Pueblo. Vol. 1, no. 4*. (jun., 1922), p. 26.

García Núñez, Luz. "Memoria de la Conferencia de la American Library Association y la Southwest Library Association". En: *Boletín de la Secretaría de Educación Pública. Vol. 1, no. 4* (!er. Sem., 1923), p. 278-285.

Herrero Bervera, Carlos. "Las bibliotecas en México: 1821-1850". En: Vázquez Mantecón, Carmen, Alfonso Flamenco Ramírez y Carlos Herrera Bervera. *Las bibliotecas mexicanas en el siglo XIX*. México: SEP, Dirección General de Bibliotecas, *1987*, p. 17-65.

León, Nicolás. "El conocimiento y manejo del libro, como elemento para una profesión lucrativa: plática hecha a los alumnos de la Escuela Nacional Preparatoria aptos para elegir carrera profesional", en Nicolás León, *Notas de las lecciones orales del profesor Nicolás León en la Escuela Nacional de Bibliotecarios y Archiveros*. México: Antigua Imprenta de Munguía, 1918, p. 138-142.

Loera y Chávez, Agustín. "La primera Escuela N. de Bibliotecarios y Archiveros". En: *Boletín de la Biblioteca Nacional de México. Vol. 2, no. 3* (ene., 1916), p. 121-123.

Manrique de Lara, Juana. "Anotaciones y revistas de libros". En: *El Libro y el Pueblo. Vol. 3, nos 4-6* (abr.- jun., 1924), p. 89-92.

– –. "Bibliotecas y bibliotecarios". En: *El Libro y el Pueblo". Vol. 3, no. 3* (ene. – mar., 1924), p. 33-35.

– –. "La selección de libros para las diferentes clases de bibliotecas y en especial para las bibliotecas públicas". En: *El Libro y el Pueblo. Vol. 3, nos.* 10-12 (oct. – dic., 1924), p.227-229.

– –. "Programa de la Escuela de Bibliotecarios anexa a la Biblioteca Pública de la ciudad de Nueva York". En: *El Libro y el Pueblo. Vol. 2, nos.* 8-10 (oct.- dic., 1923), p. 201-202.

– –. "Proyecto de reformas e introducción de sistemas de Biblioteconomía, según los métodos Norte Americanos, en las bibliotecas de la República mexicana". En: *El Libro y el Pueblo*. Vol. 3, nos. 7-9 (jul.- sep., 1924), p. 173-175.

Quintana Pali, Guadalupe. "Las bibliotecas públicas durante los años de la revolución". En: Quintana Pali, Guadalupe, Cristina Gil Villegas y Guadalupe Tolosa Sánchez. *Bibliotecas públicas en México: 1910-1940*. México: SEP, Dirección General de Bibliotecas, *1988*, p. 23-110.

MESAS REDONDAS

La investigación bibliotecológica y las comunidades científicas en un contexto colombiano

EDILMA NARANJO VÉLEZ
NORA ELENA RENDÓN GIRALDO
Universidad de Antioquia, Colombia

L a investigación bibliotecológica es un tema de permanente discusión que no se pretende concluir en esta presentación sino, por el contrario, compartir una serie de experiencias, inquietudes y proyectos con el fin de fortalecer los lazos de cooperación, ampliar las fronteras del conocimiento y reconocer la importancia de la investigación en las escuelas y facultades de bibliotecología como un espacio para el análisis y confrontación de los cambios que día a día acontecen en nuestra profesión.

Partiendo de unas reflexiones acerca de la importancia de la investigación bibliotecológica, se expone la experiencia de ésta en Colombia en las diferentes escuelas y facultades, las líneas de investigaciones que las rigen, y por último se proponen algunos proyectos y sistemas de cooperación que permitirían el fortalecimiento de las relaciones interinstitucionales en función de la disciplina, a partir de la ejecución de investigaciones teóricas y aplicadas que aumentarían el conocimiento en el área, fundamentarían la actividad profesional de la bibliotecología y, por ende, enriquecerían la literatura.

En torno a la investigación bibliotecológica

Inherente a todas las actividades del ser humano, la investigación debería ser asumida como una actividad básica del hombre, pues le proporciona el conocimiento de sí mismo, del entorno en que se desenvuelve y de sus condiciones de vida; esto le da la posibilidad de prepararse para los cambios y enfrentarse a momentos y situaciones imprevistas en el diario vivir personal y profesional.

Con la investigación se busca una mejor actualización del grupo de profesionales y aumentar la conciencia social acerca de la importancia que tiene la información para mejorar la calidad de vida de la comunidad. Esto se logra a través del proceso de revisión del conocimiento, el establecimiento de nuevas relaciones entre los hechos o la aplicación del conocimiento a algún problema, lo cual influye así en el desarrollo de una disciplina y de la comunidad académica y científica que la lidera.

En la actualidad la bibliotecología y ciencia de la información han venido adquiriendo reconocimiento y posición, en gran parte por su labor investigativa, realizada desde las escuelas y facultades. En ellas se ha tratado de construir su cuerpo teórico y sus fundamentos, pues nos hemos vuelto conscientes de que la madurez y crecimiento de la profesión dependen del desarrollo de la investigación, razón de más para proponer que el papel del bibliotecólogo depende del entrenamiento en investigación y de la contribución a la investigación en esta área del conocimiento.

Los bibliotecólogos se van formando como investigadores a través de la experiencia cuando participan en proyectos sea unidisciplinarios o interdisciplinarios, cuando reconocen que la sustentación teórica de los procesos prácticos facilita las bases para comprender la fundamentación y evaluación del proceso de la transferencia de información. De este modo se aumenta la productividad y efectividad con la aplicación de los resultados surgidos en los trabajos de investigación y difusión como contribución al conocimiento universal.

CARACTERÍSTICAS DE LA INVESTIGACIÓN EN BIBLIOTECOLOGÍA Y CIENCIAS DE LA INFORMACIÓN EN COLOMBIA

Si bien la bibliotecología ha sido una disciplina tradicionalmente empírica y una profesión de servicio, el proceso de investigación, junto con la creación de escuelas y facultades para la formación de profesionales, es quizá una de las actividades más importantes que le ha merecido a la bibliotecología un reconocimiento y status social en los últimos tiempos.

La vinculación estrecha entre la investigación y la docencia responde a la necesidad de incorporar la investigación como elemento fundamental de todo proceso productivo y de servicios, con el fin de generar nuevo conocimiento alrededor de la disciplina y de que ésta "sobreviva" en el marco de eficiencia y efectividad que demanda cada vez el mundo contemporáneo.

Específicamente, en Colombia, la investigación bibliotecológica tuvo sus orígenes en la Escuela Interamericana de Bibliotecología de la Universidad de Antioquia, primera escuela del país para la formación de profesionales en el área, creada en el año de 1956. Posteriormente surgen otras instituciones académicas que también desarrollaron actividades investigativas alrededor de la bibliotecología y la ciencia de la información, éstas son la Facultad de Sistemas de Información y Documentación de la Universidad de la Salle y el Departamento de Ciencia de la Información de la Pontificia Universidad Javeriana.

Centro de Investigaciones en Ciencia de la Información –CICINF–

La investigación en la Escuela Interamericana de Bibliotecología –EIB–, está liderada por el Centro de Investigación en Ciencia de la Información –CICINF–, adscrito a la Escuela Interamericana y único centro de investigaciones bibliotecológicas en el país cuya trayectoria y aportes son reconocidos en el ámbito nacional e internacional. Se destaca desde los orígenes de la Escuela la creación y funcionamiento inicial del Departamento de Investigaciones Bibliográficas, que con su apoyo a los trabajos de grado y la generación de bibliografías especializadas, sentaron las bases para el ejercicio de la actividad investigativa y la conformación de líneas de investigación.

Las acciones del Centro se enmarcan en las políticas y planes de desarrollo como se expresa en los objetivos contemplados en el Proyecto Educativo Institucional de la EIB

> ➤ Contribuir al progreso de la nación con innovativos programas de investigación, docencia y extensión que permitan la formación de profesionales de altas competencias académicas [...]

> ➤ Incrementar la actividad investigativa entre los profesores, egresados y estudiantes, alrededor de los principales problemas que, en el campo de la cultura y su relación con el uso de la información, afecten a nuestra región.

> ➤ Solucionar problemas en el diseño y operación de sistemas y servicios de información, mediante servicios de asesoría y consultorías, a entidades nacionales e internacionales.[1]

Todo esto a la luz de las políticas de la Vicerrectoría de Investigaciones de la Universidad de Antioquia, los lineamientos dados por Colciencias (Fondo Colombiano Francisco José de Caldas) y el Sistema Nacional de Ciencia y Tecnología, han permitido acciones más acordes con la dinámica del desarrollo de la bibliotecología y ciencia de la información en Colombia.

Es así como el fomento y apoyo permanente a los grupos de investigación han convertido a la Universidad de Antioquia en una de las instituciones con mayor número de Grupos y Centros de Excelencia en el país; razón por la cual mereció recibir recientemente la Acreditación

---

1   ESCUELA INTERAMERICANA DE BIBLIOTECOLOGÍA. Proyecto Educativo Institucional. Medellín : Universidad de Antioquia, Escuela Interamericana de Bibliotecología, 2003; p. 10.

Institucional de Calidad. Certificación otorgada por un periodo de nueve años, el máximo de tiempo otorgado hasta el momento en el país, y que la convierte en la primera institución pública de Colombia en recibir esta distinción, y la cuarta en Colombia.

Su proyección le ha permitido el desarrollo y vinculación a investigaciones interdisciplinarias; la definición y actualización de líneas de investigación con base en los planes de estudio; la conformación de grupos de investigación en diferentes áreas de la bibliotecología con la participación de profesores, estudiantes y egresados; y la conducción de financiación interna y externa.

> Considerada la investigación como vía fundamental en la búsqueda de solución a los problemas de la sociedad y como una aplicación a las fronteras del conocimiento, la Escuela [Interamericana de Bibliotecología] propicia ambientes permeables que permitan entenderla como la creación de nuevos conocimientos, nuevas técnicas y mejores formas de ver el mundo y transformarlo. Constituye un eje transversal a la propuesta curricular que permite el análisis y la confrontación de los cambios que día a día sufre nuestra profesión, producto del avance en las tecnologías de la información y la comunicación y las mismas necesidades de los sujetos frente al proceso de transferencia de información y las tendencias de la profesión en el ámbito nacional e internacional.[2]

De esta manera, desde el Centro de Investigaciones se coordina el "Semillero de Investigaciones en Ciencia de la Información y Bibliotecología", espacio creado para el aprendizaje, la reflexión, el análisis, la confrontación de la teoría con la práctica bibliotecológica y, sobre todo, para consolidar una cultura de investigación en la Escuela con la participación de profesores, estudiantes, egresados y profesionales de otras áreas, todos ellos buscando consolidar un trabajo interdisciplinario.

---

2   RENDÓN GIRALDO, Nora Elena. Fomento y apoyo a la investigación desde el Centro de Investigaciones en Ciencia de la Información –CICINF– de la Escuela Interamericana de Bibliotecología. En : Coloquio de Investigación Bibliotecológica y de la Información: Investigación Bibliotecológica: presente y futuro [20 : México : 2002]. Mimeógrafo, 2002; p. 4.

El trabajo interdisciplinario e interinstitucional ha caracterizado los proyectos de investigación adscritos al Centro de Investigaciones y por ello en las investigaciones participan profesionales de otras áreas como ingenieros, filósofos, lingüistas, historiadores, entre otros, acompañados por un investigador principal y estudiantes en formación o auxiliares de investigación. Así se han ido conformado grupos de investigación que de acuerdo con las políticas institucionales han permitido el desarrollo de investigaciones de carácter teórico y aplicado. Aquellas que se encuentran actualmente en ejecución son:

➤ Fudamentación del cuerpo filosófico epistemológico que sustente el objeto de estudio de la bibliotecología, estudio orientado al contexto socio-cultural colombiano.

➤ Incidencia de la gestión del conocimiento, la terminología y la normalización en el avance y desarrollo de las empresas de Medellín entre 1989 y 1999.

➤ Guía metodológica para costear las unidades de información utilizando un costeo basado en actividades ABC.

➤ Historia y desarrollo de las bibliotecas públicas de Medellín en el siglo XX.

➤ Evolución y tendencias de la formación de usuarios en un contexto latinoamericano.

➤ Modelo de gestión tecnológica para las unidades de información de la ciudad de Medellín.

➤ Legado del saber: Universidad de Antioquia 200 años.

Universidad de la Salle

Las actividades de investigación en la Facultad de Sistemas de Información y Documentación de la Universidad de la Salle, han estado centradas en los esfuerzos realizados por los estudiantes y coordinados por los docentes de metodología de la investigación y los directores de trabajo de grado. No disponen de un centro de investigaciones propiamente dicho sino que las acciones se coordinan, integran y planifican desde el Departamento de Investigaciones, que depende de la División de Formación Avanzada de la Universidad.

Cuando es necesario, un comité evaluador estudia y aprueba las propuestas de investigación que se presentan desde las facultades con el aval de la decanatura y la participación de estudiantes. Es importante anotar que se trata de una Facultad de jornada nocturna y cuyos profesores trabajan de las 18:00 a las 22:00 horas, por cuanto están vinculados laboralmente con otra empresa durante el día. Esto dificulta el trabajo de investigación que, a diferencia de otras universidades del país, disponen de profesores de tiempo completo para las actividades de docencia, investigación y extensión.

Dado el reconocimiento de la investigación en la Facultad, se decidió abrir el área de investigación dentro del proyecto de modernización de la gestión curricular, agrupando todas las materias del currículo que contribuyen al desarrollo del perfil de investigador en ciencia de la información. Esta área atraviesa todo el plan de estudios y de acuerdo con la política general en la cual se inscriben todos los programas académicos de la Universidad, el programa de Sistemas de información y documentación ha concretado metas y criterios para dimensionar la investigación en cada uno de los siguientes compromisos:

➤ Con la educación en lo superior y para lo superior.
➤ Con una visión cristiana del hombre y la realidad.
➤ Con una educación centrada en la promoción de la persona humana.
➤ Con una adecuada proyección histórica y socio-política.
➤ Con una opción preferencial por los pobres.

"Considerando la información como insumo indispensable para el desarrollo de investigación y la existencia de sistemas y servicios de información como instrumentos al servicio de la ciencia y la tecnología",[3] la Facultad orienta sus proyectos de investigación bajo la

---

3   Facultad de Sistemas de Información y Documentación [Universidad de la Salle]. La investigación en la Facultad. Mimeográfo. 2002. p. 4

perspectiva del uso e impacto social de las tecnologías de la información en Colombia, y el desarrollo tecnológico y el desarrollo humano sostenible.

Pontificia Universidad Javeriana

El Departamento de Ciencia de la Información [adscrito a la Pontificia Universidad Javeriana] se orienta a la investigación, evaluación y desarrollo de los procesos de adquisición, preservación, conservación, incremento y disponibilidad del conocimiento humano registrado. Presta servicios de docencia a la Carrera de Información y Documentación, a los postgrados de la Facultad y a otros programas de la Universidad. Realiza también asesorías y productos para la industria de la información y la documentación aplicables en la organización de bibliotecas, archivos y redes.

Los criterios sobre los cuales el Departamento asume el desarrollo de líneas de investigación son:

➤ Coordinar la investigación con las Unidades Académicas de la Facultad, de la Universidad y las organizaciones profesionales.

➤ Conformar un equipo de profesores-investigadores que le permita generar espacios de construcción de conocimiento.

➤ Impulsar líneas de investigación que respondan a las necesidades de información y documentación que requiere el país y sean consecuentes con el desarrollo de la ciencia de la información en el ámbito mundial.

Las líneas de investigación que desarrolla el Departamento,

[...]buscan contribuir a la transferencia y adopción de tecnologías; al desarrollo de métodos y procesos propios de la Ciencia de la Información; al análisis del comportamiento de la información en las organizaciones y en el mercadeo de productos y servicios de acuerdo con las necesidades de los usuarios, al igual que a la construcción de indicadores de la producción y consumo de información.[4]

---

4   Departamento de Ciencia de la Información y Documentación. [En línea]. http://www.javeriana.edu.co

Se destacan las siguientes investigaciones:

➢ Biblioteca digital desde Colombia: desarrollo de un prototipo demostrativo.

➢ Comportamiento y análisis del uso de Internet en comunidades académicas y de investigación.

➢ Gestión de conocimiento aplicado a los productos de los proyectos de investigación financiados por Colciencias.

➢ Autoridades de materia.

➢ Diseño de un sistema de gestión de información / conocimiento para el Departamento de Ciencia de la Información de la Facultad de Comunicación y Lenguaje de la Pontifica Universidad Javeriana.

LÍNEAS DE INVESTIGACIÓN DE LAS TRES INSTITUCIONES

La investigación, como toda actividad de la que se pretende obtener resultados, debe ser organizada, planeada y administrada debido a los múltiples temas, áreas y tópicos que despiertan inquietud e interés en los investigadores.

Las líneas de investigación se derivan de la relación que se observa entre la bibliotecología como disciplina y la ciencia de la información con otras áreas del conocimiento. Cada escuela o facultad establece sus propias líneas de investigación a partir de revisiones bibliográficas permanentes, los programas académicos que desarrollan, la experiencia de profesores e investigadores, las listas de discusión electrónicas, los aportes al campo educativo y formativo de los futuros profesionales, el campo de desempeño de los profesionales egresados y las tendencias en el ámbito local, nacional e internacional.

Las líneas de investigación de las tres universidades descritas que se presentan en el cuadro, confluyen en temas como el uso de las tecnologías de la información y la comunicación y su impacto en las unidades de información y en la sociedad, los lenguajes documentales, los servicios de información y el comportamiento de los usuarios, la gestión del conocimiento, la gerencia de sistemas y el mercadeo de servicios, entre otros, y permiten además un trabajo cooperativo, interdisciplinario e interinstitucional.

Lo más importante de estas confluencias es reconocer en las otras instituciones personas, grupos y proyectos que fortalezcan cada una de las líneas, evitar la duplicidad de esfuerzos y recursos, y fomentar la investigación en equipo y la cooperación internacional.

CENTRO DE INVESTIGACIONES EN CIENCIA DE LA INFORMACIÓN –CICINF– UNIVERSIDAD DE ANTIOQUIA	DEPARTAMENTO DE CIENCIA DE LA INFORMACIÓN - DOCUMENTACIÓN PONTIFICIA UNIVERSIDAD JAVERIANA	FACULTAD DE SISTEMAS DE INFORMACIÓN Y DOCUMENTACIÓN UNIVERSIDAD DE LA SALLE
• Contextualización de la información • Caracterización de los sistemas de información • Organización de la información • Tecnologías de la información • Gerencia de los sistemas de información	• Biblioteca Digital - BD • Ciencia y Tecnología de la Información - CTI • Cienciometría y Bibliometría - CB • Lenguajes Documentales - LD • Mercadeo de Servicios de Información - MI • Historia de las Bibliotecas en Colombia- HBC	• Uso de tecnologías de información en Colombia • Desarrollo tecnológico y desarrollo humano sostenible • Impacto social de la tecnología de información

FORTALEZAS Y OPORTUNIDADES DE LA INVESTIGACIÓN EN COLOMBIA

La bibliotecología y ciencia de la información en Colombia ha tenido un desarrollo considerable desde la creación de la primera Escuela de Bibliotecología, especialmente en el campo de la formación de profesionales. El camino recorrido en la investigación, si bien tiene un reconocimiento nacional e internacional, debe fortalecerse aún más aprovechando las ventajas o fortalezas, por así decirlo, como:

86

➢ El contar con tres escuelas de bibliotecología de reconocida trayectoria en el ámbito latinoamericano, que han asumido la investigación como el eje central de sus actividades curriculares.

➢ El trabajo cooperativo que vienen adelantando las tres escuelas

➢ La dedicación a la investigación por parte de los profesores en los planes de trabajo.

➢ La importancia que le dan los investigadores a la difusión y socialización de los avances y resultados de las investigaciones en curso o terminadas.

➢ El reconocimiento institucional de la investigación como pilar de desarrollo para el país.

➢ El disponer de órganos y mecanismos de difusión y divulgación para las investigaciones, tanto en formatos impresos como electrónicos, como la *Revista Interamericana de Bibliotecología* de la Universidad de Antioquia y la *Revista Interamericana de Nuevas Tecnologías de la Información* de la Pontificia Universidad Javeriana.

➢ Los convenios internacionales con otras Escuelas y Facultades de Bibliotecología de México, España y Brasil.

Sin embargo, es necesario enfrentar ciertos cambios o retos, como los siguientes. Se requiere de:

➢ Un campo teórico sólido y aceptado en el ámbito académico y las comunidades científicas.

➢ Buscar financiación de entidades internacionales que en ocasiones anteriores dieron su apoyo, tales como la OEA y UNESCO.

➢ Consolidar el trabajo interdisciplinario y en grupo.

➢ La dedicación si no exclusiva por lo menos de tiempo parcial por parte de los investigadores para que pueda darse la producción de conocimiento.

➢ Buscar conformar una tradición investigativa de reconocimiento.

> Contar con egresados y empleadores convencidos de la importancia de la investigación para el desarrollo y reconocimiento de la profesión.

Las premisas anteriores se irán alcanzando en la medida que se consoliden los grupos de investigación y se aprovechen las oportunidades que brinda la investigación orientada hacia el estudio de:

> Los nuevos servicios que ofrecen las unidades de información con el apoyo de las tecnologías de la información y la comunicación.

> Las políticas universitarias en materia de investigación, como una de las funciones fundamentales de estas instituciones.

> La creación de grupos de investigación interdisciplinario e interinstitucional.

> Las relaciones de cooperación entre las escuelas y facultades de bibliotecología y ciencia de la información en el ámbito nacional e internacional.

> El valor que se le está dando a la información como apoyo a las labores científicas, tecnológicas, educativas, comerciales y de la vida cotidiana.

> El cambio de mentalidad en los bibliotecólogos, quienes ven en la investigación otro campo de acción. Además deberán hacerse conscientes de que para tener un mejor desempeño en sus lugares de trabajo es necesario recurrir a los métodos y técnicas de investigación para lograr mejores aplicaciones.

> La importancia que se le está dando a la formación de los usuarios como parte de una cultura informativa que permite el desarrollo de la nación, con sujetos formados para hacer uso de la información.

MODELOS DE COOPERACIÓN

Partiendo de una sencilla agrupación de la investigación bajo tres puntos de vista o enfoques: investigación teórica en sentido estricto, estudios de servicios o investigación aplicada e informes o descripción de situaciones específicas, que contemplan las opiniones del autor por su experiencia en el área, se pueden fortalecer las relaciones interinstitucionales para el fomento de la investigación, por medio de los siguientes modelos de cooperación:

- La asistencia técnica, por medio de la cual un experto de una universidad o un país estudia las necesidades de otro y deja en su "huella" una serie de recomendaciones.
- Convenios escritos entre rectores de universidades o directores de las escuelas y facultades, que permitan dinamizar los trámites administrativos.
- Intercambio de profesores e investigadores.
- Cursos cortos de capacitación para estudiantes, profesores e investigadores, dictados por especialistas nacionales o extranjeros.
- Intercambio institucional de materiales de investigación y de material didáctico en diferentes soportes.
- Colaboración institucional entre centros o grupos de investigación.
- Visitas y pasantías en centros de investigaciones nacionales o extranjeros.
- Establecimiento y mantenimiento de un intercambio de información y de ideas con sus homólogos a través de foros, listas y seminarios permanentes de discusión.
- Intercambio de experiencias y establecimiento de convenios con otras entidades que desarrollen investigación en el área.
- Desarrollo de vínculos con otras instituciones afines, nacionales e internacionales, para continuar el mejoramiento de sus profesores, de sus alumnos y de sus programas.
- Generación de conocimientos que contribuyan al desarrollo científico, tecnológico, académico, cultural, social y económico de la región y del país.
- Adopción del trabajo por proyectos que conduzca a la conformación de líneas de investigación, proyectos con

objetivos, cronograma y compromisos expresos desde un principio.

➤ Permanente evaluación de todas las actividades de investigación, realizada por pares académicos y científicos.

➤ Intercambio sistemático de los investigadores con la sociedad para enriquecer las decisiones sobre prioridades y pertinencia de la investigación, y para orientar la difusión de los resultados.

➤ Adopción del trabajo en grupo como estrategia para producir conocimiento y generar escuelas de investigadores.

➤ Internacionalización, valoración y transferencia de los resultados de las investigaciones.

➤ Formación de recursos humanos para la investigación y el fortalecimiento de la relación Grupos de Investigación-Programas de Bibliotecología en el nivel de pregrado y posgrado.

BIBLIOGRAFÍA

BONILLA, E. Formación de investigadores jóvenes y desarrollo : el reto para un país al de la oportunidad. En : Formación de investigadores. Estudios sociales y propuestas de futuro / E. Bonilla, comp. Madrid : TM Editores, 1998.

BORRERO C., Alfonso. Administración de la investigación en la universidad. Tomado de Simposio Permanente sobre la Universidad. [5 : 1992]. [S. l. : S. n., 1992]; p. 58-97.

CHAPARRO, F. Conocimiento, innovación y construcción de sociedad. Una agenda para la colombia del siglo XXI. Santafé de Bogotá : Colciencias, Tercer Mundo, 1998.

COMISIÓN INTERDISCIPLINARIA. Propuesta de transformación curricular para la Escuela Interamericana de Bibliotecología. En : Revista Interamericana de Bibliotecología. Medellín. Vol. 19, no. 2 (Jul. – Dic., 1996); p. 7-45.

CONSEJO NACIONAL DE ACREDITACIÓN. La evaluación externa en el contexto de la acreditación en Colombia. Santafé de Bogotá : Corcas, 1998.

COOK, G., VISIÓN 2000. U. of T. launches : its plan for the next decade. En : University of Toronto Magazine. Toronto. Vol. 21, no. 4 (1994).

CUBILLO, Julio. La investigación : ¿tiene algún lugar en el desarrollo de sistemas de información? En : Revista Interamericana de Bibliotecología. Medellín. Vol. 16, no. 1 (Ene. – Jun., 1993); p. 35-60.

ESCUELA INTERAMERICANA DE BIBLIOTECOLOGÍA. Proyecto Educativo Institucional. Medellín : Universidad de Antioquia, Escuela Interamericana de Bibliotecología, 2003; p. 26.

ISAZA RESTREPO, Irma, Herrera Cortés, Rocío. La investigación en bibliotecología y ciencia de la información : el caso del Centro de Investigaciones de la Escuela Interamericana de Bibliotecología. En : Revista Interamericana de Bibliotecología. Medellín. Vol. 16, no. 2 (Jul. – Dic., 1993); p. 27-43.

RENDÓN GIRALDO, Nora Elena. Fomento y apoyo a la investigación desde el Centro de Investigaciones en Ciencia de la Información –CICINF– de la Escuela Interamericana de Bibliotecología. En : Coloquio de Investigación Bibliotecológica y de la Información: Investigación Bibliotecológica: presente y futuro [20 : México : 2002]. Mimeógrafo, 2002. 8 p.

SANDER, Susana. El problema de la investigación en la bibliotecología norteamericana : una revisión (1930 – 1960). En : *Investigación Bibliotecológica : archivonomía, bibliotecología e información*. México. Vol. 4, no. 8 (Ene. – Jun., 1990); p. 20-24.

La investigación bibliotecológica en Argentina

SUSANA ROMANOS DE TIRATEL
Universidad de Buenos Aires, Argentina

EL SISTEMA DE INVESTIGACIÓN EN LA ARGENTINA

S e denomina Sistema Nacional de Ciencia y Tecnología e Innovación Productiva y está conformado por:

- Organismos públicos nacionales y provinciales (como la Agencia Nacional de Promoción Científica y Técnica; el Consejo Nacional de Investigaciones Científicas y Técnicas – CONICET; el Instituto Nacional de Tecnología Industrial – INTI; la Comisión Nacional de Energía Atómica – CNEA, etcétera).
- 38 universidades públicas.
- 46 universidades privadas.
- Empresas privadas.
- Entidades sin fines de lucro.

Respecto del financiamiento, los últimos datos que están disponibles son los del quinquenio 1997-2001, periodo en el cual la paridad dólar = peso era de uno a uno; téngase en cuenta que, luego de la crisis de diciembre de 2001, en el 2002-2003, las partidas presupuestarias se mantuvieron constantes pero el costo del dólar llegó a cuadruplicarse para estabilizarse en un valor aproximado de tres pesos por cada divisa estadunidense. Por lo tanto, habrá que ponderar las siguientes cifras con estas consideraciones en mente. En el 2001 se invirtió en investigación $1.290.203, lo cual representa un 0,48% del producto bruto interno. De esa porción, el sector público aportó un 71,1% y el privado un 28,9% tal como puede observarse en el cuadro siguiente:

Gastos en actividades científicas y tecnológicas por sector de ejecución, años 1997-2001 (en millones de pesos)

AÑO	TOTAL	Organismo Público (*)	Universidad Pública	Universidad Privada	Empresa	Entidad sin fines de lucro
1997	1.466,3	575,3	371,0	35,8	443,2	41,0
1998	1.495,6	588,3	355,2	39,9	467,0	45,2
1999	1.481,9	590,9	383,0	32,0	432,9	43,1
2000	1.430,0	582,1	397,3	31,4	383,1	36,1
2001	1.290,2	534,6	382,5	28,0	309,0	36,1

(*) Gastos en actividades de Ciencia y Tecnología realizados por Organismos Nacionales y Provinciales (excluidas las Universidades).[1]

Como se puede ver fuera del sector público las universidades privadas se destacan por presentar los aportes más bajos al sistema. Este mismo esquema se plantea en la investigación bibliotecológica, dado que de las siete carreras universitarias seis se imparten en universidades públicas y una en el ámbito privado; pues bien, en esta última no se hace investigación de modo sistemático y formal y, como veremos a continuación, en las seis restantes sí se lleva a cabo en el 67% de los casos, destacándose la Universidad de Buenos Aires por el esfuerzo sostenido a través del tiempo.

---

1   Fuente: Sistema estadístico nacional en Ciencia y Tecnología – Indicadores de Ciencia y Tecnología de Argentina, 6a. ed.
     http://www.secyt.gov.ar [Consultado: 15/09/03]

LA INVESTIGACIÓN EN LA UNIVERSIDAD DE BUENOS AIRES (UBA)

La Universidad, fundada el 12 de agosto de 1821, está conformada por trece unidades académicas (Facultades), el Ciclo Básico Común, cinco unidades asistenciales, tres colegios secundarios, dos Programas (UBA XXI y UBA XXII), un centro de investigaciones, ocho centros universitarios regionales, un centro cultural, una editorial universitaria, una dirección de orientación y un centro de salud para los estudiantes, diez museos y un campo deportivo. Una prueba de su importancia a nivel internacional se refleja en el otorgamiento de cinco premios Nobel a personalidades que fueron formadas o trabajaron en la UBA.

El periodo que transcurrió entre 1976 y 1983 fue de retroceso y represión, dado que coincidió con una de las dictaduras militares más cruentas que conoció la Argentina en el siglo pasado. Con el retorno de la democracia en 1984, lentamente la Universidad comienza a normalizarse y, en 1986, se crea la Secretaría de Ciencia y Técnica que implanta dos programas iniciales básicos, complementados más tarde por otros: el de becas de investigación (para estudiantes y graduados) y el de subsidios a proyectos dirigidos por un investigador formado. En este momento, el número total de investigadores integrados a los grupos de investigación y desarrollo en las distintas unidades académicas se ha incrementado desde esa fecha de 1,400 a 4,575, y representa actualmente el 14% de los investigadores del sistema científico y tecnológico nacional.[2]

---

2   http://www.uba.ar/investigacion/index.html [Consultado: 12/09/03]; Universidad de Buenos Aires. Quince años de investigación científica en la Universidad de Buenos Aires. Buenos Aires: La Universidad, 2001. 249 p. + 1 CD-ROM.

LA INVESTIGACIÓN EN LA FACULTAD DE FILOSOFÍA Y LETRAS (FFL) DE LA UBA

La Facultad de Filosofía y Letras fue reconocida como tal en 1886 y la Carrera de Bibliotecología y Ciencia de la Información se creó en 1922. Esta última debe competir actualmente por el otorgamiento de fondos para docencia e investigación, con otras nueve carreras: filosofía, literatura y lingüística, lenguas y literaturas clásicas, artes, historia, ciencias antropológicas, ciencias de la educación, geografía y edición. La matrícula total de la facultad ronda los 10.000 estudiantes de grado y los 2.000 de postgrado.

En el periodo 1986-2002, la Facultad de Filosofía y Letras se posicionó en segundo lugar con 597 investigaciones después de la Facultad de Ciencias Exactas y Naturales. Sin embargo, Bibliotecología/ Ciencia de la Información sólo representó un 1,3% de la programación de la facultad. En cuanto al otorgamiento de becas a individuos, ciencias exactas y naturales, filosofía y letras y farmacia y bioquímica reunieron cerca del 50% de todas las asignadas en ese lapso.

Para responder a las metas básicas de la UBA: docencia, investigación y extensión, la facultad se divide en diferentes secretarías. Así, la secretaría académica gestiona, en el nivel de grado, los diferentes departamentos que administran los respectivos planes de estudio. En el punto que interesa a este trabajo, para la enseñanza de nuestra disciplina existe un Departamento de Bibliotecología y Ciencia de la Información con su propio director, su junta consultiva de gobierno, su secretaría académica y personal administrativo.

Por su parte, la secretaría de postgrado vuelca sus esfuerzos en la concreción del doctorado, las maestrías, las carreras de especialización, cursos de postgrado, etcétera.

La secretaría de investigación coordina las actividades de 19 institutos y un museo, además de los programas específicos emanados de la universidad (subsidios a proyectos y becas). La figura del instituto de investigación entiende a la actividad que se desarrolla en su ámbito como algo especial que necesita su propia gestión individual, independiente de las cuestiones docentes, aunque no separada de éstas. Por reglamento, las principales funciones que cumple son:

- ➤ elaborar y desarrollar proyectos de investigación, de transferencia o de extensión;
- ➤ formar investigadores;
- ➤ asesorar a diferentes entidades;
- ➤ contribuir al perfeccionamiento y especialización de los docentes;
- ➤ desarrollar cursos de especialización, seminarios, etcétera.
- ➤ fomentar la producción y distribución de publicaciones, etc.;

Del mismo modo que los departamentos docentes, los institutos están gestionados por un director y una junta consultiva de gobierno secundados por la secretaría académica, administrativos y profesionales. Son funciones del director:

- ➤ planificar las actividades de investigación y formación;
- ➤ seleccionar y asignar el personal a proyectos, programas y secciones;
- ➤ asignarle el equipamiento y el espacio a los diferentes proyectos;
- ➤ ocuparse de los asuntos financieros del instituto;
- ➤ coordinar actividades con el departamento docente respectivo; y
- ➤ elaborar la memoria anual y el plan de actividades.

Los miembros naturales de los institutos son los profesores con dedicación exclusiva y semi-exclusiva del departamento docente que corresponda, y los auxiliares docentes con el mismo tipo de dedicación bajo la supervisión de un profesor/ investigador.

De la exposición de esta estructura funcional de la Facultad de Filosofía y Letras (UBA) se vislumbran, al menos, tres cuestiones:

- ➤ el reconocimiento de necesidades, requerimientos, rutinas y procedimientos diferenciados entre docencia e investigación, pero, a su vez,

➤ la aceptación de la indisoluble relación que, para la universidad, tienen ambas actividades y las acciones permanentes tendientes a vincularlas;

➤ la importancia relativa de los institutos relacionada, principalmente, con el tamaño del claustro y las dedicaciones de los docentes del departamento respectivo; además de la propia historia y del peso político individual de sus directores.

Quizás sea obvio señalar que la bibliotecología/ ciencia de la información tuvo que aceptar y adaptarse a esta organización que no la favoreció especialmente, porque la baja matrícula de sus estudiantes implica un cuerpo de profesores que, mayoritariamente, se dedican en forma parcial a la docencia y, por esta situación, la universidad no les exige que investiguen. Sin embargo, como se verá en el siguiente apartado, unos pocos representantes de la profesión en la Argentina intentaron revertir esta situación crítica.

EL INSTITUTO DE INVESTIGACIONES BIBLIOTECOLÓGICAS (FFL-UBA)

Esta entidad fue creada como Centro de Investigaciones Bibliotecológicas (CIB) en 1967, por la iniciativa y el apoyo financiero inicial de la UNESCO, que lo aprobó e incluyó dentro del Programa de Participación en las Actividades de los Estados Miembros. En ese entonces Carlos Víctor Penna era Jefe de su División de Bibliotecas, Documentación y Archivos y tuvo una influencia determinante en la creación del CIB. Durante dos años éste dependió del Rectorado de la Universidad de Buenos Aires, transfiriendo luego su sede a la Facultad de Filosofía y Letras que, en 1996, le reconoce el estatus de Instituto.[3]

---

3 El Centro de Investigaciones Bibliotecológicas –CIB– Su origen y trayectoria / Josefa E. Sabor... [*et al.*]. p. 533-560. En *La investigación, las bibliotecas y el libro en cien años de vida de la Facultad de Filosofía y Letras de la Universidad de Buenos Aires* / bajo la dirección de Stella Maris Fernández; colaboradoras Ethel Bordoli... [*et al.*]. Buenos Aires: [s.n.], 1996. 599 pp.

En este punto es oportuno hacer un breve comentario: quienes abordan la historia de las instituciones saben que el momento y los objetivos iniciales, la dependencia y el origen de los fondos le otorgan un sello distintivo a las organizaciones. En este caso, el entonces Centro nació como una herramienta de apoyo para la elaboración y posterior implementación de un Plan Nacional de Información, muy en consonancia con los NATIS de la Unesco. Sus propósitos se dirigían prioritariamente a la realización de investigaciones relacionadas con el diagnóstico y la evaluación de la situación bibliotecaria argentina; por otra parte, su relativa independencia institucional lo alejaba de las preocupaciones, de los desafíos y del ambiente de la enseñanza. Si bien la carrera y la profesión vieron su creación como un logro importante para todos, al no participar directamente en su concreción, es probable que hayan considerado al CIB como un ente exógeno y a la investigación como algo ajeno a sus preocupaciones cotidianas.

Sin embargo, y más allá de estas consideraciones, el actual Instituto de Investigaciones Bibliotecológicas se convirtió en un hito dentro de la historia de la bibliotecología latinoamericana por varias razones: por ser el primero en la región; por destacar, con su sola presencia, la necesidad de investigar que toda profesión requiere para convertirse en una disciplina académica; y por las reconocidas personalidades involucradas en su creación porque, además del ya mencionado Penna, fue su directora fundadora Josefa E. Sabor (1967-1973) quien, con su dinamismo y su reconocida capacidad intelectual tuvo que empezar a darle forma y a modelar un espacio, hasta ese momento inédito, de producción del conocimiento. Se sucedieron en la dirección, José M. Martínez (1973-1975), Emilio R. Ruiz y Blanco (1975-1983), Omar L. Benítez (1984-1988), Stella M. Fernández (1988-1997) y, actualmente, Susana Romanos de Tiratel (1997-). En todos estos años la historia argentina se vio atravesada por dictaduras militares, guerrillas, democracia precaria, represión, enfrentamiento bélico y democracia; la universidad no estuvo en otro lado y padeció el silenciamiento y la disgregación de sus miembros. Es probable que alguien, alguna vez, esté dispuesto a escribir un trabajo que pueda relacionar los derroteros del país, de la Universidad, de la Facultad y del INIBI; mientras llega ese momento, es lícito afirmar que todos los directores aportaron de un modo u otro a la continuidad: unos manteniendo lo que recibían, otros ampliándolo en función de las oportunidades, pero los más favorecidos, a pesar de los vaivenes económico-financieros, hemos sido quienes trabajamos a partir de 1984.

A modo de ejemplo de lo antedicho basta con citar a los becarios del INIBI. En 1986, dando inicio a lo que se convertiría en un programa permanente, la Universidad de Buenos Aires abre un concurso de becas de iniciación y de perfeccionamiento para graduados. Susana Romanos de Tiratel, que un año antes se había incorporado al INIBI como auxiliar de investigación, se presenta y accede a ese beneficio con el tema "Antecedentes del control bibliográfico en la Argentina: la Oficina Bibliográfica de la Universidad Nacional de Córdoba". Al año siguiente obtienen sendas becas Alejandro E. Parada, que estudia "El mundo del impreso en la Argentina del siglo XIX", y Nicolás M. Tripaldi que aborda "Las bibliotecas obreras argentinas". En 1993, María C. Cajaraville se presenta como estudiante e inicia una carrera dedicada a la investigación, lamentablemente frustrada por una prematura muerte en 1999. Comenzó con "Sistema integrado de catálogos colectivos de publicaciones seriadas en Argentina: estudio de factibilidad" (1993-1996), y ya como graduada completó "Las revistas argentinas especializadas en Ciencias Sociales: una perspectiva bibliotecológica de los procesos informacionales" (1996-1998), dejó inconcluso un estudio sobre "Las revistas de Antropología y la institucionalización de la Antropología Social en la Argentina, 1983-1995".

La actual dirección del INIBI, cargo al que por primera vez se accedió por concurso, propuso y alcanzó los siguientes objetivos:

> ➢ la creación de una revista especializada de nivel académico;
> ➢ el sostenimiento de la serie monográfica;
> ➢ la creación de una Línea de Control Bibliográfico en Ciencias Humanas;

➤ el fortalecimiento de las relaciones con el Departamento de Bibliotecología/ Ciencia de la Información;

➤ el mejoramiento de los servicios de información para los investigadores;

➤ la unificación del INIBI en un solo ámbito.

Publicaciones del INIBI

Josefa E. Sabor crea en 1971 una serie monográfica ya cerrada, *Investigaciones*, que publica dos títulos: *La conducta informativa en universitarios argentinos* por Gustavo F. Cirigliano... et al. y *La enseñanza de la Bibliotecología en el ciclo medio: formación de un programa* por Guillermo Martín Berazategui y Martha Noemí Lanzillota.

A su vez, Emilio R. Ruiz y Blanco inicia otra serie monográfica en curso, *Cuadernos de Bibliotecología* (1976-) y publica seis fascículos: *El acceso a los materiales bibliográficos* por Roberto V. Cagnoli (1976); *Un servicio limitado de referencia legislativa* por Emilio R. Ruiz y Blanco (1978); *División del programa de estudio en unidades temáticas* por Rosa M. Monfasani de Borga (1978); *Computadoras en bibliotecas* por José M. P. Ferrara (1979); *Aproximación al control bibliográfico universal y sistemas relacionados* por Elsa M. Galeotti (1980); e *Índice general de Logos (Nº 1-13/14)* por Emilio R. Ruiz y Blanco (1981).

Durante la dirección de Omar L. Benítez aparecen otros tres números: *Las Ciencias de la Información* por Roberto Juarroz (1984); *Bibliografía básica de obras de referencia especializadas en Literatura Española* por Susana Romanos de Tiratel (1985) e *Índice de tres revistas literarias: Libra (1929), Imán (1931) y Poesía (1933)* por Nélida Salvador y Elena Ardissone (1986).

Stella M. Fernández publica siete fascículos: *Tesis presentadas a la Facultad de Filosofía y Letras de la Universidad de Buenos Aires 1901-1960* por Elsa M. Galeotti (1988); *Contribución al estudio histórico del desarrollo de los servicios bibliotecarios de la Argentina en el siglo XIX: índice analítico* por María Ángeles Sabor Riera

100

(1990); *Bibliografía de antologías del cuento argentino* por Elena Ardissone y María Elena Davasse de Francisquelo (1991); *Miscelánea en homenaje al Dr. Domingo Buonocore: edición de las conferencias realizadas en la Feria Internacional del Libro 1991* por Josefa E. Sabor... *et al.* (1993); *La situación bibliotecaria en la Argentina en la década de 1980* por Stella Maris Fernández (1994); *La novela argentina del siglo XX: bibliografía crítica (1900-30)* por Nélida Salvador... *et al.* (1994); *Guía de escuelas de Bibliotecología, Archivología y Museología de la República Argentina* por Stella Maris Fernández (1996). Además, se participa en la serie *Extensión universitaria* de la Facultad de Filosofía y Letras con *Guía de bibliotecas y centros de documentación de Capital Federal* por Daniel González (1994) y se publican dos libros: *Técnicas del trabajo intelectual* por Stella Maris Fernández (2a. ed. corr. y aum., 1996) y *La investigación, las bibliotecas y el libro en cien años de vida de la Facultad de Filosofía y Letras de la Universidad de Buenos Aires* dirigido por Stella Maris Fernández con la colaboración de Ethel Bordoli... *et al.* (1996).

Por su parte, Susana Romanos de Tiratel junto con un grupo de investigadores y profesores inicia en 1998 el proyecto de publicación de una revista del INIBI. En diciembre de 1999 se publica, con una frecuencia semestral, *Información, cultura y sociedad* que mantiene su regularidad y, paulatinamente, va siendo incluida en bases internacionales de datos tanto bibliográficos como de texto completo. Se publican tres títulos más en la serie monográfica del Instituto: *El mundo del libro y de la lectura durante la época de Rivadavia: una aproximación a través de los avisos de la Gaceta mercantil (1823-1828)* por Alejandro E. Parada (1998); *Índice de Inicial: revista de la Nueva Generación* por Martha J. Barbato (2000) y *Publicaciones periódicas argentinas* por Elena Ardissone (2001). También se inicia la publicación de herramientas bibliográficas en soporte electrónico, en curso: *Índice de las publicaciones de la Facultad de Filosofía y Letras*. 1998- ; en CD-ROM y la co-edición de libros con la

101

aparición de un título en 2002: *De la biblioteca particular a la biblioteca pública: libros, lectores y pensamiento bibliotecario en los orígenes de la Biblioteca Pública de Buenos Aires, 1779-1912* por Alejandro E. Parada (Buenos Aires: INIBI, FFL, Ed. Errejotapé).

Investigaciones radicadas en el INIBI (1998-2003)

a) Terminadas

Dentro de las investigaciones terminadas recientemente se mencionarán sólo aquellas que la Universidad de Buenos Aires incluyó en su Programación UBACYT 1998-2000:

> ➤ *Procesos de búsqueda de información y modalidades de intervención.* Dirigida por Susana Romanos de Tiratel. Financiada. Se estudiaron y describieron las fases y componentes del proceso de búsqueda de información en el contexto de las actividades de obtención, uso y producción que se desarrollan dentro del marco del proceso de la investigación científica. Se concibió al proceso de búsqueda como a un conjunto complejo de actividades, que se combinan e influyen recíprocamente, dirigidas a identificar, localizar y obtener la información con un propósito determinado. Se estudiaron dos grupos de usuarios: doctorandos de literatura y de física, y se recopilaron los datos mediante entrevistas no estructuradas. De acuerdo con los resultados obtenidos se ubicó el proceso en modelos ya existentes (Cheuk, Ellis, Kuhlthau y Wilson) se analizaron las estrategias y tácticas de búsqueda empleadas y los resultados obtenidos en relación con el esfuerzo y con las fuentes disponibles; y se identificaron modalidades e instancias de intervención en el proceso de búsqueda.

> ➤ *La automatización de las bibliotecas universitarias argentinas frente al nuevo milenio.* Dirigida por Elsa Barber. Financiada. Las líneas teórico-metodológicas desarrolladas por el equipo de investigación apuntan a analizar el impacto de la automatización en la estructura organizativa, en la dinámica

operacional y en las relaciones interinstitucionales de las bibliotecas universitarias argentinas en todo el territorio nacional. Se trabajó sobre una muestra poblacional estratificada según un patrón obtenido a partir de los datos primarios y secundarios recolectados en una encuesta previa que resulta compatible con investigaciones afines. El cuestionario básico fue confeccionado por el Grupo UACYT FI013 en función de variables categorizadas en: diagnóstico general de la situación, cambios institucionales y factores puntuales de operabilidad y estandarización. En una segunda etapa, se realizaron entrevistas semiestructuradas a personas involucradas en el proceso de automatización de las bibliotecas más representativas. Por último se ingresó la información procesada en las diferentes etapas para encarar un estudio comparativo. El objetivo central de la investigación fue, pues, examinar los distintos aspectos de los procesos de automatización de las bibliotecas estudiadas para relacionarlos con las tendencias informativas regionales e internacionales a fin de suministrar pautas o alternativas viables para la efectivización de los mismos de acuerdo con el nivel alcanzado en las diferentes etapas de informatización.

b) En ejecución

Dentro de las investigaciones en ejecución se mencionarán sólo aquellas que la Universidad de Buenos Aires incluyó en su Programación UBACYT 2001-2003:

➢ *Indicadores de la actividad de investigación aplicados a las revistas argentinas*. Dirigida por Susana Romanos de Tiratel. Financiada. Dentro del marco teórico de la dimensión bibliográfica de las disciplinas (estructuras informativa y bibliográfica) y aplicando métodos bibliométricos, esta investigación se propone estudiar el grado de impacto y de representatividad, y las tasas de solapamiento y de vacancia de la producción nacional en humanidades y ciencias sociales en bases de datos internacionales. Se espera comprobar que bajos niveles de representatividad y altas tasas de solapamiento y de vacancia son los factores que contribuyen a una baja difusión e impacto de la producción de los investigadores argentinos en humanidades y ciencias sociales en el "mainstream" internacional.

➤ *Bibliotecas, sociedad de la información y tecnología: una perspectiva desde la automatización y los servicios de las bibliotecas de acceso público en Argentina.* Directora Elsa Barber. Financiado. El enfoque del equipo de investigación se concentra en la incidencia de la automatización bibliotecaria y la prestación de servicios orientados al uso de tecnologías de la información en las bibliotecas de acceso público argentinas (populares y públicas) en la adquisición de habilidades informativas comunitarias en la sociedad de la información. La metodología, ya probada con éxito en investigaciones anteriores del equipo (UBACYT F1013 y TF06) consiste, básicamente, en la aplicación de un cuestionario confeccionado en función de variables vinculadas, por una parte, con los procesos de automatización de las bibliotecas (equipos y sistemas informáticos, módulos en funcionamiento, compatibilidad de formatos informáticos, conversión retrospectiva, digitalización de información, integración en redes, etcétera) y, por otra parte, con la prestación de servicios basados en tecnologías de la información (acceso a redes y a documentos en cualquier soporte, apoyo a la navegación en red, funcionamiento como centro local de IT, servicios de acceso a documentos en línea, servicios para comunidades minoritarias). El procesamiento de la información recolectada se realizará por medio de aplicaciones específicas para el campo de las ciencias sociales. El análisis final de la información procesada se centrará en examinar diferentes aspectos de los procesos de automatización de las bibliotecas estudiadas para verificar la relación recíproca entre los niveles de automatización alcanzados y las posibilidades de generar nuevos servicios que respondan a las tendencias informativas de la comunidad en el contexto de los desarrollos de la informática y las telecomunicaciones.

c) Otros proyectos en curso

➤ *Historia del libro, de las bibliotecas y de la lectura en la Argentina: período colonial, independiente y siglo XX*, por Alejandro Parada. El proyecto trata sobre el desarrollo de la cultura impresa y de los usos y prácticas de lectura en la Argentina durante los siglos XVIII, XIX y XX. El mismo se encuadra dentro de los estudios relacionados con la historia de la lectura en la modernidad. La investigación comprende los capítulos siguientes: 1) bibliotecas particulares en el periodo colonial, 2) historia del libro y de la lectura en el siglo XIX, y 3) el universo del libro y de la lectura en el siglo XX.

➤ *Orígenes de la Biblioteca Pública en la Argentina*, por Alejandro Parada. El proyecto trata sobre el contexto sociocultural y bibliotecario que rodeó a la creación de la Biblioteca Pública de Buenos Aires (1810) durante los años 1778 a 1812. Se tratará de localizar documentos en archivos y publicaciones de la época que aporten nuevos datos y conocimientos sobre el origen de la Biblioteca Pública en la Argentina. Con base en las nuevas orientaciones historiográficas se realizará, además, una nueva lectura crítica de la documentación existente.

➤ *Indicadores de visibilidad de la producción argentina en Economía, Historia y Sociología*, por Nora C. López. Dentro del marco teórico de la dimensión bibliográfica de las disciplinas (estructuras informativa y bibliográfica) y aplicando técnicas bibliométricas, esta investigación se propone establecer los indicadores de visibilidad de la producción nacional publicada en revistas especializadas en economía, historia y sociología en bases de datos internacionales tanto multidisciplinarias como unidisciplinarias. Se espera comprobar que bajos niveles de visibilidad y altas tasas de solapamiento y de vacancia son los factores que contribuyen a una escasa difusión e impacto de la producción de los investigadores argentinos en economía, historia y sociología en el "mainstream" internacional.

d) Línea de investigación bibliográfica: control bibliográfico en Ciencias Humanas

El Instituto de Investigaciones Bibliotecológicas está llevando adelante un conjunto de proyectos tendientes a lograr el *Control bibliográfico en Ciencias Humanas*. Las investigaciones que componen dicho conjunto tienen el objetivo básico y común de brindar aportes al campo de la bibliografía especializada y contribuir, aunque en forma parcial, al control bibliográfico en esas áreas temáticas. Dado que el INIBI despliega sus actividades en una facultad con carreras pertenecientes tanto a humanidades como a ciencias sociales, la actual directora considera que, desde todo punto de vista, esta línea de trabajo es estratégica porque le otorga visibilidad al Instituto y a la disciplina, y facilita de este modo las relaciones con otros centros de investigación más grandes y con mayor peso político o prestigio. Dentro de esta línea se ubican varios proyectos, algunos ya terminados y otros en curso:

d.1) Terminados

➤ *Bibliografía de índices de publicaciones periódicas argentinas. Bibliografía sobre publicaciones periódicas argentinas*, por Elena Ardissone. Compilación bibliográfica que acumula y actualiza una primera edición. Registra los índices de revistas argentinas editados, inéditos y en proceso de elaboración. Incluye, además, una bibliografía sobre publicaciones periódicas argentinas. Apareció en la serie *Cuadernos de Bibliotecología*, n° 19.

➤ *Bibliografía hernandiana: 1972-2000*, por Susana Romanos de Tiratel, Graciela M. Giunti y Martha Barbato. Bibliografía descriptiva internacional de y sobre el Martín Fierro, sobre José Hernández y de otras obras que haya escrito el autor.

Cubre el periodo 1972-2000. Incluye traducciones y excluye ediciones del Martín Fierro de divulgación, sin aporte crítico. Publicada en el Volumen 51 de la Colección Archivos de la UNESCO, dedicado a Martín Fierro y José Hernández.

➤ *Bibliografía sobre Literatura Hispánica y Artes Plásticas*, por Susana Romanos de Tiratel y Graciela M. Giunti. Se compiló, a pedido, la parte correspondiente a Iberoamérica y se publicó en la Sección bibliográfica de la Revista *Studi Ispanici*, 2000, p. 277-295.

➤ *Guía de Fuentes de información especializadas : Humanidades y Ciencias Sociales*, por Susana Romanos de Tiratel. Revisión y actualización de la 1ª ed. de 1996. La 2ª edición se publicó en el año 2000.

d.2) En ejecución

➤ *Guía de obras de referencia especializadas en Literatura Argentina*, por Susana Romanos de Tiratel. Compilación bibliográfica que registra obras de referencia especializadas en literatura latinoamericana en general y argentina en particular.

➤ *Introducción a la literatura sobre bibliotecas coloniales particulares. Punto de partida para una relectura bibliotecaria de la historia de las bibliotecas argentinas*, por Alejandro A. Parada. Amplia bibliografía anotada y crítica. Se han incorporado nuevos tópicos relacionados con las orientaciones modernas de la historia de la lectura actual, haciendo una revisión profunda de acuerdo con estas nuevas concepciones historiográficas.

d.3) En curso

➤ *Índice bibliográfico de las publicaciones de la Facultad de Filosofía y Letras de la UBA*, directora: Susana Romanos de Tiratel; coordinación: Graciela M. Giunti; indización: Silvia Contardi; diseño de base de datos: Adela Dibucchianico. Contribución bibliográfica que analiza la producción editorial en curso de la Facultad de Filosofía y Letras de la UBA. El propósito es dar al investigador de ciencias humanas una herramienta que indexe las publicaciones de esta casa de estudios y cooperar, de este modo, con la normalización y el control bibliográfico de todo lo que edita la Facultad de Filosofía y Letras. Por otra parte, un objetivo mayor es el de brindar un aporte sustancial al campo de la bibliografía especializada en ciencias humanas de nuestro país. Incluye libros, actas de congresos y publicaciones periódicas con pie de imprenta de la Facultad de Filosofía y Letras. Edición en CD-ROM.

➤ *ARGOS : Recursos de información en Internet para Humanidades y Ciencias Sociales*, coordinado por María Alejandra Plaza con la colaboración de Leticia Dobrecky... *et al*. Este proyecto se enmarca en las actividades de la cátedra *Fuentes de información en Humanidades y Ciencias Sociales (FIHUCIS)* de la carrera de Bibliotecología y Ciencia de la Información (FFL–UBA). El grupo de trabajo está constituido por la auxiliar docente de la cátedra de FIHUCIS y un grupo de estudiantes de la carrera. El proyecto Argos intenta controlar la información existente en la red; usa como metodología la indización manual, la catalogación de los recursos y, en algunos casos, incluye guías de uso de los mismos. Hasta el momento abarca las siguientes disciplinas: antropología, artes, bibliotecología, educación, filosofía, historia, literatura, lingüística, filología, estudios clásicos, geografía y edición; está disponible en: http://www.filo.uba.ar/contenidos/investigacion /institutos/argos/pagina_principal_de_argos.htm

➤ *Catálogo colectivo de publicaciones periódicas especializadas en Bibliotecología/ Ciencia de la Información*, coordinado por Graciela M. Giunti, compilado por Ivalú Ramírez y Silvia Contardi. Respondiendo a una inquietud de docentes, investigadores, profesionales y alumnos se han iniciado las tareas de compilación y establecimiento de un catálogo colectivo de nuestra disciplina con el propósito de facilitar la tarea de consulta bibliográfica, tanto para búsquedas retrospectivas como para actualización; y de constituir una red de cooperación e intercambio entre las instituciones involucradas para optimizar y potenciar los recursos existentes.

PANORAMA DE LA INVESTIGACIÓN BIBLIOTECOLÓGICA EN OTRAS CARRERAS DEL PAÍS

Aparte de la carrera de bibliotecología y ciencia de la información de la Universidad de Buenos Aires, se desarrollan planes de estudio similares en otras seis universidades argentinas, cinco públicas y una privada. La diferencia sustancial es que en ninguna existen institutos de investigación, de modo tal que estas actividades tienen sede en los mismos departamentos docentes y, en líneas generales, se han establecido formalmente a mediados de 1990 estimuladas, de algún modo, por el Programa de Incentivos del Ministerio de Cultura y Educación.[4] A continuación, se informará de las investigaciones en las universidades de las que se ha podido recabar información, lo que no implica, necesariamente, que el resto no las tenga.

---

4   El Programa de Incentivos a Docentes-Investigadores de las Universidades Nacionales fue creado mediante Decreto 2427/1993, en el ámbito de la entonces Secretaría de Políticas Universitarias del Ministerio de Cultura y Educación. Tiene por objeto promocionar las tareas de investigación en el ámbito académico, y fomentar una mayor dedicación a la actividad universitaria, así como la creación de grupos de investigación. Inició su ejecución a principios de 1994, incorporando 7961 Docentes-Investigadores y, desde ese momento, los docentes que cumplen con las condiciones para participar perciben tres veces por año un incentivo acorde con su Categoría Equivalente de Investigación (CEI).
Para incorporarse al Programa, los Docentes-Investigadores deben obtener una "Categoría Equivalente de Investigación" (CEI) y estar desarrollando un "Proyecto Acreditado de Investigación", que cumpla las pautas que fija el Decreto 2427/93. Para más información véase http://incentivos.spu.edu.ar

Universidad Nacional de La Plata, Facultad de Humanidades y Ciencias de la Educación, Departamento de Bibliotecología[5]

> *Catálogos en línea: indicadores de control de calidad de puntos de acceso de autor y título*, dirigida por Ana María Martínez Tamayo. Sobre una muestra al azar de 1800 registros bibliográficos de 18 catálogos en línea de bibliotecas universitarias argentinas, se identificaron los errores de precisión en los puntos de acceso de autor y título, y se detectaron 383 errores distribuidos como sigue: 263 (69%) errores que no afectan la recuperación (mayúsculas/ minúsculas y acentos); 2 (1%) permutación de letras, 67 (17%) omisión de letras o espacios en blanco; 24 (6%) sustitución de letras; 7 (2%) repetición de letras y 20 (5%) inserción de letras o espacios en blanco. 1594 registros (89%) fueron aceptados (0 errores) y 206 (11%) rechazados (1 o más errores). Se calculó el índice de calidad para cada catálogo, que osciló entre 0,36 y 0,98, con una media o índice de calidad medio (ICM) de 0,89. Se elaboró un gráfico de control cuyos límites superior e inferior se establecieron en ICM +/- 2 desvíos estándares. El gráfico resultó fuera de control, ya que no se logró que el 95,5% de los IC cayera dentro de los límites de control.

> *Procedimiento en la búsqueda de información y en la utilización de las bibliotecas por los investigadores y docentes de la Universidad de La Plata: hacia la optimización del uso de los recursos de información*, dirigida por Rosa Z. Pisarello. Se localizará y analizará bibliografía en un seminario interno, y se refiere a técnicas cualitativas en la metodología de investigación sobre estudios de usuarios y sobre elaboración de cuestionarios y entrevistas. Además se definirá la muestra de docentes-investi-

---

5 http://www.fahce.unlp.edu.ar/departamentos/dhubi/paginas/proyectos%20de%20investigacion.htm; y http://incentivos.spu.edu.ar [Consultados: 12/09/03]

gadores de la Universidad, para efectuar entrevistas y obtener datos relativos a su conducta en la búsqueda, personal o derivada, de información en bibliotecas, universitarias o no; en otras instituciones, por correo electrónico o a través de Internet. Se analizarán los datos arrojados por las entrevistas para formular las pautas de comportamientos, de docentes e investigadores, en las áreas de humanidades y ciencias veterinarias. Al mismo tiempo se evaluarán las deficiencias de funcionamiento de las bibliotecas universitarias, con el objeto de establecer pautas de calidad en los servicios.

➤ *Bancos terminológicos: utilización en construcción de tesauros y en traducción*, dirigida por Amelia Aguado. Se propone establecer un banco terminológico que armonice enfoques teóricos tendientes a la representación del conocimiento y aquellos que hacen hincapié en su transferencia. El objetivo es compatibilizar las necesidades de traductores y de documentalistas. Se eligió el psicoanálisis freudiano como corpus de selección de términos y, como base para el banco, las normas internacionales pertinentes, especialmente ISO 15188, 1087-1/2, y 12200. Se lo construyó sobre plataforma Winisis, con conversión al formato MARTIF.

Universidad Nacional de Mar del Plata, Facultad de Humanidades, Departamento de Documentación[6]

➤ *Análisis prospectivo en metodología y formación del profesorado en Ciencias Sociales*, Grupo GCIS dirigido por Leopoldo Halperín Weisburg. El proyecto de investigación posee dos áreas de trabajo delimitadas, las que dan lugar a la formación de dos subproyectos. Uno destinado estrictamente a la investigación que tiene que ver con la metodología de las ciencias

6 http://www.mdp.edu.ar/humanidades/documentacion/index.htm; y http://incentivos.spu.edu.ar [Consultados: 12/09/03)

sociales, y otro destinado a la investigación en el área de la formación del profesorado. Los subproyectos se centran en la investigación sobre la formación docente en el área de ciencias sociales y pretenden instalar la discusión alrededor de tres ejes fundamentales: el carácter problemático de la constitución del objeto de las ciencias sociales, las competencias metodológicas atinentes a la investigación científica en ese ámbito, la didáctica específica en la práctica docente; para ello elaboran materiales curriculares que puedan ser utilizados por los docentes en situaciones áulicas.

➤ *Bibliografía regional del sudeste de la provincia de Buenos Aires*, Grupo BIRE dirigido por Aurora Chiriello. Los servicios bibliográficos regionales tienen por objeto facilitar el acceso a publicaciones realizadas en la zona y sobre la zona. El término regional, en este caso, se refiere prioritariamente al Partido de General Pueyrredón y, en segundo término, a Balcarce y al general Alvarado. En general se trata de evitar que continúe a veces la dispersión, otras, de la lisa y llana desaparición de documentos producidos en la región y sobre la región, esta investigación se propone relevar y analizar la producción documental regional para elaborar la bibliografía regional propuesta; constituir un catálogo de autoridades de nivel regional; relevar bibliográficamente la documentación producida a nivel nacional e internacional sobre la región; realizar estudios bibliométricos de la producción relevada y constatar estadísticamente la forma en que autores locales se citan entre sí; establecer la frecuencia de publicaciones en cada área temática; analizar las publicaciones oficiales regionales y comprobar si las instituciones que producen la información la preservan y utilizan para la toma de decisiones.

➤ *Modelos organizativos en la era de la información: las networks (redes) frente a las estructuras verticales en las unidades de información de Mar del Plata*, Grupo G.I.B.I.M.

112

dirigido por Antonio Donato Manna. Análisis de las formas informales de organización en red en las unidades de información de Mar del Plata a fin de relevar la posibilidad de implementar nuevas formas de estructuras de organización utilizables por las unidades de información que mejoren el manejo de recursos materiales, económicos, financieros y, fundamentalmente, de la información y el conocimiento.

➤ *Inserción laboral del bibliotecario en el Partido de General Pueyrredón* dirigido por María Graciela Chueque.

➤ *Estudio bibliométrico de la actividad investigadora en el área de Humanidades en la Universidad Nacional de Mar del Plata*, Grupo de estudios métricos dirigido por Elías Sanz Casado. En el proyecto se va a estudiar y evaluar la actividad científica de los investigadores de las áreas de Humanidades de la Universidad del Mar de Plata, durante el periodo 1995/98. En este proyecto se pretende conocer la producción científica de las distintas áreas de humanidades, así como su evolución y dinámica durante el periodo analizado. La fuente que va a ser utilizada para la realización del proyecto será el *curriculum vitae* de cada investigador, con lo cual se asegura que estén todos los datos y que los resultados del estudio ofrezcan una imagen fiel de las áreas estudiadas.

➤ *Lecturas en clave documental: manuales y bibliotecas escolares* dirigido por Noemí Conforti. A través de nuestro proyecto de investigación, pretendemos redefinir los objetivos de la misión de la biblioteca escolar en un marco de análisis institucional. En ese entorno, con infraestructuras compartidas por distintos ciclos, edades e intereses, sobrevive la biblioteca escolar, unidad de información, con personal unitario que atiende alternativamente ambos turnos, que debe responder todas y cada una de las múltiples demandas de sus usuarios: docentes, alumnos y padres, al tiempo que planifica actividades de extensión, procesos técnicos y administrativos. El análisis lo realizaremos en función del proceso de enseñanza-aprendizaje en relación con la lectura: de allí la importancia de trabajar también los textos escolares. Nos ocuparemos de los manuales escolares en inglés para el último año del tercer ciclo de la EGB, y analizaremos la construcción que de distintos conceptos se va organizando. Nuestro proyecto, concibe al profesional articulando los diferentes lenguajes.

Universidad Nacional de Misiones, Facultad de Humanidades y Ciencias Sociales, Departamento de Bibliotecología

➤ *La formación profesional en Bibliotecología en la UNaM*, dirigida por Mirta J. Miranda. El proyecto pretende actualizar los relevamientos existentes que aportan información sobre gestión y procesamiento documental que se realizan en las bibliotecas de la Provincia de Misiones (Argentina). Relevar aspectos de gestión, procesamiento y servicios vinculados al uso y aplicaciones de las nuevas tecnologías de información/ comunicación en las bibliotecas de la Provincia de Misiones. Analizar dicha información con el objetivo de proponer estándares tecnológicos y de procesamiento que permitan compatibilizar la informaciór de las bibliotecas con vistas a la conformación de redes y sistemas. Proponer la compatibilización de aspectos de la currícula de formación profesional de bibliotecarios que consideren la realidad laboral y social relevada, pero incorporar, no obstante, aquellas que marcan las tendencias mundiales alrededor de la ciencia de la información.

➤ *Hacia un nuevo diseño organizacional de las Bibliotecas de la UNaM: descripción, gestión, automatización y propuestas*, dirigida por Mirta J. Miranda. La Universidad Nacional de Misiones –UNaM- posee bibliotecas en las diferentes unidades académicas de las tres regionales que la componen (Oberá, Eldorado y Posadas). Estas bibliotecas -con sus actuales estructuras orga-

114

nizacionales, informacionales y de capacidad y competencias de recursos humanos- no logran gestionar sus procesos y servicios conforme a los profundos cambios que se fueron dando en el ámbito de las ciencias de la información; por tanto no pueden prestar un servicio acorde con las necesidades de una comunidad académica. Mediante este proyecto se pretende describir, proponer, acompañar, capacitar y evaluar propuestas de optimización que han de diseñarse para el mejor funcionamiento de las bibliotecas universitarias UNaM (BI-UNaM), desde el marco académico, de teorías y prácticas. Se pretende lograr un diseño de biblioteca acorde con las reales necesidades informacionales de la comunidad universitaria, y desarrollar estándares relacionados con los servicios técnicos, colección, presupuesto, personal, infraestructura, automatización, etcétera. Se realizarán propuestas vinculadas a la implementación de un software de gestión integral de las bibliotecas; sugerencias para la conformación de una biblioteca híbrida y aportes para la formación, capacitación y actualización de los recursos humanos. Esta propuesta integral se sustentará en metodologías participativas y colaborativas con intervención de actores de todos los espacios institucionales involucrados: conducción, gestión, ejecución, docencia e investigación.

➢ *Sistema gestor de recursos de información para el desarrollo de la Región NEA* dirigido por Carlos José González.[7] El proyecto pretende -en el campo de la información y del conocimiento- indagar (utilizando las nuevas tecnologías) la problemática de la gestión de la información en el contexto de instituciones formativas / informativas -ámbito académico y unidades de información- y la de las nuevas estrategias de intermediación en el ámbito socio económico. Se despliegan

---

7   Los datos de esta investigación se han recogido de
    http://incentivos.spu.edu.ar [Consultado: 12/09/03

trabajos de análisis en redes de computadoras locales y globales; se indaga en la emergencia del fenómeno social Internet y tecnologías de la información en un contexto (Región NEA, Argentina). Se relevan perfiles de necesidades de información en sectores públicos y privados relacionados con factores de producción y desarrollo con el fin de tipificar demandas y promover el uso de información real y virtual, con valor económico, según perfiles de interés y nivel de necesidades de información. Se pretende generar una propuesta de creación de un sistema gestor de recursos de información con sede en la Universidad.

Universidad Nacional de Córdoba, Facultad de Filosofía y Humanidades[8]

➤ *Recuperación y análisis de información de archivo fílmico documental (Noticias TV, 1962/80)* dirigido por Silvia Olinda Romano. El Proyecto es continuación de otro mayor iniciado en 1994 cuyo propósito es recuperar, analizar, sistematizar y conservar noticias del Archivo Fílmico Canal 10 (1962/80), desarrollar el Centro de Documentación Audiovisual en la UNC, promover y realizar investigaciones y AAVV con el material procesado, formar RRHH en esas actividades. Para 2000 se planeó ordenar, inventariar y preservar 500 latas c/2000 rollos (aproximadamente) de noticias nacionales del periodo 1962/80 y locales agrupadas en origen como "centro de docum.." ; mejorar condiciones de conservación del material; compaginar y transferir a video 20 hs/noticia; analizar la información transferida y automatizarla en base de datos propia. Desarrollar

---

8   Los datos de la Universidad Nacional de Córdoba se han extraído de la página web http://incentivos.spu.edu.ar lo que no ha permitido determinar si los proyectos se radican en la Escuela de Archivología o en la de Bibliotecología. De todos modos, dada la afinidad de los temas tratados se ha decidido incluirlos en este trabajo.

seis (6) subproyectos de investigación histórica y/o realizaciones AAVV: a) Reconstrucción histórica de las condiciones de producción de noticias de Canal 10 (UNC, Córdoba 1962/80) F. II; b) Desarrollo gremial y conflictos sindicales en Córdoba (1965/76) para realización de 3 micros documentales.

➤ *Diccionarios, gramáticas, lexicones y glosarios del siglo XVIII en la Librería de Predicadores de Córdoba* dirigido por Matilde Elena Tagle. Selección, análisis y estudio crítico de diccionarios, gramáticas, vocabularios, lexicones y glosarios de la Librería de Predicadores de Córdoba entre los siglos XVI, XVII y XVIII. Se estudió un total de ciento cuarenta y cuatro obras de treinta autores. Los datos contribuyeron a esclarecer el cambio en la sistematización del conocimiento desde San Isidoro en el Medioevo hasta la conceptualización ordenada y alfabética del mismo en el siglo XVIII. El estudio comparativo con otras bibliotecas permitió emitir juicios de valor en cuanto a la relación biblioteca-sociedad.

CONCLUSIONES

La característica más notable en la década de 1990 es que la investigación bibliotecológica en las universidades públicas se ha formalizado e institucionalizado. El causante de esta situación ha sido el Programa de Incentivos a Docentes e Investigadores que categorizó primero a éstos, les exigió posteriormente que dirigieran o integrasen un proyecto de investigación acreditado y luego los fue evaluando año tras año. Entrar al sistema significa someterse a sus exigencias, quedarse afuera implica una disminución pecuniaria importante. Este último estímulo produjo la categorización de 36 de los profesores universitarios de Bibliotecología/ Ciencia de la Información, con dedicaciones variables, tal como puede apreciarse en la siguiente tabla:

Docentes investigadores de bibliotecología categorizados en el
Programa de Incentivos[9]

Universidad	Categoría equivalente de investigación (de >a <)					Dedicación docente		
	I	II	III	IV	V	EX	SE	SI
UBA	2		1	1		4		
UNLP			3		2	1	2	2
UNMP		2	2	7	2	10	2	1
UNaM		1	1	1	1	No indica	No indica	No indica
UNC		2	4	3	1	2	6	2
Totales	2	5	11	12	6	17	10	5

Como se observa, en una disciplina que involucra una masa crítica tan pequeña de graduados dedicados a la docencia y a la investigación, ha habido una evolución favorable respecto de décadas anteriores que con el trabajo constante se irá consolidando en el futuro.

Otro aspecto que cabe destacar es la tendencia al establecimiento de equipos de trabajo bajo la dirección de un investigador formado, lo que implica ir dejando de lado los proyectos individuales, involucrarse en una gestión no siempre placentera pero imprescindible para formar recursos humanos, tratar de motivar y estimular, controlar y apoyar. En los años por venir habrá que generar estudios de postgrado: maestrías, especializaciones, doctorados; y diseñar estrategias para comprometer a los graduados jóvenes en la carrera académica y para aumentar la dedicación de los profesores.

---

9   Datos extraídos de http://incentivos.spu.edu.ar [Consultado: 17/10/03]. Este cuadro excluye a docentes y graduados participantes en proyectos de investigación pero que no han solicitado su incorporación al Programa de Incentivos. La categoría máxima es la I y la mínima la V. EX = dedicación exclusiva; SE = semiexclusiva; SI = simple.

Si se analiza el catálogo de investigaciones se puede ver una pre-eminencia de investigación aplicada, una notable ausencia de investigación/ acción y de investigación teórica, y un interés marcado por solucionar problemáticas locales o regionales.

Es necesario informar que, aparte del sistema universitario, se hace investigación en entidades privadas como la Sociedad de Estudios Bibliográficos Argentinos (1996), la Sociedad Argentina de Información (1997) y la Sociedad de Investigaciones Bibliotecológicas (1998).[10]

Este mosaico multifacético nos lleva a una última reflexión derivada de toda esta actividad: existe un crecimiento inusitado, para nuestra escala de producción, de la actividad editorial especializada en bibliotecología y ciencia de la información en la Argentina, representada por varios títulos de revistas, libros, boletines informativos tanto en soporte papel como electrónicos. Hasta hace sólo cinco años los investigadores más destacados afirmaban que era impensable la creación de una revista especializada, fundamentalmente, porque no se escribía la suficiente literatura bibliotecológica para garantizar su subsistencia. Hoy, tanto profesionales como académicos, tienen más de una opción nacional para publicar sus trabajos... quizás este dato no signifique demasiado, sin embargo, escribir y publicar para difundir lo que se investiga y tener dónde hacerlo en el propio país es un síntoma alentador de crecimiento.

---

10 Para ampliar este punto véase Fernández, Stella Maris. *Situación del sistema bibliotecario argentino*. Buenos Aires: Sociedad de Investigaciones Bibliotecológicas, 1998, p. 54-56.

Tendencias en la investigación española: métodos avanzados de recuperación de información

JUAN ROS GARCÍA
Universidad de Murcia, España

Quiero mostrar mi agradecimiento a la UNAM y al CUIB por la invitación que me ha cursado para intervenir como conferenciante en este coloquio.

El origen de la información hay que basarlo en los hechos: *events*. Ocurren cosas, y para contar esas cosas recurrimos a los símbolos (*rules and formulations*, las ha llamado Debons). Y nosotros inventamos las palabras, lo contamos, y cuando tenemos muchas cosas que contar, tenemos la necesidad de fijar esas palabras, que representan los hechos, en formas escritas, gráficas, documentos, que perpetúen la temporalidad de la palabra *"Verba volant, scripta autem manent"*.

El pescador que, hace cuatro o cinco mil años, se marcha a cazar y no puede decírselo a su compañera, se inclina y graba en el limo del Ganges una flecha. Su compañera, cuando la vea, interpretará, recuperará la información que contiene ese documento: ha ido a cazar en aquella dirección. Cuatro mil años después, llegaremos a la misma recuperación.

Cuando en la cueva de Altamira el hombre primitivo pasaba días refugiándose de la inclemencia del templo, y pintaba bisontes, pintó también una mano que se superponía en el bisonte. El mensaje estaba impreso. Nos ha costado muchos siglos recuperar correctamente la información: se disponía a cazar ese bisonte.

El hombre ha ido plasmando su mensaje, y a veces lo ha protegido no queriendo que su información fuese recogida por personas ajenas: Babilonia, las tablas caldeas, el código de Hanmurabí. Y hemos tenido que aplicar técnicas para descifrar esa información (Piedra rosetta, codicología, etcétera). Y no podemos jactarnos de que no queden documentos egipcios, incas, mayas o aztecas, cuya interpretación esté aún por llegar y que estén necesitados de técnicas especiales de recuperación documental.

Es de todos conocido que el hombre ha intentado guardar celosamente el contenido de sus mensajes. Los niños, en los colegios, utilizábamos claves para comunicarnos: el maestro era "el lince". Y tonto, estúpido, era "bueno". Y nos pasábamos papelitos con frases como "el lince es bueno", que cuando eran interceptadas por el maestro nos llenaban de orgullo porque él no conocía la clave. Menos mal.

Lo mismo nos ocurre cuando nos tropezamos con caracteres cirílicos, griegos, judaicos, árabes, chinos o con formulaciones matemáticas o químicas cuyo contenido nos desborda. Igual ocurre con idiomas que no dominamos: alemán, noruego, sueco, etcétera.

Acrósticos, palabras escritas al revés, palabras nemotécnicas para recordar: po, man, llo, han, mi, lim, pa, pa. Era una palabra maldita que el profesor se empeñó en que memorizáramos para decirnos después que nos serviría para memorizar las bienaventuranzas, de obligado conocimiento en la época.

Recuérdese el principio de la Celestina. El autor, quizá para evitar la persecución de la Inquisición va colocando en la letra inicial de cada verso el mensaje que quiere transmitir. El bachiller Fernando de Rojas, era natural de la Puebla de Montalbán.

Con todo, necesitamos conocer el código para interpretar o traducir, o descifrar o recuperar información.

No era infrecuente en nuestra infancia recibir un mensaje: 3,8,5; 15,9,7; 6,17,8; 3, 23,14; etcétera que nos obligaba a ir a nuestra clave, a nuestro método de recuperación de información. La clave era un libro consensuado: palabra número tres, línea ocho, página cinco; palabra seis, línea diecisiete, página ocho, etcétera.

En la Segunda Guerra Mundial Rebeca de Daphne du Maurier era la clave de los aliados, y en todos los cafés de Europa era el libro que ocasionalmente llevaban.

Morse, braile, idiomas, claves, códigos, traducción que posibiliten que el esquema EMISOR-MENSAJE-RECEPTOR funcione, si se está de acuerdo en el código.

A esto habría que añadir conceptos como equívoco, unívoco, análogo, el valor de la metáfora. Conceptos de homófono y homógrafo, etcétera. Conceptos que pueden complicar la recuperación, en un sistema en el que no tiene sitio la metáfora o posibles interpretaciones entre palabras homófonas, pero no homógrafas.

No me resisto a un par de ejemplos. Teníamos un profesor de latín que "estimulaba" a los menos avanzados con frases como "Mater tua mala burra est". Ante las tímidas protestas del aludido explicaba que "mater tua" se traducía por "tu madre"; "est" no era del verbo ser, sino la forma de tercera persona del verbo *edo, edis, edit* o *est* (come); para terminar "mala" era el acusativo neutro de *malum*, manzanas, y el colmo "*burra*", adjetivo neutro plural que concertaba con mala significaba roja, madura. *Mater tua mala burra est*: tu madre come manzanas maduras.

El otro ejemplo que quiero traerles es un cuento de Maximo Bontempelli, titulado "el Buen viento". El protagonista se mueve en los límites entre el mundo real y el imaginario, el mundo en que se pueden materializar las metáforas (metáforas en que nos movemos habitualmente: mi corazón es un volcán, el pecho me hierve, es usted un burro, etcétera) y nos presenta al protagonista que delante de las carpetas de acciones de hidrocarburos, minerales, etcétera, llega a decir "yo soy hijo de mis acciones" ;"y…se levantó , se acercó a las estanterías y tiernamente susurraba: "mamá, mamá".

Por otra parte todos hemos sido actores del siguiente proceso: número de teléfono de casa(no hay que archivarlo), de un hijo, el mejor amigo, el fontanero, el agente de seguros, etcétera, no hay que archivarlo, y cuando este etcétera se multiplica hay que acudir a fijar esa información: agenda, agenda electrónica, ordenador, y para recuperar la información vamos a la letra inicial, en la agenda, o marcamos el apellido en el ordenador. Ordenación automática

Recuerdo, en mis años de formación, que el portero de los franciscanos de Murcia había memorizado la guía de teléfonos de la ciudad. Y, a cambio de un café, jugábamos: 211820 y él contestaba: Ambrosio Sempere. Antonio López Nicolás, 213457, contestaba él. Cuando, con el desarrollo y crecimiento de la ciudad telefónica añadió un 1 inicial, convirtiendo el 1820 en el 11820, el portero de los franciscanos fue incapaz de realizar este proceso de adición. Borró de su memoria la guía y volvió a memorizarla añadiendo el dígito inicial.

Respecto a las operaciones matemáticas hemos presenciado lo mismo; hemos visto gente que era capaz de realizar a velocidad muy rápida operaciones de suma. Con todo la técnica nos proporcionó las primeras calculadoras. Calculadoras y operadores booleanos que ayudaron a aumentar el potencial biológico humano.

Y así llegamos a la actualidad. Por una parte la cantidad de información. Por otra las técnicas de recuperación.

Tal es el impacto en la investigación en este punto que los planes de Estudios de la Licenciatura en Documentación incluyen la asignatura "Técnicas y métodos avanzados de Recuperación Documental", con ligeras variantes en el título y como asignatura troncal. Se ha celebrado ya una oposición a Cátedra que ostenta el doctor Moya Anegón, en la Universidad de Granada cuya investigación utilizo como guía en el resto de mi intervención.

EL ACCESO A LA INFORMACIÓN

Desde la célebre "Explosión de la Información " de Mijailov, los datos suelen ser estremecedores cuando se acercan a nuestro entorno temporal

En 1993:   11.286 periódicos

              10.857 revistas en USA

5.500 nuevas editoriales
136.400 nuevos títulos que añadir al
1,5 millones ya publicados.

En 1976 se publican (ISI):	267.354 artículos de investigación.
1986 se publican:	378.313 artículos de investigación.[1]
Internet:	31.000 Redes de ordenadores.
	20 millones de usuarios.

En 1971:	7,5 billones de paquetes de Internet.
1993:	26 millones.
1994:	56.2 millones.

En este mismo sentido se expresa Tramullas cuando dice que:[2]

Internet Invisible:	20 y 50 Terabytes.
	2.5 billones de páginas Web.
Internet Oculto:	7.500 Terabytes.
	550 millones de páginas Web.

Producción de información:
  1 y 2 Exabytes(= 1 Exabyte= 1 Billón de Gigabytes)
  250 Megabytes por persona.
La información impresa supone sólo un 0.003 % del total.

Con todo no debe olvidarse que hay un principio de lógica: "Nadie da lo que no tiene". Si quiero sacar del frigorífico unas bebidas o unos alimentos para obsequiar a mis amigos, antes, necesariamente, he tenido que llenar el frigorífico. Lo que intentemos recuperar, antes hemos tenido que almacenarlo; lo que intentamos es almacenarlo de tal

---

1 Moya Anegón, Félix. "Técnicas avanzadas de recuperación documental" En López Yepez;José (Coordinador) *Manual de Ciencias de la Documentación*. Pirámide, 2002.
2 Tramullas, Jesús. "La recuperación de Información en World Wide Web". En Lopez Yepez, *idem* cap. 26 pp. 601-631.

forma que recuperarlo sea más fácil, más cómodo, más rápido, más eficaz, más pertinente…

Veamos qué ha ocurrido hasta ahora y cuál es la situación actual en recuperación de información. Seguimos el trabajo citado de Moya (2002).

Apenas habían aparecido los primeros ordenadores, empezaron a utilizarse para procesar grandes cantidades de datos en lo que muy pronto se llamarían Bases de Datos, siendo los sistemas que almacenaban y procesaban texto algo posteriores a los DBMS.

Los primeros en demandar sistemas de recuperación de información textual fueron los bibliotecarios norteamericanos después de la 2ª Guerra Mundial.

Hoy se emplea con idéntico valor la expresión recuperación de documentos, recuperación textual y recuperación de información, cuando se trata de describir la función básica de un SRI (Sistema de Recuperación de Información).

Analiza el profesor Moya el camino seguido desde Rijsbergen pasando por Mooers, Doyle, Salton, Saracevic. Ofrezco a ustedes unas transparencias –resumen cuyo contenido íntegro pueden consultar en la obra citada.

La preocupación por recuperar la información tiene un hito importante en las nuevas tecnologías, con las que se intentan las primeras clasificaciones automáticas (*clustering*, *stemming*, algoritmos genéticos, etcétera, son términos que se incorporan a la aplicación de las nuevas tecnologías).

Los principales modelos de SRI son los modelos booleanos, los modelos de espacio vectorial, el modelo probabilístico y el modelo cognitivo.

Las técnicas serían la de indización, la de búsqueda y las técnicas de *clustering*.

No quisiera cansarlos con la exposición teórica de todos y cada uno de los modelos y de las técnicas. Muchas veces el modelo o la técnica elegida vienen condicionados bien por el entorno en que van a operar, bien por la condición de los usuarios, el grado de relevancia que se desea, etcétera.

Este es, pues, a grandes rasgos el panorama. Ahora quisiera mostrar una herramienta. Se utiliza para recuperar información. Una empresa de servicios de capital público y privado la emplea en Murcia, se llama Excalibur, o si ustedes lo prefieren CONVERA, que es el nombre de la casa comercial que ha adquirido Excalibur. Es un thesaurus alfanumérico, capaz de atender a doscientos puestos.

El comportamiento técnico se basa en nombres, adjetivos, verbos y adverbios, y descarta los deícticos, artículos, etcétera.

Los descriptores se señalan por espacio-palabra-espacio.

Se utiliza la Red semántica de la RAE, completada por la DB de Espasa que se considera menos ortodoxa.

Ofrece tres bloques temáticos de búsqueda:

Exacta. Equivaldría a la Búsqueda de Internet. Recuperas el documento que tienes, que conoces, sin otra posibilidad. Sobre este tipo de recuperación recuérdese lo apuntado por Tramullas(2002).

➤ *Semántica* es la basada en sinónimos, antónimos, etcétera.

➤ *Pseudofonética* basada en la similitud fonética, incluso en otros idiomas. Homofonías, homografías, etcétera.

El funcionamiento es sencillo Excalibur almacena toda la información que se le facilita a través de Word, Excel, y mediante Scanner de alta definición (400 p) al que se aplica un OCR. La reindexación y catalogación se realiza de noche, de forma que a la mañana esté disponible. La información es patrimonializada por la empresa que consigue y ordena la Relevancia (algoritmo), en orden a la Frecuencia, Cercanía, Sinónimo/antónimo. De ahí se deduce un orden de pesa en las respuestas dadas.

Podría Excalibur dar otro tipo de informaciones ordenadas por otros campos como autor, fecha, título, relacionales, etcétera, pero esto sería competencia del mundo de la informática.

La práctica que les propongo se pensaba hacer directamente con la empresa Aguas de Murcia, mediante conexión real vía Internet-telefónica, para hacer una búsqueda real, en tiempo real. Los desfases horarios, aconsejaron grabar una búsqueda en tiempo real, que es lo que ahora les ofrezco.

Al conectarse al ordenador, el sistema pide la autorización correspondiente. Introduzco mi nombre y de la gama de posibilidades de fuentes temáticas soy autorizado a entrar en la fuente de prensa. De las tres posibilidades de búsqueda elegimos la búsqueda semántica.

Elegimos un descriptor compuesto Colector-rotura. Ambos términos son normales en el mundo de gestión en que se mueve esta empresa. Pido se nos ofrezcan los 100 documentos más relevantes que se encuentren. En 2 décimas de segundo se nos ofrecen ordenadas por relevancia, frecuencia y proximidad. De forma descendente, señalados con dos * en rojo. Se nos ofrece el documento en el que aparece el descriptor: colector y rotura. Pido el original, que se me ofrece instantáneamente. Pertenece a un diario de la Ciudad. Voy descendiendo por la enumeración que me ofrece y observo otros documentos con menos precisión que el solicitado, alguno muy original como alcantarilla, como sinónimo de colector (hay una Alcantarilla, ciudad que también recoge, y nos ofrece un documento muy original en el que una señora ha sido indemnizada por haber tropezado en un sinónimo de colector; llegamos a términos sinónimos, como agujero, etcétera.

Intentamos ahora una búsqueda fonética. Dudamos entre tuvería y tubería. Elegimos finalmente erida. Nos ofrece los veinte documento encontrados, pero todos con herida.

Lo mismo ocurre con fango, cieno, lodos, etcétera.

Llegamos a la conclusión de que la herramienta ofrecida, que trabaja con lenguaje natural, es de una rapidez inusitada en la recuperación de información. El diálogo termina disipando algunas dudas.

127

Aproximaciones a la investigación bibliotecológica en los programas de licenciatura

LINA ESCALONA RÍOS
Universidad Nacional Autónoma de México

En cuanto a la enseñanza del proceso de investigación bibliotecológica mucho se ha discutido si es una función básica para el nivel de licenciatura; sin embargo, es claro que el proceso de investigación es necesario, no sólo para la generación de nuevo conocimiento sino también para aplicar los conocimientos metodológicos a los aspectos académicos durante la formación profesional, y para resolver los problemas cotidianos que se tienen a lo largo del ejercicio profesional y ello se hace a través de la investigación aplicada, que se refleja en muchas de las tesis profesionales.

Indiscutiblemente en este proceso tienen mucha importancia las escuelas de bibliotecología al ser las formadoras de los jóvenes profesionales que tienen que velar por mantener su calidad profesional a través de su ejercicio, y por tanto son las escuelas que ofrecen el nivel licenciatura las que deben iniciar a dichos profesionales en el trabajo de investigación.

La forma en cómo las instituciones han visualizado la necesidad de proporcionar los elementos necesarios para realizar investigación y en cómo la han concretado en sus programas académicos es motivo de análisis de esta mesa, en la que participaron los coordinadores y directores de algunas de las instituciones de educación bibliotecológica del país y de Colombia.

Los participantes refirieron que la investigación en el área bibliotecológica es uno de los ejes de la formación profesional que permite la formación integral del estudiante, especialmente cuando los cambios sociales dejan ver la necesidad de planes de estudio flexibles, que permitan el intercambio de estudiantes, profesores e investigadores, y se adaptan o adecuen al entorno de estudio y de trabajo que las instituciones exigen.

Las licenciaturas han dado respuesta a dicha necesidad, entendiendo a la investigación como el área o eje que debe desarrollar en el estudiante el conjunto de conocimientos, actitudes y habilidades que le permitan crear un espíritu científico que lo inicie en el proceso de investigación, y lo lleve a aplicarlo a su vida cotidiana y a la académica. Para lograrlo, en los planes se han integrado asignaturas como metodología de la investigación, evaluación de la bibliotecología, estadística, bibliotecología comparada y seminario de investigación, entre otras.

Estas asignaturas deben incidir en el estudiante para aplicar sus conocimientos a cada curso que se tome, para presentar informes orales y escritos, promover la comunicación, presentar ensayos, exposiciones, anteproyectos, estados del arte, estudios de caso, elaborar cursos de usuarios o detectar sus necesidades de información, etcétera. Es este nivel el espacio propicio para incentivar al alumno hacia la investigación y que pueda ser aliciente para continuar con los estudios de posgrado.

Las asignaturas que conforman el área de investigación se apoyan en el conocimiento de métodos y técnicas de enseñanza útiles para la facilitación del proceso de aprendizaje, como el ABP (Aprendizaje Basado en Problemas), el ensayo teórico, la investigación de campo, la elaboración de portafolio y la elaboración de trabajos de grado.

Cabe señalar que aunque cada licenciatura obedece a los requerimientos y políticas de su universidad, y por ello existe una tendencia mayor hacia la investigación en aquellas instituciones cuya prioridad es la iniciación en la formación de investigadores en el área de la bibliotecología, en todas se parte de que la enseñanza de la investigación es un proceso indisoluble de la educación profesional que tiene la finalidad de obtener bases sólidas para responder a las tendencias y necesidades sociales.

Docencia e investigación: congruencia en la Escuela Interamericana de Bibliotecología

Edilma Naranjo Vélez
Nora Elena Rendón Giraldo
Universidad de Antioquia, Colombia

> *La educación tiene dos fines: por un lado, formar la inteligencia; por el otro, preparar al ciudadano. Los atenienses se fijaron más en lo primero; los espartanos, en lo segundo. Los espartanos ganaron. Pero los atenienses perviven en la memoria de los hombres*
> **Bertrand Russell**

Una universidad debe cumplir con muchas funciones irrenunciables que hacen parte de su misión, como son la docencia y la investigación; con ellas se busca y pretende enseñar la verdad con un interés libre, personal y apasionado para aportarle algo a la sociedad. Si bien desde los estudios universitarios es importante hacer cultura o adquirir una serie de conocimientos que capacitan a los sujetos para desempeñar funciones en la sociedad, es fundamental encontrar los datos más profundos que muestran y tienen una relación creativa con la verdad, una verdad que además debe ser comunicada. Tarea asignada al ser humano, pues posee un entendimiento y una capacidad cognoscitiva para la búsqueda y reconocimiento de la verdad; siendo esto lo que constituye la investigación y la parte esencial del quehacer universitario para hacer frente a las nuevas condiciones y circunstancias que la sociedad y el progreso imponen.

La articulación de los procesos de docencia e investigación[1] en la educación universitaria se asocia con el desarrollo de la ciencia y la tecnología como instrumentos dinámicos del cambio social y de la evolución de los servicios informativos en función del progreso de las comunidades. Si partimos de que "[...]la investigación es, ante todo, **actitud** permanente del investigador y no solamente **actividad**; y de que es misión ineludible de la universidad formar las mentes de los investigadores mediante la **investigación unida a la docencia**",[2] se requieren entonces bibliotecólogos y docentes bien formados, inquietos por indagar y proponer ideas que marchen a la par de las tendencias mundiales, pero que no olviden la importancia de saber lo que ocurrió en el pasado y qué generó el presente que se vive.

Las escuelas de bibliotecología no pueden sustraerse de los tres pilares fundamentales de la misión de la universidad: la docencia, la investigación y el servicio a la comunidad o extensión. Es una misión comprometida con la formación, la acción solidaria y la visión global del mundo, y la expansión del conocimiento a través de la investigación como algo inherente al proceso educativo. El desarrollo de destrezas para llevar a cabo investigación debe constituirse en una parte esencial de la formación bibliotecológica y debe incluirse en sus planes de estudio.

Lo anterior exige capacitar a los estudiantes ofreciéndoles "[...]los elementos teóricos y técnicos necesarios para realizar una investigación científica".[3] Con temas relacionados con aspectos metodológicos y epistemológicos, se busca "[...]dar a conocer los elementos que

---

1   Se entiende por investigación la búsqueda del conocimiento y la verdad de una situación, un fenómeno, un acontecimiento u otro aspecto similar, pero de modo sistemático, causal y crítico.

2   Borrero C., Alfonso. Administración de la investigación en la universidad. Tomado de Simposio Permanente sobre la Universidad. [5 : 1992]. [S. l. : S. n., 1992]; p. ; p. 63.

3   Rendón Rojas, Miguel Ángel. "Metodología de la investigación en bibliotecología". En : *Investigación Bibliotecológica : archivonomía, bibliotecología e información*. México. Vol. 10, no. 21 (Jul. – Dic., 1996); p. 27.

intervienen como principios rectores para hacer ciencia, como catalizadores de un pensar crítico, creativo y fundamentado",[4] con la pretensión de alentar "[...]la formación de hombres que quieran dedicar sus condiciones natas a una tarea de mayor conocimiento"[5] del área de estudio.

El dominio de estos elementos les permitirá a los bibliotecólogos responder a las presiones creadas por los cambios a que se ven sometidas las unidades de información y la profesión, ante la aplicación masiva de las tecnologías de la información y las necesidades de los usuarios, pero ante todo por el carácter científico que requiere nuestra profesión.

El concepto tradicional del profesional de la información ha variado con el tiempo gracias a los cambios en los procesos formativos ofrecidos por las escuelas y facultades de bibliotecología, además del vertiginoso avance en el uso y aplicación de las tecnologías de la información y la comunicación, por lo que se requiere en la actualidad un profesional que investigue y que sea capaz de:

- Ser un crítico observador de los procesos científicos y culturales, y de los problemas sociales.
- Organizar, administrar y evaluar sistemas de información.
- Investigar y aplicar los resultados de la investigación.
- Estudiar y diseñar nuevos productos y servicios de información.
- Fomentar el uso de la información como factor de desarrollo.
- Adoptar y adaptar las tecnologías de la información.
- Aplicar las técnicas de mercadeo y demás aspectos económicos de la información.[6]

---

4 *Íbidem*.
5 Aguirre, Marisa. *El deber de formación en el informador*. Pamplona : Ediciones Universidad de Navarra, 1988; p. 130.
6 Molina Escobar, María Clemencia, Pérez Gómez, Martha Alicia, Correa UribE, Santiago. Perfil profesional del bibliotecólogo. Medellín : Universidad de Antioquia, Escuela Interamericana de Bibliotecología, 1987; p. 189-190.

A pesar de que estas ideas que se manejaron hasta principios de la década del 90 aún son vigentes, como lo corrobora el documento Competencies for information professionals of the 21st century[7] cuando considera a la administración de los sistemas de información, las fuentes y recursos, los servicios y la aplicación de la tecnología de la información y la comunicación como competencias fundamentales del bibliotecólogo del siglo XXI. Sólo que a mediados de esta misma década con las reformas educativas que aparecen en el país, amparadas en la Ley 30 de 1992 que legisla la educación superior, se empieza a vislumbrar la importancia de formar a los futuros profesionales de la bibliotecología con énfasis en el desarrollo de habilidades y condiciones de investigadores para escudriñar, interpretar y potenciar la disciplina, y como una forma de responder a las exigencias del entorno y la sociedad global. Entonces se habla de una educación integral en la que se da gran importancia al ser, el hacer y el saber hacer a partir de la reflexión y creación generada por la investigación elaborada en el pregrado, lo cual involucra a profesores y estudiantes.

LA INVESTIGACIÓN EN LA ESCUELA INTERAMERICANA DE BIBLIOTECOLOGÍA

En concordancia con el Estatuto General y con el Plan de Desarrollo de la Universidad de Antioquia, la Escuela Interamericana de Bibliotecología considera a la investigación como uno de los ejes de su vida académica, cuya función básica es servir de instrumento en el proceso de formación integral del bibliotecólogo(a) y que articulada con la docencia y la extensión, le permite a la Escuela lograr sus objetivos institucionales, pues además de ocuparse de la transmisión del conocimiento y formación profesional, debe establecer como una de sus responsabilidades fundamentales con la sociedad, la construcción

---

7   Competencies for information profesionals of the 21st century / Eileen Abels ... [*et al.*] . [S. l. : S. n.], 2003

del conocimiento. Se propicia así una síntesis de investigación y docencia.[8]

Así el estudiante de la Escuela Interamericana de Bibliotecología desde que inicia hasta que finaliza su plan de estudios de pregrado, se relaciona con actividades de investigación como una estrategia pedagógica, tales como la formulación de un problema, el uso de técnicas de investigación como la observación o el registro sistematizado de situaciones o fenómenos, que buscan que el estudiante asuma el aprendizaje y la creatividad como acciones permanentes. De este modo los estudiantes trabajan con tipos básicos de conocimiento:[9] la estructura teórica, los modelos, principios y reglas del área; los métodos de investigación acordes con el área; los productos, instrumentos, servicios, materiales y procedimientos que permiten materializar el conocimiento; y los métodos de trabajo y el desarrollo de habilidades necesarias para el desempeño profesional.

Para ser consecuentes con esto, la estructura curricular de la Escuela se compone de:

➢ ejes metodológicos,

➢ etapas curriculares,

➢ macroestructura (campos del conocimiento),

➢ mesoestructura (núcleos temáticos y problematizadores) y

➢ microestructura (asignaturas integradas).

La investigación como uno de los ejes metodológicos se entiende "[...]como el desarrollo de actitudes y habilidades orientadas hacia la investigación mediante actividades que van desde los pasos elementales para la formación o creación del espíritu científico, como la simple

---

8 Rendón Giraldo, Nora Elena. "Fomento y apoyo a la investigación desde el Centro de Investigaciones en Ciencia de la Información –CICINF- de la Escuela Interamericana de Bibliotecología." En : Coloquio de Investigación Bibliotecológica y de la Información: Investigación Bibliotecológica: presente y futuro [20 : México : 2002]. Mimeógrafo, 2002; p. 4.

9 Shera, Jesse H. *Los fundamentos de la educación bibliotecológica.* México : UNAM, Centro Universitario de Investigaciones Bibliotecológicas, 1990.

observación y el registro sistematizado de fenómenos, hasta el desarrollo de proyectos según líneas de investigación definidas. Tales actividades se realizan durante todo el desarrollo del plan de estudios".[10] Esto convierte a la investigación en una actitud permanente en todos los campos del conocimiento.

Con sus cursos regulares, la Escuela Interamericana de Bibliotecología hace énfasis en la enseñanza de los principios y teorías, y no simplemente en las técnicas bibliotecológicas, con lo cual fomenta en el estudiante el análisis, la evaluación, la generación y comprobación de conocimientos orientados al desarrollo de la ciencia, de los saberes y de la técnica; además de propiciar la adaptación de tecnología para la búsqueda de soluciones en el proceso de transferencia de información; todo con un pensamiento crítico y reflexivo.

Así, en el año de 1994 se implementó el Seminario de Investigación en el último semestre de la carrera para afianzar y complementar la apropiación y práctica de la metodología científica, fortalecer los conocimientos adquiridos en la asignatura Metodología de la Investigación y "acompañar de una manera más inmediata" al estudiante en la elaboración de su trabajo de grado.

La transformación curricular dada a partir de 1999 contempla en su plan de estudios dos cursos de Seminario de Investigación; uno obligatorio y otro optativo. En el primero se trabaja con base en el método científico o positivista, y en el segundo se hace uso de los métodos cualitativos, enfatizando la etnometodología y la investigación-acción participativa como alternativas que involucran a los sujetos como parte directa de la investigación y en la que ellos son conscientes de su propio papel en el resultado de la investigación. Con estos cursos y otros seminarios que ponen énfasis en temas de la bibliotecología se busca contribuir a la formación de representaciones

---

10 Escuela Interamericana de Bibliotecología. Proyecto Educativo Institucional. Medellín : Universidad de Antioquia, Escuela Interamericana de Bibliotecología, 2003; p. 26.

del conocimiento, desarrollar habilidades mentales, crear jerarquías conceptuales y desarrollar estrategias creativas y de pensamiento, etcétera.

Esta dinámica de trabajo parte de considerar los ejes metodológicos como transversales al plan de estudios "[...]que hacen referencia a las condiciones actitudinales de los actores del proceso educativo y que están presentes durante todo el desarrollo curricular."[11] Por lo tanto durante cada una de las asignaturas se hace el seguimiento de su propio objeto de estudio, valiéndose de diferentes métodos como el ABP (Aprendizaje Basado en Problemas) ya que une la investigación con la docencia. De este modo la enseñanza y el proceso investigativo se convierten en un incentivo para el estudiante. Esto permite que las actividades y el proceso enseñanza-aprendizaje de la investigación se profundicen en la medida en que los estudiantes aumentan su nivel formativo. Otros métodos que se contemplan son: el ensayo teórico, el estudio de caso, la elaboración del portafolio (más como una técnica) y la elaboración de trabajos de grado.

Paralelamente al desarrollo de las asignaturas, como lo expresa Nora Elena Rendón,[12] el Centro de Investigaciones en Ciencia de la Información lidera el proyecto "Semillero de Investigación en Ciencia de la Información y Bibliotecología", que brinda un espacio que permite confrontar la realidad y la práctica con la teoría bibliotecológica y demás disciplinas afines; además de estimular, crear y consolidar una cultura de investigación en la Escuela y de formar líderes y profesionales críticos con actitudes y aptitudes para el trabajo investigativo; y por ende ayudar a la conformación de grupos de investigación que lideren la generación y transfieran el conocimiento en el área.

---

11 *Ibid.* p. 26.

12 Rendón Giraldo, Nora Elena. La cultura de la investigación en bibliotecología: "los semilleros de investigación" como una alternativa de formación en el pregrado. En: *Revista Interamericana de Bibliotecología*. Medellín. Vol. 25, no. 2 (Jul. - Dic. 2002) ; p. 57.

Perspectivas de la investigación en los planes de estudio de bibliotecología

Justificar la presencia de la investigación en los planes de estudio de bibliotecología y ciencia de la información no es difícil, máxime cuando se trata de formar integralmente profesionales líderes en la gestión de la información, promotores del cambio social y cultural, y educadores en la utilización adecuada de la información. Profesionales capaces de planear, gestionar y evaluar las unidades de información de una manera científica y profesional, y no de manera intuitiva o empírica.

Puede afirmarse que en la Escuela de Bibliotecología hay un creciente interés por la investigación como parte integral de la formación profesional. El vertiginoso desarrollo alcanzado en los últimos años por las ciencias y las tecnologías de la información y la vinculación más estrecha de la docencia con la investigación, han propiciado el surgimiento de líneas de investigación. Es esperable que el énfasis empiece a darse más en el proceso de investigación que en las técnicas de recolección de datos y presentación de trabajos para responder así a la exigencia de la Ley 30, que determina que el último nivel académico de la universidad debe caracterizarse por la práctica de investigación de alto nivel.

Además, los profesores de la Escuela de Bibliotecología se muestran entusiasmados por utilizar otros métodos y estrategias no expositivos como el caso del mencionado ABP, el seminario investigativo y el estudio de caso, entre otros. Aprovechan así los cursos de capacitación docente que se ofrecen en la Universidad de Antioquia, que se brindan para que los docentes reflexionen y adquieran los conocimientos y habilidades que les permitan, desde su función pedagógica, orientar la formación con un gran énfasis en la investigación.

La actitud hacia la investigación se caracteriza por una curiosidad permanente que exige disciplina, dedicación, interés por aprender e innovar, capacidad para interactuar con el manejo y administración de información; más compromiso con la búsqueda de soluciones a los problemas que afectan la región y, sobre todo, una buena formación. Por lo tanto es indispensable que las instituciones educativas orienten la formación de investigadores para el trabajo científico en bibliotecología y ciencia de la información, no sólo a partir de los cursos regulares sobre métodos y técnicas de investigación o investigaciones independientes llevadas a cabo por los profesores o estudiantes, sino también fortaleciendo las habilidades, actitudes e intereses personales, teniendo en cuenta que el investigador se forma participando en el proceso mismo de la investigación. Para sustentar lo anterior se toman las ideas que presenta el profesor Jorge Ossa,[13] pues nos permite sugerir que cada curso debe ser una oportunidad para investigar y que deben presentarse informes orales y escritos para promover la comunicación, generarse una comunidad de aprendizaje, dar asesoría personal a cada estudiante, aprovechar la multiculturalidad y desarrollar seminarios de investigación interesantes.

Se deben generar espacios alternativos para discutir y aprender de los estudiantes mediante la confrontación y divulgación en público de sus trabajos académicos, sean éstos anteproyectos de investigación, ensayos, estados del arte, estudios de caso, experiencias laborales o trabajos de grado. Esto permitirá despertar el interés de los aspirantes a continuar su formación a través de un programa de postgrado. Este acto se refleja en la Escuela Interamericana de Bibliotecología por medio de las Jornadas Académicas Bibliotecológicas que se realizan anualmente en el mes de octubre.

En resumen, es indispensable incorporar la investigación como una parte indisoluble de la educación y si bien la necesidad de desarrollar programas adecuados de investigación es una tarea imperativa de las escuelas de bibliotecología, ésta debe formar parte de la

---

13 Ossa Londoño, Jorge. "¿Qué significa investigación en el currículo de pregrado y cómo abordarlo?" En : *Memorias. Alianza estratégica para el fortalecimiento de la excelencia académica / Seminario Taller Docencia Investigación*. Medellín : Universidad de Antioquia, Vicerrectoría de Investigación, 1999; p. 37.

labor de todo profesional. El bibliotecólogo debe reconocer permanentemente el valor que tiene la investigación para desarrollar la profesión no sólo adoptando actitudes positivas hacia ella, sino también identificando áreas prioritarias y dedicando tiempo para su estudio y práctica, de tal manera que esto le permita tener una clara conciencia de su función social y educativa, obtener bases sólidas para responder a las tendencias y necesidades de su entorno, atender con mayor eficacia el objeto de su actividad, y generar nuevo conocimiento a partir de su experiencia personal.

En esta responsabilidad de las escuelas de bibliotecología y sus diferentes estamentos es necesario contar con el apoyo de los profesionales a todos los niveles, incluyendo las asociaciones de egresados y los empleadores, tanto nacionales como internacionales, como parte integral de la formación profesional, y que se continúe dando más énfasis al proceso de investigación.

BIBLIOGRAFÍA

AGUIRRE, Marisa. *El deber de formación en el informador.* Pamplona : Ediciones Universidad de Navarra, 1988. 426 p.

ALMADA DE ASCENCIO, Margarita. "Tendencias de la investigación en ciencias de la información". En : *Revista Interamericana de Bibliotecología.* Medellín. Vol. 13, no. 2 (Jul. – Dic., 1990); p. 35-46.

BONILLA, E. "Formación de investigadores jóvenes y desarrollo : el reto para un país al de la oportunidad". En : *Formación de investigadores. Estudios sociales y propuestas de futuro* / E. Bonilla, comp. Madrid : TM Editores, 1998.

BORRERO C., Alfonso. Administración de la investigación en la universidad. Tomado de Simposio Permanente sobre la Universidad. [5 : 1992]. [S. l. : S. n., 1992]; p. 58-97.

BRUNER, Jerome. *La educación : puerta a la cultura.* Madrid : Navalcarnero, 1997.

CHAPARRO, F. *Conocimiento, innovación y construcción de sociedad. Una agenda para la colombia del siglo XXI.* Santafé de Bogotá : Colciencias, Tercer Mundo, 1998.

COMISIÓN INTERDISCIPLINARIA. "Propuesta de transformación curricular para la Escuela Interamericana de Bibliotecología". En : *Revista Interamericana de Bibliotecología.* Medellín. Vol. 19, no. 2 (Jul. – Dic., 1996); p. 7-45.

Competencies for information profesionals of the 21st century / Eileen Abels ... [*et al.*] . [S. l. : S. n.], 2003. 6 p.

CONSEJO NACIONAL DE ACREDITACIÓN. La evaluación externa en el contexto de la acreditación en Colombia. Santafé de Bogotá : Corcas, 1998.

COOK, G., VISIÓN 2000. "U. of T. launches : its plan for the next decade". En : *University of Toronto Magazine.* Toronto. Vol. 21, no. 4 (1994).

ESCUELA INTERAMERICANA DE BIBLIOTECOLOGÍA. Proyecto Educativo Institucional. Medellín : Universidad de Antioquia, Escuela Interamericana de Bibliotecología, 2003; p. 26.

LETELIER, M. "Aportes pedagógicos en la educación superior". En : *Pensamiento Educativo.* Santiago de Chile : Pontificia Universidad Católica de Chile, 1994.

MOLINA ESCOBAR, María Clemencia, Pérez Gómez, Martha Alicia, Correa Uribe, Santiago. *Perfil profesional del bibliotecólogo.* Medellín : Universidad de Antioquia, Escuela Interamericana de Bibliotecología, 1987.

OSSA LONDOÑO, Jorge. "¿Qué significa investigación en el currículo de pregrado y cómo abordarlo?" En : *Memorias. Alianza estratégica para el fortalecimiento de la excelencia académica / Seminario Taller Docencia Investigación.* Medellín : Universidad de Antioquia, Vicerrectoría de Investigación, 1999; p. 31-40.

RENDÓN GIRALDO, Nora Elena. Fomento y apoyo a la investigación desde el Centro de Investigaciones en Ciencia de la Información –CICINF- de la Escuela Interamericana de Bibliotecología. En : *Investigación Bibliotecológica: presente y futuro* [20 : México : 2002]. Mimeógrafo, 2002. 8 p.

– –. "La cultura de la investigación en bibliotecología: los semilleros de investigación como una alternativa de formación en el pregrado". En: *Revista Interamericana de Bibliotecología*. Medellín. Vol. 25, no. 2 (Jul - Dic. 2002) ; p. 53-71.

RENDÓN ROJAS, Miguel Ángel. "Metodología de la investigación en bibliotecología". En : *Investigación Bibliotecológica : archivonomía, bibliotecología e información*. México. Vol. 10, no. 21 (Jul. – Dic., 1996); p. 27-29.

RESTREPO GÓMEZ, Bernardo. "Investigación formativa e investigación científica en el sentido estricto". En : *Memorias. Alianza estratégica para el fortalecimiento de la excelencia académica* / Seminario Taller Docencia Investigación. Medellín : Universidad de Antioquia, Vicerrectoría de Investigación, 1999; p. 91-106.

RÚA RAMÍREZ, Iván. "Formación de profesionales de información para el futuro". En : *Revista Interamericana de Bibliotecología*. Medellín. Vol. 3, nos. 3-4 (Jul. – Dic., 1990); p. 89-92.

SHERA, Jesse H. *Los fundamentos de la educación bibliotecológica*. México : UNAM, Centro Universitario de Investigaciones Bibliotecológicas, 1990. 520 p.

SIERRA, Zaida. Reflexiones en torno al programa "Jóvenes investigadores Universidad de Antioquia". Medellín : Universidad de Antioquia, Facultad de Educación, 1999.

La investigación bibliotecológica en el Siglo XXI

ROSA MARÍA MARTÍNEZ RIDER
Universidad Autónoma de San Luis Potosí

La investigación es un proceso que obligadamente debe formar parte de los planes de estudio en el área de bibliotecología, pues con esta herramienta el estudiante desarrolla muchas habilidades, tanto en el ámbito cotidiano como en el profesional: la apertura, tolerancia, pluralidad, compromiso, orden, estructuración, jerarquía, razonamiento, organización, sistematización y evaluación, entre otras, lo cual le permite al alumno profundizar en sus campos de interés. Emilio Delgado señala: "No es difícil justificar la presencia en un plan de estudios de la materia que tiene como misión básica dotar de una base y una perspectiva científica a la Biblioteconomía ... y de proporcionar a los futuros profesionales las herramientas metodológicas fundamentales que les ayudarán a [...] planificar, gestionar y evaluar las bibliotecas y unidades de información en las que desempeñen su trabajo de una forma científica y profesional y no de manera intuitiva, basándose en la autoridad, tradición, costumbres o en la propia experiencia personal o importada."[1] Al respecto, con una profunda preocupación Carmen Negrete y José Alfredo Verdugo analizan el panorama y perspectivas, y expresan que: "De acuerdo con las carencias y limitaciones [...] en nuestro país, es menester[...] la formación del investigador [...] en las escuelas de Bibliotecología, el diseño de programas específicos para aquellos que de alguna manera incursionan en la investigación, o bien para quienes ya son investigadores con experiencia y reconocimiento[...]".[2] Al mismo tiempo que

---

1 DELGADO LÓPEZ-COZAR, E. pp. 52
2 NEGRETE GUTIÉRREZ, C. y VERDUGO SÁNCHEZ, J. A. p. 12

es importante llevar a cabo las tareas que desarrollan las unidades de información, también lo es realizar labores de investigación para el crecimiento de la disciplina.

México y el mundo se encuentran frente a un proceso de cambio, pues la característica fundamental de la transición al Siglo XXI es el replanteamiento social, que tiene grandes contrastes, paradojas y posiciones en relación con las dimensiones política, económica, científica, tecnológica y cultural. Esta dinámica ha impactado el desarrollo de la bibliotecología y sus procesos de investigación como mostramos a continuación, pues al hacer una breve reflexión de diversos factores, estos confluyen en perspectivas de reconfiguración:

1. Histórica:
   - Sociedades postindustriales
   - Globalización
   - Fin de la historia
2. Ideológica:
   - Crisis de la izquierda
   - La nueva derecha
   - La tercera vía
   - El liberalismo posmoderno
   - La democracia (liberal y radical)
   - Los nacionalismos
   - Los fundamentalismos
3. Económicos:
   - Empleo, subempleo y desempleo
   - Deterioro del estado de bienestar
   - Economía del mercado libre
   - División del trabajo
4. Científica:
   - Crisis epistemológica
   - Interdisciplinariedad
   - Nuevos campos del conocimiento

5. Tecnológica:
   - ➢ Sociedad de la información
   - ➢ Sociedad del conocimiento
   - ➢ Tecnologías de Información y Comunicación (TIC)
   - ➢ Alta tecnología de investigación en biología
6. Social y cultural:
   - ➢ Sociedad informada
   - ➢ Crisis de valores
   - ➢ Multiculturalismo
   - ➢ Democratización de la información
   - ➢ Migraciones
   - ➢ Desigualdades sociales
   - ➢ Comunicación global (televisión local, por cable y satelital)
   - ➢ Desigualdad social
7. Educativa:
   - ➢ Variadas y nuevas prácticas profesionales
   - ➢ Competencias
   - ➢ Cultura crítica
   - ➢ Flexibilidad curricular
   - ➢ Aprendizaje centrado en el estudiante

Ante este panorama las principales interrogantes de formación son:
   - ✓ ¿Qué finalidad tiene la investigación en bibliotecología?
   - ✓ ¿Cuáles son las prioridades en la investigación bibliotecológica en México?
   - ✓ ¿Qué necesidades sociales debe atender esta investigación en nuestro país?

Las respuestas convergen en el sentido de que el licenciado en bibliotecología requiere habilidades en el terreno laboral para:
1. Construir conocimiento que le otorgue a la bibliotecología carácter de ciencia, con el rigor metodológico que ésta exige.
2. Resolver los problemas sociales de información en diferentes sectores (civil, empresarial, comercial, gubernamental, etcétera).

De los factores mencionados, la bibliotecología en México está ligada estrechamente a:

1. La concentración del conocimiento y la información, asociadas al desempeño básico del bibliotecólogo en el desarrollo de la sociedad postindustrial y la globalización.

2. La reconfiguración de las ideologías, particularmente la democracia y la nueva derecha (especialmente en su forma populista), que plantean nuevos análisis sobre la tipología y requerimientos de los usuarios, así como la legislación sobre el derecho a la información y la defensa del lector.

3. La economía de mercado libre y el deterioro del Estado de Bienestar, que han derivado en formas emergentes de división del trabajo y de diversidad profesional.

4. La necesidad de incorporar el discurso de las ciencias sociales a la bibliotecología; de investigar con diferentes paradigmas; de analizar la creciente interdisciplinariedad en las ciencias de la información; y de reflexionar ideológica y conceptualmente sobre el uso de las TIC.

5. La democratización de la información y la Sociedad del Conocimiento exigen pertinencia y oportunidad de acceso a los sectores sociales para resolver los problemas en la vida cotidiana y laboral.

La tendencia en la educación es la de flexibilizar los planes de estudio para brindar a los egresados mayores posibilidades de formación y desarrollo. Alicia de Alba afirma que "Los curricula universitarios vuelven a ser motivo de reflexión, discusión y propuestas por parte de los diferentes grupos y sectores sociales que se encuentran interesados en participar en el proceso de determinación [curricular].[3] La flexibilidad curricular significa elasticidad sin perder los límites, Mario Díaz Villa la define como "... la aceptación de una diversidad de competencias ritmos estilos, valores culturales, expectativas, intereses y demandas ... [y] ... la capacidad de los usuarios del proceso formativo

---

3   DE ALBA CEBALLOS, A. pp. 4

de poder escoger el contenido, el momento y los escenarios de sus aprendizajes".[4] En el aspecto pedagógico, alude " ... al grado de plasticidad y diversidad de las formas de relación enseñanza-aprendizaje",[5] que tienen que ver también con el uso de las TIC. Luz María Nieto[6] indica que los nuevos tipos de aprendizaje requieren de integración disciplinaria, contextual, un enfoque hacia el desarrollo de habilidades cognitivas y el desarrollo de actitudes y valores. La prioridad es contar con alumnos activos que tomen conciencia de su potencial y su capacidad de autoaprendizaje. El currículum rígido está siendo desplazado por el flexible porque la dinámica social así lo exige, pues genera programas de movilidad estudiantil, intercambio de profesores y acuerdos de cooperación entre las escuelas o facultades de las universidades.

En lo que se refiere a la investigación en el Plan de Estudios de la Escuela de Bibliotecología e Información de la Universidad Autónoma de San Luis Potosí, éste consta actualmente de las siguientes asignaturas:

- Introducción a la bibliotecología
- Taller de lectura y redacción
- Introducción a la filosofía
- Matemáticas
- Estadística
- Teoría del conocimiento bibliológico-informativo
- Redacción de documentos científicos
- Metodología de investigación
- Seminario de investigación
- Bibliotecología comparada

---

4   DÍAZ VILLA, M. pp. 62
5   NIETO CARAVEO, L. M. *La flexibilidad curricular en la Educación Superior.* pp. 10
6   NIETO CARAVEO, L. M. *Educación Superior; futuro, contexto ...* pp. 2

Después de la revisión y evaluación se está elaborando el diseño del nuevo proyecto curricular por competencias que le permitirán al estudiante construir su propio currículum, el cual sigue la secuencia siguiente en la línea de investigación:

- ‣ Introducción a la bibliotecología
- ‣ Archivonomía
- ‣ Introducción a la filosofía
- ‣ Habilidades del pensamiento
- ‣ Matemáticas
- ‣ Técnicas de estadística
- ‣ Ortografía y redacción
- ‣ Lectura
- ‣ Métodos y técnicas de investigación
- ‣ Evaluación aplicada a la bibliotecología
- ‣ Metodología de la investigación
- ‣ Seminario de investigación
- ‣ Bibliotecología comparada
- ‣ Seminario de tesis

Esta línea de formación tiene el objetivo de dotar al estudiante de un sistema de conocimientos, habilidades y actitudes para que en el campo profesional concluya y publique los resultados de la investigación teórica o práctica en las ciencias de la información, con elementos que concilien la cultura crítica con las competencias.

Con relación a la cultura crítica se pretende que el estudiante:

1. Realice múltiples lecturas de la realidad.
2. Interrogue, critique (como actitud epistemológica) y problematice.
3. Elabore propuestas alternativas de solución.
4. Obtenga datos de la realidad para apoyar la investigación.
5. Mantenga la confidencialidad de la información que así lo requiera.
6. Le dé crédito a los autores en quienes fundamenta su trabajo.

Entrar en el terreno de la axiología es difícil y complejo. Aunque es cierto que los valores se aprenden en la familia, gran énfasis tiene la cuestión ÉTICA por la crisis de valores que se vive actualmente en el contexto social, lo que requiere de una revisión sobre este asunto en el currículum, ya que en el mundo actual todo se asume y poco se cuestiona, por apatía o escepticismo, Angel Pérez Gómez[7] refiere dentro de los rasgos de la posmodernidad, al *Pragmátismo* como forma de vida y de pensamiento, vivir el momento, gozar el presente; al *desencanto e indiferencia* en la que prevalecen la inseguridad y la incertidumbre; y a la *primacía de la ética sobre la estética* donde las imágenes y las apariencias soslayan el debate ético. María Teresa Yuren define que "El sujeto de la eticidad es el particular descentralizado, el particular necesitado, el particular con utopía, el realizador de valores, el sujeto de la Praxis, el sujeto de la cotidianidad, el sujeto que conquista su libertad en su lucha cotidiana por realizar la liberación genérica".[8] Manifiesta que "La educación valoral es educación en valores (socialización que consiste en la internalización de órdenes normativos), educación sobre valores (transmisión de información sobre valores y normas legítimas que permitan al sujeto apropiarse de su cultura) educación para valores (promoción del desarrollo intelectual y moral del sujeto que hace posible que prefiera y realice valores) y educación por valores (formación mediante la realización de valores)".[9] Por lo tanto, la autonomía y la libertad de pensamiento se deben ejercer sin afectar a los otros. En una conferencia dictada en la Universidad de san Luis Potosí, en el año de 1996 sobre la *Formación de valores en la Universidad*, el Dr. Armando Rugarcía expresó que dos elementos fundamentales para trabajar son: el ejemplo y el diálogo crítico.

---

7   PÉREZ GOMEZ, A. pp. 20-50
8   YUREN CAMARENA, M. T. pp. 152
9   *Ibid.* pp. 313

Por lo tanto, las escuelas tienen un papel fundamental en la transmisión de la cultura que lleva implícita la cuestión axiológica, es necesario que se determine el conjunto de actitudes y valores deseables en el currículum, que prepara para la vida profesional, al ejercerlos junto con las competencias laborales. Esto lleva a que los profesores para empezar, sean congruentes entre su decir y su hacer y adopten la ardua tarea de recuperar la reflexión sobre lo que significa un valor o un anti-valor porque tienen una carga positiva o negativa respectivamente en nuestro contexto. El profesional de la información trabaja con la información y el conocimiento que se usa en función de la estructura de valores que tiene cada sujeto y debe tener claro cuáles son sus límites. Además las bibliotecas son centros filosóficos, epistemológicos e ideológicos que incluyen una gama muy amplia de perspectivas y posturas que le permiten al sujeto delinear su criterio en relación con estos asuntos. Así, ante la actual perspectiva hay que cuidar que:

1. La pluralidad de pensamiento no sea sinónimo de neutralidad.
2. La pluralidad no genere anarquía sin objetivos, ni rumbo.
3. El respeto a la diferencia no provoque situaciones violentas.

El bibliotecólogo transita en ámbitos sociales contrastantes, entre sectores sociales analfabetas que no tienen acceso a la educación, al libro o a la computadora, y otros en los que se desarrolla una alta tecnología de punta; en ambos debe actuar con ética de servicio y honestidad.

Otro punto a tratar es el relativo a la bibliotecología como ciencia. Emilio Delgado comenta que " [...]a finales de los 70, todas las organizaciones internacionales importantes en el mundo de la ByD [Biblioteconomía y Documentación], habían señalado más o menos en forma explícita, la necesidad de un conocimiento del método científico aplicado [...]",[10] y es realmente paradójico que la bibliotecología pugne hoy por un lugar en la ciencia, cuando a fines del Siglo XIX, el

---

10 DELGADO LÓPEZ-COZAR, E. pp. 65

método científico empezó a ser duramente cuestionado por los filósofos y las teorías darwinistas provocaron grandes polémicas en la sociedad. Se han propuesto paradigmas alternativos que precisamente critican la aparente neutralidad de la ciencia (el fin justifica los medios o no importa cuántos sufran, el beneficio posterior será para todos o la manipulación del genoma), pero como no pueden explicar todo lo que sucede, es necesaria la interpretación y comprensión de los fenómenos sociales. Sin embargo se da otro fenómeno interesante para el bibliotecólogo, pues ya Mario Díaz Villa señala que "Los desarrollos de la ciencia y la tecnología han debilitado la identidad de las disciplinas y generado una constitución de nuevos campos o regiones discursivas con nuevos objetos y métodos de producción en el ámbito de la ciencia".[11] Más aún, esta "[...] flexibilidad puede afectar profundamente las fronteras reconocidas de las disciplinas académicas, las cuales, según la visión de Dogan están cada vez más en entredicho porque las disciplinas tradicionales ya no corresponden a la complejidad, las ramificaciones, la gran diversidad del esfuerzo que hoy día despliegan los científicos [...] Entre las disciplinas hay espacios vacíos o terrenos inexplorados en los que puede penetrar la interacción entre especialidades y campos de investigación por hibridación de ramas científicas".[12] Habría que dilucidar el papel de las ciencias de la información e incluso el de la comunicación en esta relación; es decir, ¿se diferencian sólo por su tratamiento o por el público al que se dirigen o por sus formas de difusión? o ¿existen diferencias epistemológicas y teóricas sustanciales?. Ciertamente, si la bibliotecología pretende obtener el rango de ciencia deberá hacer investigación con el Paradigma Empírico-Analítico, sin embargo, debe también trabajar con el rigor metodológico de los paradigmas alternativos. Asimismo tendrá que definir sus objetos de estudio y sustentar esas diferencias epistemológicas y teóricas dentro de la

---

11 DÍAZ VILLA, M. pp. 30
12 *Ibid.* pp. 48

interdisciplinariedad, que para un bibliotecólogo, archivista o documentalista pueden ser muy claras, pero no así para la sociedad. Además requiere involucrarse en el nuevo desarrollo transdisciplinar de otras áreas del saber. La realidad económica, política y social hace que el bibliotecólogo se mueva en otras áreas de las ciencias de la información. Por último, mucho se ha dicho y mucho hay que decir de las TIC; son innegables sus beneficios. En el área educativa Mario Díaz Villa comenta que "[...] con las nuevas tecnologías los estudiantes pueden tener acceso de manera abierta, flexible y autónoma a una formación mediada por ricas herramientas intelectuales y tecnológicas como las computadoras, los videos, la televisión y los medios de comunicación virtuales [...] pueden asumirse como un insumo muy importante para las más significativas transformaciones educativas del nuevo milenio debido a su papel potencialmente democratizador, transformador y, porque no decirlo, emancipador".[13] Tales tecnologías permiten el desarrollo de múltiples habilidades para la resolución de los problemas de información, sin embargo, en el terreno de la ética hay varias consideraciones en relación con la privacidad y la seguridad de la información electrónica (por ejemplo acceso y venta de datos sobre el ADN de las personas).

En cuanto a las competencias es recomendable seguir la pedagogía constructivista en la investigación la cual respeta las estructuras mentales de los estudiantes y recurre a una secuencia de los contenidos antecedentes, simultáneos y consecuentes, y al uso de mapas conceptuales en varias formas y a ubicar la relación entre conocimiento-habilidad-actitud-valor. Angel Pérez Gómez[14] afirma que el alumno que se forma en la investigación debe:

1. Utilizar situaciones hipotéticas y contextualizar el conocimiento.
2. Ubicar el contexto como situación relacional.

---

13 *Ibid.* pp. 48
14 PÉREZ GÓMEZ, A. pp. 64-77

3. Construir y deconstruir la elaboración de significados.
4. Hacer uso de la inducción, deducción y abducción como procedimientos de una lógica plural.
5. Analizar la compleja, cambiante y contradictoria realidad social.
6. Usar metodologías cuantitativas y cualitativas
7. Presentar el informe en forma de narración, para que éste sea menos esquemático y concluyente.

El constructivismo hace que el estudiante ponga en práctica los conocimientos, habilidades y actitudes en situaciones diversas.

Las competencias académicas para la investigación que forman parte del plan de estudios que se flexibiliza son las capacidades para:
1. comunicar las ideas,
2. adoptar una postura epistemológica, axiológica y ética,
3. aplicar métodos matemáticos y procesos estadísticos,
4. aplicar el método etnográfico y
5. aplicar métodos de evaluación cualitativos y cuantitativos.

Las competencias laborales implican las capacidades para:
1. establecer acuerdos y convenios de investigación,
2. diseñar proyectos innovadores o alternativos de investigación teórica o práctica, cualitativos o cuantitativos en bibliotecología u otras ciencias de la información,
3. sistematizar las investigaciones, y
4. publicar los resultados de la investigación.

Como conclusión

La investigación es fundamental en la formación del alumno de bibliotecología, pues le proporciona la fundamentación, la posición y el sustento metodológico en la construcción de su aprendizaje. La flexibilidad curricular permite la elasticidad interdisciplinaria en la realización de este proceso, que no sólo debe **concederle importan-**

cia a las habilidades sino también a la ética. Por lo tanto, en el proceso de investigación se deben tener muy claros los marcos epistemológico, teórico y metodológico, así como los fines y la utilidad de la investigación.

BIBLIOGRAFÍA CONSULTADA

DELGADO LÓPEZ-COZAR, E. "¿Por qué enseñar métodos de investigación en las Facultades de Biblioteconomía y Documentación?" *Anales de Documentación* (4): 51-68 2001

DÍAZ-VILLA, M. *Flexibilidad y Educación Superior en Colombia.* Colombia, Instituto Colombiano para el Fomento y Desarrollo de la Educación Superior, 2002.

NIETO-CARAVEO, L. M. *Educación Superior; Futuro, Contexto Internacional Y Alternativas para la Docencia.* México, CIEES; SEP. ANUIES, 1994.

NIETO CARAVEO, L. M. *La flexibilidad curricular en la Educación Superior.* XXXII Reunión Nacional de Directivos de la Asociación Mexicana de Educación Agrícola Superior. Chiapas, 2002.

PÉREZ GÓMEZ, A. *La cultura y la sociedad neoliberal.* 3ª. Ed. Madrid, Morata, 2000.

YUREN CAMARENA, M. T. *Eticidad, valores sociales y educación.* México, UPN,1995.

Cronología de la licenciatura en Ciencias de la Información de la Universidad Autónoma de Chihuahua

TERESITA DE JESÚS NÚÑEZ ALONSO
IRMA PEREA HENZE
Universidad Autónoma de Chihuahua

La licenciatura en Ciencias de la Información nace en agosto de 1990 con el objetivo de preparar egresados que sean especialistas en "[...]el proceso de la información y su tecnología, que incide tanto en la proyección social como en la personal, para rescatar, conservar, difundir y fomentar los valores humanísticos". Para ello se realizó una investigación con los empleadores con la finalidad de determinar el perfil de egreso de un profesional que cubriera todas las necesidades de información en el mercado laboral. Así, el programa nace ofreciendo un perfil de egreso cuyas fortalezas principales radican en la capacidad de análisis y síntesis de los estudiantes, pero incluyendo una carencia evidente en los proceso técnicos y funcionales desde una perspectiva bibliotecológica.

Se realizaron dos investigaciones de impacto de la carrera a partir de 1995. Por otro lado, las materias enfocaban mucho al egresado hacia las Ciencias de la Comunicación ya que 16 de 63 materias (poco más del 25%), corresponden más a dicho perfil que al ámbito de la bibliotecología o la documentación, problema que generó confusiones tanto en empleadores como en la comunidad.

Aunado a lo anterior cabe notar que el 38% de las asignaturas pertenecían al área humanística, el 14% al área tecnológica y el resto (9%) se ubicaban en el ámbito de las ciencias sociales. Esta dispersión se resolvía con asignaturas optativas (14%) con las que el alumno cerraba su perfil en cuatro pretendidas especialidades: medios, administración de la información, bibliotecología e investigación.

En abril de 1998 se realiza una investigación autoevaluativa cuyo objeto de estudio es la licenciatura de Ciencias de la Información, y ello permite establecer un análisis basado en ocho variables relevantes: estado del arte a nivel externo, empleadores, estudiantes de medio tiempo, egresados, alumnos, procesos de enseñanza, mecanismos de formación docente, y la infraestructura o recursos para el aprendizaje.

A principios del año 2000 se recibió la visita de evaluadores del CIEES, quienes realizaron la evaluación de esta licenciatura a partir de dos perspectivas: una, la del comité de ciencias sociales y, otra, la de humanidades.

Durante 2001 y 2002 una comisión trabajó una propuesta de reforma curricular; sin embargo, los cambios que se dieron respecto del plan anterior fueron del 87%, y esto ocasionó desconcierto hacia el programa entre la planta de maestros.

La nueva propuesta curricular intenta alcanzar los objetivos del perfil de egreso distribuyéndolos de manera equitativa. Con esta modificación se privilegian las asignaturas de carácter técnico sobre las humanísticas.

El perfil de egreso de la nueva propuesta plantea los siguientes puntos:

1. Aplicar éticamente las bases cognoscitivas y metodológicas de las ciencias de la información en cualquier contexto organizacional, tanto en el procesamiento de documentos como en la generación del conocimiento.
2. Procesar documentos en todos sus formatos a través de la catalogación, clasificación, indización y resumen de los mismos.
3. Diseñar, desarrollar y evaluar centros y servicios de información en diferentes modalidades y para las diversas áreas del conocimiento que se aplican a las bases de la administración general.

4. Desarrollar, a través del procesamiento de información, la estructura de diversos productos y servicios documentales y de información, los cuales darán lugar a programas de capacitación y enseñanza, de diseminación, de información, de documentación organizacional, y de investigación y desarrollo, a través del uso de medios impresos y electrónicos.

5. Contribuir a la creación, difusión, análisis y conservación de documentos diversos, correlacionados con su contexto cultural, social, histórico y legal de acuerdo con las necesidades de usuarios específicos.

En enero de 2003 inicia la nueva propuesta curricular por lo que los problemas que se enfrentan actualmente tienen que ver con el análisis de lo que se tiene y lo que se puede ofrecer, en relación con los perfiles de los docentes que se encuentran impartiendo cátedra actualmente, pero existe un gran desconcierto en los alumnos de ambos programas.

La investigación bibliotecológica en el plan de estudios de la licenciatura en Bibliotecología y Estudios de la Información: Colegio de Bibliotecología de la UNAM

CÉSAR AUGUSTO RAMÍREZ VELÁZQUEZ
Universidad Nacional Autónoma de México

Hablar de la investigación bibliotecológica en el nivel de licenciatura es plantear la adquisición, por parte de los estudiantes, de los conocimientos básicos para desarrollar investigaciones tendientes a resolver problemas prácticos que se les presentan en su actividad profesional.

Al concluir su carrera los alumnos deben haber aprendido a detectar dichos problemas y a aplicar las diversas formas de investigación: la investigación de campo, la investigación documental, la investigación métrica y la investigación evaluativa, entre otras, y deberían intentar mejorar algunos procesos inherentes a su entorno laboral..

Lo anterior nos hace reflexionar que los egresados de la licenciatura, deben contar con los conocimientos mínimos que requiere su formación para resolver cuestiones que se les presentan cotidianamente en sus actividades no necesariamente ligadas a la investigación como práctica profesional.

El por qué de dicha aseveración, se contempla en el objetivo del plan de estudios de la licenciatura en bibliotecología y estudios de la información, que a la letra dice, debe: "[...]formar profesionales para seleccionar, organizar, difundir y recuperar la información, así como promover su uso entre los diferentes sectores de la sociedad mexicana y, con ello, contribuir al desarrollo científico, tecnológico, cultural y educativo del país".[1]

Y se observan también en los objetivos específicos del mismo plan, que indican: "[...]ofrece a los estudiantes conocimientos, habilidades, y aptitudes para:

1. Valorar la importancia social de la formación impresa y digital.
2. Organizar los recursos de información, de acuerdo con normas y sistemas internacionales.
3. Planificar, organizar y dirigir bibliotecas, centros de documentación, centros de información y otras unidades de información documental.
4. Satisfacer adecuadamente las necesidades de información de los integrantes de distintas comunidades.
5. Usar las tecnologías de información en los servicios bibliotecarios y de información.
6. Aplicar los métodos y técnicas de investigación propios y de otras disciplinas para encontrar soluciones a los problemas del ejercicio profesional y ampliar su perspectiva disciplinaria.
7. Lograr experiencias de aprendizaje que contribuyan al desarrollo integral del futuro profesional."[2]

Como se puede observar, se pretende que el profesional que egrese de esta licenciatura realice sobre todo actividades relacionadas con su ejercicio profesional, y que aplique los métodos y técnicas de investigación en la solución de problemas derivados de dicho ejercicio (objetivo específico #6).

De igual forma, el mismo plan indica "[...]que el egresado[...]dentro de sus características deseables, se pretende que[...]muestre

---

1   UNAM. FFyL. Colegio de Bibliotecología. (2002). *Plan de Estudios de la Licenciatura en Bibliotecología y Estudios de la Información*. México : El autor. p. 20
2   *ibidem* v. 1, p. 20-21

[...]conocimientos sobre:[...]los fundamentos teóricos, los métodos y las técnicas de investigación, para generar, evaluar, adoptar, usar y comunicar el conocimiento",[3] que tenga "habilidades y aptitudes para: [...]realizar investigación formativa,[...]aplicar el método científico en proyectos de investigación básica y aplicada",[4] y actitudes para: "[...]identificar los problemas relacionados con la investigación formativa usando los métodos y técnicas pertinentes[...]y proponer soluciones a problemas relacionados con la bibliotecología a través de la aplicación del método científico así como a la comunicación de resultados".[5]

Las consideraciones anteriores, tienen como fundamento que el Colegio de Bibliotecología no pretende formar investigadores, ni que todos los alumnos se inclinan por ésta práctica profesional; sin embargo, se los introduce en el campo de la investigación. De igual forma, es importante mencionar que el Colegio se encuentra inmerso en la Facultad de Filosofía y Letras, donde está también el Posgrado de Bibliotecología y Estudios de la Información, coordinado por la propia Facultad y el Centro Universitario de Investigaciones Bibliotecológicas de la UNAM, que ofrece el Programa de Maestría y Doctorado, cuyos objetivos son distintos a los de la licenciatura y van encaminados a la formación de investigadores. Esto no significa que los planes de la licenciatura y el posgrado se contraponen, sino que son complementarios, puesto que los objetivos de la Maestría indican que se pretende:

✓ Formar cuadros de alto nivel académico, con una sólida formación que los capacite para investigar, generar y transmitir nuevos conocimientos orientados a diseñar los modernos sistemas de información apoyados en las nuevas tecnologías de información, los cuales son parte de la docencia y la investigación en las universidades, y otras instituciones educativas, así

---

3 *ibidem* v. 1, p. 21
4 *ibidem* v. 1, p. 23-24
5 *ibidem* v. 1, p. 24-25

como en las actividades que realizan las organizaciones gubernamentales, las empresas, las industrias, etcétera.

✓ Relacionar la investigación y la docencia en el ámbito de la bibliotecología y estudios de la información con programas y proyectos nacionales en el campo de información, bibliotecas, organización y difusión documental e industria editorial y de la información.

✓ Realizar estudios encaminados a identificar prioridades de investigación y docencia a mediano y largo plazo.

✓ Generar proyectos que tengan por objetivo lograr la interacción sociedad-información y conocimiento, a través del estudio de las formas de uso y posibilidades de aprovechamiento de la información, el conocimiento y los recursos documentales en diversos tipos de comunidades.

✓ Impulsar investigaciones orientadas a conocer los fenómenos que inciden en la lectura, comprensión y utilización de la información y el conocimiento, a fin de proponer medios para mejorar la capacidad de los individuos para utilizar y aplicar la información en el desarrollo social, científico y tecnológico del país.

✓ Promover el cultivo de una cultura del conocimiento que permita establecer puntos de partida sólidos para llevar a cabo un trabajo de investigación, reflexión y docencia sobre la situación y perspectiva de la bibliotecología y los estudios de la información.

✓ Vincular la investigación con programas de enseñanza en el área de bibliotecología y estudios de la información.[6]

Por su parte el objetivo del doctorado, propone:

✓ Preparar al alumno para la realización de investigación original, y proporciona una sólida formación disciplinaria, ya sea para el ejercicio académico o el profesional del más alto nivel.

Donde el programa busca:

---

6   UNAM. FFyL. División de Estudios de Posgrado. (1999). México : El autor. p. 2-3.

✓ Relacionar la investigación con las condiciones nacionales considerando los diferentes grupos de usuarios y sus necesidades de información.

✓ Formar los recursos humanos de alto nivel que demandan los programas y proyectos de investigación, docencia y diseño de sistemas y servicios de información que tiene y requiere el país y,

✓ Fomentar el trabajo interdisciplinario entre bibliotecólogos y profesionales de otras disciplinas humanísticas y científicas, con el fin de realizar proyectos de investigación conjuntos.[7]

Por todo lo anterior se considera que la licenciatura es el primer eslabón de la formación de alumnos dentro del campo de la investigación como práctica profesional. Esto se puede observar en los planes de estudio del Colegio, los que pretenden que los estudiantes conozcan el proceso de la investigación científica a partir de las siguientes materias:

Plan de estudios anterior (1966):

➤ Estadística aplicada a la educación 1 y 2
➤ Bibliotecología comparada 1 y 2
➤ Métodos de investigación
➤ Seminarios de investigación bibliotecológica 1 y 2

En ellas se les enseñan a los alumnos las bases teóricas que permiten conocer los diversos tipos de investigación, los métodos científicos que se emplean y las diferentes técnicas y herramientas que se aplican; así como los factores que inciden en la realización de una investigación, tales como el problema que se prevé y su posible solución, el universo que se pretende estudiar y las características del entorno entre otros.

También se les provee de los elementos básicos para realizar investigaciones de manera sistemática, suponiendo que con ellos podrán consolidar trabajos de investigación congruentes con su nivel de

---

7 *ibidem* p. 14.

estudios; y les enseña a diseñar protocolos y los pasos a seguir en el desarrollo de una investigación, como presentar informes al respecto y a elaborar los documentos finales.

En cuanto al nuevo Plan de estudios, éste se ha integrado el área de "Investigación y Docencia en Bibliotecología", cuyas materias son:

- ✓ Fundamentos de la bibliotecología.
- ✓ Bibliotecología en México.
- ✓ Introducción a la investigación.
- ✓ Métodos de investigación cuantitativos.
- ✓ Métodos de investigación cualitativos.
- ✓ Seminarios de titulación I y II, y
- ✓ Didáctica de la bibliotecología.

Esta área tiene como objetivo que "[...]el alumno conozca y utilice los métodos y técnicas pertinentes para la solución de los problemas de investigación que se presentan en la práctica profesional, así como conocer el desarrollo de la disciplina en general y en México, además de los aspectos relacionados con su didáctica".[8]

Para concluir es pertinente considerar que la formación básica que adquieren los alumnos de la licenciatura en bibliotecología y estudios de la información en el campo de la investigación es imprescindible para su futuro desarrollo profesional; asimismo, constituyen los elementos teóricos fundamentales para aquellos que continúen su formación académica con miras a dedicarse activamente a la docencia y sobre todo a la investigación como práctica profesional.

OBRAS CONSULTADAS.

UNAM. FFyL. Colegio de Bibliotecología. (2002). *Plan de Estudios de la Licenciatura en Bibliotecología y Estudios de la Información*. México : El Colegio. 3 vols.

– –. División de Estudios de Posgrado. (1999). *Programa de Maestría y Doctorado en Bibliotecología y Estudios de la Información*. México : La División, 19 p.

---

8   op cit. v. 1, p. 29.

DIÁLOGOS DE INVESTIGACIÓN

TEMA:
EL FENÓMENO DE LOS USUARIOS
DE LA INVESTIGACIÓN

El fenómeno de los usuarios de la información

PATRICIA HERNÁNDEZ SALAZAR
Universidad Nacional Autónoma de México

INTRODUCCIÓN

El objetivo primordial del Centro Universitario de Investigaciones Bibliotecológicas es:

[...] contribuir al enriquecimiento del cuerpo de conocimientos de la disciplina y mantener una vinculación y retroalimentación permanente con la sociedad a través de la docencia, de actividades de difusión, divulgación y medios de diseminación de resultados y productos, mismos que están dirigidos a diferentes sectores de la sociedad.[1]

Para cubrir este objetivo la investigación está organizada en cinco áreas:

Área I Fundamentos de las ciencias bibliotecológica y de la información.
Área II Información y sociedad.
Área III Sistemas de información.
Área IV Análisis y sistematización de la información documental.
Área V Tecnologías de la información.

Dentro del Área III Sistemas de información, se circunscribe una línea de investigación denominada *Formación de Usuarios*, la cual se

---

1   *Centro Universitario de Investigaciones Bibliotecológicas.* México : UNAM, Centro Universitario de Investigaciones Bibliotecológicas, [s.f.]. p. 2.

ha venido desarrollando desde hace aproximadamente once años. Se han concluido varias investigaciones cuyas aportaciones principales son el establecimiento de un marco conceptual sobre el proceso formación de usuarios, el diseño de un proceso para proyectar programas de formación y la generación de un modelo para elaborar programas automatizados de formación de usuarios.

Por otro lado, entre las funciones que tiene el Centro Universitario de Investigaciones Bibliotecológicas está la de:

> Realizar investigaciones teóricas y metodológicas relacionadas con todos los aspectos de las ciencias bibliotecológicas, prioritariamente.[2]

Después de haber resuelto problemas más relacionados con la práctica de la formación y con el interés de apoyar cabalmente esta función del CUIB, surge el proyecto *Fundamentación teórica del fenómeno usuarios de la información*.

La presente participación tiene por objeto compartir con ustedes el desarrollo de dicha investigación, para lo cual tocaré básicamente cinco aspectos: los antecedentes que le dieron origen; la problemática que intenta resolver; los objetivos que persigue; los avances que se tienen hasta el momento; y por último sus alcances.

ANTECEDENTES

El interés por abordar los fundamentos del fenómeno usuarios se desprende de causas que están comprendidas en tres vertientes principales: a) el desarrollo de investigaciones dentro de la línea formación de usuarios; b) las conclusiones emanadas del Seminario Usuarios de la Información; y c) el análisis de varios documentos sobre fundamentos teóricos en bibliotecología y disciplinas afines.

---

2 *Centro Universitario ... Op. Cit.* p. 4.

a) El desarrollo de investigaciones dentro de la línea formación de usuarios

Las investigaciones que he realizado me han requerido precisar conceptos que tienen que ver con diferentes temas bibliotecológicos como son: estudios de usuarios (definiciones, métodos, técnicas, perfiles); servicios; y tecnologías de información, entre otros. Desafortunadamente algunos de los términos que conforman estos temas, como son información, usuarios, comportamiento en la búsqueda, y estudios de usuarios entre otros, no están suficientemente explicados y en algunos documentos se caracterizan de una forma y en otros de una diferente, de tal manera que no poseen las mismas significaciones para las comunidades epistémicas, lo que produce una carencia de marcos teóricos definidos.

Más aún, para determinar el concepto de formación de usuarios, y ante la imposibilidad de encontrarlo dentro de la bibliotecología se tuvo la necesidad de profundizar en otras disciplinas. En la pedagogía, para acercarme a la formación y a las maneras de enseñar o comunicar aprendizajes; en la psicología, para entender el proceso de aprendizaje y sus tendencias; y en la epistemología, para entender asuntos relacionados con la evolución y producción del conocimiento.

b) Las conclusiones emanadas del Seminario Usuarios de la Información

En el año 2002 se estableció el Seminario Usuarios de la Información, cuyo propósito es generar los supuestos teóricos en este campo; se pretende que el Seminario sea permante y cubra la región de América Latina.

Como primer evento se llevó a cabo la Mesa Redonda: Usuarios de la Información, la cual permitió tener un acercamiento con estudiosos del tema para establecer las bases del seminario y determinar la problemática que deberá irse resolviendo. Para desarrollar la mesa se elaboró un documento base que expresaba la necesidad de generar los marcos teórico y metodológico de este fenómeno, los participantes estuvieron de acuerdo con este planteamiento y se precisaron las causas que han originado esta necesidad, entre las cuales destacan las siguientes:

- ➢ Falta de dominio de referentes teóricos, métodos, técnicas e instrumentos de investigación en general, y en particular para abordar el tema usuarios.
- ➢ El docente no está preparado para investigar, por eso tampoco fomenta una actitud favorable hacia la investigación.
- ➢ Falta de aceptación de los conceptos generados al interior de la comunidad epistémica.[3]

c) El análisis de varios documentos sobre fundamentos teóricos en bibliotecología y disciplinas afines

De acuerdo con el panorama teórico que sobre la formación de usuarios se tenía, esto es la carencia de marcos teóricos, se estableció el supuesto de que el fenómeno más general, usuarios, se comportaba de igual manera. Este supuesto fue ampliamente comprobado mediante una búsqueda en la base de datos INFOBILA, (Información y Bibliotecología Latinoamericana), que utilizó como descriptores los términos usuarios, estudios de usuarios y formación de usuarios. El resultado ascendió a 370 registros, de un total de 15,300 (aproximadamente) que posee la base, lo que representa tan solo el 2.4% de la totalidad de estos registros.

Se analizaron los trabajos que se consideraron más relevantes, cuyo análisis arrojó las siguientes consideraciones:[4]

- ➢ Básicamente los trabajos son de dos tipos: descripciones de experiencias específicas y análisis bibliográficos de la obra de autores anglosajones.

---

3   *Mesa Redonda. Usuarios de la información (2002 : México, D.F.)* México : UNAM, Centro Universitario de Investigaciones Bibliotecológicas, 2003. p. 18.
4   *Mesa Redonda ... Op. cit.*, pp. 6-7.

> La mayoría de los trabajos no precisan conceptos tales como: metodología, método, técnica o instrumento de trabajo.

> No existe consistencia en la conceptuación de términos fundamentales como información, usuario, estudios, y formación de usuarios.

> Los documentos que tratan sobre estudios de usuarios presentan varias características que podemos identificar como deficiencias; a saber:

  ✓ Existe confusión entre la función y los objetivos de los estudios de usuarios.

  ✓ Hay una falta de conocimiento sobre las técnicas de estudios de usuarios, lo que provoca que éstas no sean bien aplicadas.

  ✓ La mayor parte de los documentos son estudios mal diseñados que no captan los datos que se necesitan.

  ✓ También carecen de rigor en aspectos estadísticos como la determinación de las muestras y el análisis de los resultados.

Este panorama nos muestra que el desarrollo de marcos conceptuales en nuestra disciplina y, concretamente en el área de usuarios, es elemental.

PROBLEMÁTICA

De los antecedentes antes presentados se desprenden problemas que se presentan a continuación:

> La bibliotecología ha sido considerada como una actividad profesional y no como una disciplina con un corpus teórico y metodológico establecido.

> Esta ciencia presenta una gran debilidad en sus fundamentos teóricos en general y en particular sobre el fenómeno usuarios.

> Existen pocas investigaciones de la disciplina sobre aspectos teóricos.

Objetivos

De acuerdo con esta problemática la investigación se plantea como objetivos:

General

Generar la estructura teórica del fenómeno denominado usuarios de la información.

Particulares

- Delimitar los conceptos que integran el fenómeno.
- Definir esos conceptos.
- Establecer las relaciones que se dan entre los conceptos.
- Explicar la estructura del fenómeno usuarios de la información.

Avances

El desarrollo de la investigación tiene dos ejes básicos, por un lado la idea de concepto y por el otro el método que se seguirá para construir ese concepto. Una aproximación al primer eje nos ha llevado a concebir al concepto de dos maneras, una como elemento del lenguaje y otra como proceso mental.

Desde el lenguaje se entiende por concepto al contenido significativo de determinadas palabras, pero las palabras no son los conceptos sino únicamente los signos, los símbolos de las significaciones. Estos significados determinan la naturaleza de una entidad, su esencia o sustancia, la forma de esa entidad. Como ente lingüístico, el concepto tiene la propiedad de ser comunicable y compartido por una comunidad epistémica determinada.

Ahora bien, como proceso mental, se puede establecer que un concepto es la síntesis producida por el entendimiento, el elemento último de todos los pensamientos. Se trata de un procedimiento fiable que permite analizar el contenido inteligible (racionalmente comprensible) de una representación sensible, para aislar y hacer objetiva su parte más genérica.

Después de precisar una idea no acabada de concepto, surge la pregunta ¿cómo se puede generar éste? La respuesta a esta pregunta nos refiere directamente al otro eje, es decir, al método.

La elección del método requirió precisar las características del fenómeno usuarios; a saber, estamos hablando de un fenómeno/sujeto, que debe ser estudiado y entendido en todas sus dimensiones, por lo que tiene que ser abordado en una forma holística y humanista. Con esta caracterización mínima se pensó que el método tendría que seguir un paradigma humanístico y una tendencia cualitativa, lo que nos llevó a elegir el método fenomenológico. Se darán aquí algunas características generales de esta tendencia metodológica.

La fenomenología o método fenomenológico pretende:

[...] describir las estructuras esenciales puras presentes y manifiestas [...] en el campo intencional de la conciencia.[5]

La conciencia aprehende significaciones de los objetos en cuanto son simplemente dadas y tal como son dadas; para este método cada estructura es entendida como un fenómeno. Se le coloca un nuevo signo a la actitud natural, y de acuerdo con este signo el sujeto se abstiene de emitir juicios sobre la existencia espacio-temporal del mundo. Es una pura descripción de lo que se muestra por sí mismo, es la máxima apertura de la conciencia en tanto que conciencia intencional.

En la fenomenología el objeto es considerado como la síntesis de varios aspectos que hemos percibido sucesivamente como producto del mirar al objeto.

Para un mayor esclarecimiento de la definición arriba expresada, analicemos cada uno de los elementos que la conforman:

---

5 Osvaldo Ardiles. *Descripción fenomenológica.* México : ANUIES, c1977. p. 7.

➤ Describir. Con este método se busca la significación de un fenómeno antes que centrarse en el descubrimiento de las explicaciones causales.

➤ Estructuras esenciales puras. Son las estructuras básicas de lo dado, el sentido de "puras" denota la ausencia de toda singularidad material y contingente, las estructuras son despojadas de cualquier prejuicio: las cosas mismas tal y como aparecen en la conciencia.

➤ Campo intencional de la conciencia. Se requiere estar abierto a las cosas y a una visión del mundo. Se atiende a la intuición, a la percepción, toda conciencia es conciencia de algo.

Los principios básicos de este método son: regresar al estrato perceptivo originario y librarnos de prejuicios acumulados.

Para seguir este método se requiere realizar un proceso denominado reducción fenomenológica, el cual permite:

➤ Recuperar el aparato perceptivo original.
➤ Controlar el yo en los objetos y proyectos.
➤ Controlar la intencionalidad.

La reducción consiste en:

➤ Poner entre paréntesis los objetos a los que se dirige la intencionalidad.
➤ Suspender nuestro juicio sobre las cosas exteriores.
➤ Desdoblar la mirada, lo que implica dos aspectos:
  ✓ Mirar al objeto.
  ✓ Considerar el hecho de que lo miro (yo mirando).

Cabe aclarar a qué nos referimos con estos dos últimos aspectos. Mirar al objeto requiere percibir cuatro horizontes del mismo:

➤ Horizonte interno. En el que el objeto es percibido como realidad múltiple.
➤ Horizonte externo. Mediante éste el objeto se destaca ante un fondo.

172

➤ Horizonte temporal. Permite concebir que el objeto está preñado de todo un pasado y de todo un porvenir.

➤ Horizonte intersubjetivo. Aquí el objeto alude a la historia pasada y futura de quien percibe y de quienes están en relación con el objeto.[6]

En cuanto al segundo aspecto, considerar el hecho de que miro al objeto (yo mirando) implica:

➤ Una presencia activa del sujeto en la elaboración de una percepción.

➤ El sujeto hace aparecer la cosa, la saca de la sombra.

➤ Nada de objeto sin sujeto que lo revele.

➤ La imposibilidad de buscar realidades sin correlato de mi acto de atención.

Este proceso de reducción promueve una triple eliminación:

➤ Todo lo subjetivo: se debe tener una postura objetiva ante el objeto.

➤ Todo lo teórico: hipótesis, demostraciones, es decir la forma de saber ya adquirido.

➤ Toda la tradición: todo lo enseñado sobre el objeto.

Recapitulando y de acuerdo con Ferrater Mora:

La fenomenología no presupone, pues, nada: ni el mundo natural, ni el sentido común, ni las proposiciones de la ciencia, ni las experiencias psíquicas. Se coloca antes de toda creencia y de todo juicio para explorar simplemente y pulcramente lo dado.[7]

---

6 Ludovic Robberechts. *El pensamiento de Husserl.* México : Fondo de Cultura Económica, 1968. pp. 83-85.

7 José Ferrater Mora. *Diccionario de Filosofía : Tomo II (E-j).* Barcelona : Editorial Ariel, 2001. p. 1240.

Ya tenemos el método, el siguiente paso para desarrollar esta investigación ha sido seleccionar la técnica más adecuada, que en este caso es la hermenéutica.

La hermenéutica es un proceso de interpretación correcta y objetiva de un texto ya sea oral o escrito o de algún asunto humano, en el que interpretar es hacer comprensible o traducir sentidos extraños en comprensibles, en este proceso la intención es que "[...] algo debe ser hecho inteligible, debe lograrse que sea entendido." [8]

Lo inteligible se refiere a algo que sólo es comprendido por el entendimiento, las cosas inteligibles son objeto del pensamiento, de la razón. Es también un aspecto pensable y racional de la realidad, la inteligibilidad es un modo de comprender lo real en su verdadera realidad. Para lograr esta intelección es de suma importancia que lo singular sea entendido dentro de una totalidad, justamente a partir de lo singular.[9]

De lo anteriormente expresado se puede inferir que el lenguaje será la base de esta interpretación, el lenguaje como medio de expresión de los asuntos humanos, en este caso el lenguaje comprendido en textos relacionados con un ser humano que requiere y tal vez hace uso de la información.

Surge ahora la pregunta ¿cuál es la relación entre fenomenología y hermenéutica? Si recordamos uno de los principios de la fenomenología, se refiere a que el objeto es considerado como la síntesis de varios aspectos que lo conforman, es decir que es un todo, y los todos están enlazados entre sí, de forma que puede hablarse de compenetración mutua.

El todo es un conjunto de contenidos que están envueltos en una fundamentación unitaria y sin auxilio de otros contenidos, los contenidos se llaman partes. La fundamentación unitaria significa que todo

---

8   Emerich Coreth. *Cuestiones fundamentales de hermenéutca.* Barcelona : Herder, 1972. p. 7.
9   Emerich Coretn. *Op. cit.* p. 33.

contenido está, por fundamentación, en conexión directa o indirecta con todo otro contenido. En la fenomenología se considera al todo desde una perspectiva organicista: todo sobre la parte y esta última se funda en el todo y solamente puede entenderse a partir del todo.

Por su parte, la interpretación hermenéutica se hace a través de un análisis de varios aspectos estructurales, como son las relaciones que conectan los elementos de la estructura al interior del fenómeno. Lo que nos llevará a la comprensión de la estructura de una cosa o de un acontecimiento.

Entendiendo por estructura a la composición de elementos articulados es decir que siguen un patrón de relaciones, las relaciones pueden ser entre los elementos y el dominio de los objetos o entre ellos, los elementos son miembros de esa estructura, cada perspectiva de análisis es un elemento o miembro de un todo o fenómeno (objeto).

Concretamente, la hermenéutica hace operativo el análisis de un objeto o fenómeno para describir su esencia, siguiendo una perspectiva holística y humanística.

ALCANCES DE LA INVESTIGACIÓN

Se pretende llegar a:
- Relacionar las bases teóricas de usuarios con las de otros fenómenos de la disciplina.
- Crear el marco teórico de la disciplina.
- Aplicar métodos alternativos de investigación.

Como se puede apreciar el reto que se tiene es grande, puesto que no sólo se pretende generar marcos conceptuales sino que se pretende hacerlo con un método humanista complejo y poco aplicado en nuestra disciplina.

OBRAS CONSULTADAS

Ardiles, Osvaldo. *Descripción fenomenológica.* México : ANUIES, c1977. 78 pp.

Centro Universitario de Investigaciones Bibliotecológicas. México : UNAM, Centro Universitario de Investigaciones Bibliotecológicas, 18 pp.

Coreth, Emerich. *Cuestiones fundamentales de hermenéutca.* Barcelona : Herder, 1972. 263 pp.

Ferrater, José Mora. *Diccionario de Filosofía.* Barcelona : Editorial Ariel, 2001. 4 t.

Mesa Redonda. Usuarios de la información (2002 : México, D.F.) México : UNAM, Centro Universitario de Investigaciones Bibliotecológicas, 2003, 34 pp.

Robberechts, Ludovic. *El pensamiento de Husserl.* México : Fondo de Cultura Económica, 1968. 115 pp.

El fenómeno de las necesidades de información

JUAN JOSÉ CALVA GONZÁLEZ
Universidad Nacional Autónoma de México

Hablar sobre los usuarios de la información y sobre las investigaciones realizadas o las que pueden realizarse es muy amplio por lo cual esta exposición se centrará en lo referente al fenómeno de las necesidades de información.

Es conveniente señalar que son escasas las fuentes que tratan los aspectos teóricos del fenómeno de las necesidades de información.[1] Pese a ello, las fuentes documentales que existen corresponden principalmente a los resultados de investigaciones, tanto teóricas como prácticas, que se encuentran publicadas en libros, revistas y uno que otro reporte de investigación aún sin publicar.

Algunos de los autores primordiales de este fenómeno son los rusos Blyumenau[2] y Kogotkov,[3] y la norteamericana Durrance,[4] quienes

---

1   Cabe aclarar que existe una gran cantidad de investigaciones sobre la búsqueda de información que realizan diferentes grupos de sujetos, fuentes y recursos que utilizan, pero en realidad son pocos los documentos donde se aborda el fenómeno relativo a las necesidades de información.

2   BLYUMENAU, D.I. *Op. Cit.*, pp. 48-57.

3   KOGOTKOV, S.D. "Formation of information needs" *Naucho tekhnicheskaya Informatsiya,* 1986, serie 2, no. 2, pp. 38-47.

4   – DURRANCE, J.C. *Armed for action: library response to citizen information needs*. New York: Neal-Schuman, 1984.
    – DURRANCE, J.C. "Information needs" En: *Rethinking the library information age*. V. II. U.S. Office of Educational Research Goverment, Office of Library Process, 1988.
    – DURRANCE, J.C. "Information needs: old song, new tune" *School library media quarterly*, Spring 1989, vol. 17, no. 3, pp. 126-130.

han publicado documentos en los cuales se han detenido sobre aspectos teóricos del tema, aunque requieren de mayor profundidad. A estos autores se les puede situar como estudiosos del primer elemento que conforma el fenómeno, es decir, el surgimiento de las necesidades de información.

Existen otros autores que han tratado sobre el segundo de los elementos, es decir la manifestación de las necesidades de información, a través del comportamiento informativo; asimismo relacionan este elemento con algunos métodos que pueden permitir su identificación y determinación. Entre ellos tenemos a Kunz,[5] Krikelas,[6] Hill,[7] Núñez,[8] Figuereido,[9] Sanz,[10] Prasad[11] y Devadason.[12] Sobre este aspecto existe más literatura, sobre todo con resultados de investigaciones de tipo práctico. Cabe señalar que estos autores, sin profundizar demasiado en el asunto, mencionan que el comportamiento informativo se relaciona con la existencia de necesidades de información, mas no se adentran en esta relación y se quedan únicamente con la identificación de dicho comportamiento. En donde se

---

5   KUNZ, W., H.W.J. Rittel y W. Schwuchow. *Methods of analysis and evaluation of information needs*. München: Verlag Dokumentation, 1977.

6   KRIKELAS, James. "Information seeking behavior: patterns and concepts" *Drexel library quaterly*. Spring 1983, vol. 19, no. 2. pp. 5-20

7   HILL, Helen Katherine. *Op. Cit.*

8   – NÚÑEZ PAULA, I. A. "Guía metodológica para el estudio de las necesidades de formación y de información de los usuarios o lectores" *Ciencias de la información*, 1992, vol. 23, no. 2, pp. 119-123
    – NÚÑEZ PAULA, I. A. "Metodología para la introducción del enfoque sociopsicológico en las entidades de información" *Ciencias de la información*, diciembre 1991, vol. 22, no. 4, pp. 10-20

9   FIGUEREIDO, Nice Menezes de, *Estudos de uso e usuarios da informaçao*. Brasilia: IBICT, 1994.

10 SÁNZ CASADOS, Elías. *Manual de estudios de usuarios*. Madrid: Fundación Germán Sánchez Ruipérez, 1994.

11 PRASAD, H. N. *Information need and user*. Varanasi : Indian Bibliographic Center, 1992.

12 DEVADASON, F. J. Pandala Pratap. "A methodology for the identification of information needs of users" *IFLA Journal*, 1997, vol. 23, no. 1, pp. 41-51.

detienen con mayor énfasis es en el planteamiento de la existencia de métodos que permiten establecer el comportamiento del usuario en relación con las fuentes y recursos que utilizan.

Existe además toda una variedad de autores que han hecho aportaciones acerca de la satisfacción de usuarios, pero no lo relacionan con el fenómeno en cuestión, es decir, con sus dos elementos antecesores: las necesidades, que son las que se satisfacen y el comportamiento informativo, que es el camino que siguen los sujetos para satisfacer sus necesidades. Sólo se detienen a contemplar si están satisfechos los individuos. En esta línea tenemos autores como Verdugo,[13] Magaloni,[14] Mostert,[15] Pérez,[16] Andaleeb[17] y Applegate.[18] Cabe

---

13 VERDUGO SÁNCHEZ, José Alfredo. *Manual para evaluar la satisfacción de usuarios en bibliotecas de instituciones de enseñanza superior de la República Mexicana*. México: UNAM, Anuies, 1989.

14 BLYUMENAU, D.I. *Op. cit*, pp. 7-12 (en inglés pp. 48-57)

15 KOGOTKOV, S.D., Op. cit., pp. 38-47.

16 – KUNZ, W., H.W.J. Rittel y W. Schwuchow. *Methods of analysis and evaluation of information needs*. München: Verlag Dokumentation, 1977.
– KRIKELAS, James. "Information seeking behavior: patterns and concepts" *Drexel library quaterly*. Vol. 19, no. 2 Spring 1983. pp. 5-20
– HILL, Helen Katherine. *Methods of anlysis of information need*. Denton, Texas : H. K. Hill, 1987. Tesis-(Masters of Arts)—School of Library and Information Studies
– NÚÑEZ PAULA, I. A. "Guía metodológica para el estudio de las necesidades de formación y de información de los usuarios o lectores" *Ciencias de la información*, 1992, vol. 23, no. 2, pp. 119.123
– NÚÑEZ PAULA, I. A. "Metodología para la introducción del enfoque sociopsicológico en las entidades de información".*Ciencias de la información*, diciembre 1991, vol. 22, no. 4, pp. 10-20
– FIGUEREIDO, Nice Menezes de, *Estudos de uso e usuarios da informacao*. Brasilia: IBICT, 1994.
– SÁNZ CASADOS, Elias. *Manual de estudios de usuarios*. Madrid: Fundación Germán Sánchez Ruipérez, 1994.
– PRASAD, H. N. *Information need and user*. Varanasi : Indian Bibliographic Center, 1992.

17 DEVADASON, F. J. Pandala Pratap. "A methodology for the identification of information needs of users": *IFLA Journal*, 1997, vol. 23, no. 1, pp. 41-51.

18 APPLEGATE, R. *Op. cit.*, p. 527.

enfatizar que sólo mencionan en las investigaciones sobre este rubro la satisfacción mas no la relacionan con todo el fenómeno en sí.

De Blyumenau[19] se pueden extraer aspectos importantes que son los siguientes:

a) La posible existencia de una teoría que explique las necesidades de información.

b) Entre sus afirmaciones llega a exponer un aspecto fundamental que permite hacer una síntesis y conformar los fundamentos de esta teoría.

c) Las partes del fenómeno existen y han sido expuestas en los diversos resultados de las investigaciones, muchas de ellas de índole pragmática.

Por otro lado, está el documento de Kogotkov[20] el cual presenta una serie de reflexiones que son las siguientes:

a) El ambiente en el cual se desempeña el individuo es importante para sus necesidades de información y ello permite señalar algunos puntos sobre los cuales puede ser abordada la investigación acerca de las necesidades de información y a la vez bosquejar ciertos elementos que pueden tener conexión con el fenómeno.

b) La posible existencia de una relación entre los elementos. Pero el autor no llega en pocas hojas a profundizar sobre estas cuestiones sin embargo lo importante es que guía a los demás investigadores a penetrar sobre los posibles factores que tienen cabida en la investigación de las necesidades de información.

---

19 BLYUMENAU, D.I. *Op. cit*, pp. 7-12 (en inglés pp. 48-57)
20 KOGOTKOV, S.D., *Op. cit.*, pp. 38-47.

Por su parte, Durrance[21] en sus diversos documentos habla de la conexión que debe tener la biblioteca, centro de documentación o centro de información, con su comunidad y de que ésta debe ser estrecha y primordial para el desarrollo de las actividades de toda unidad de información. Esta autora, siguiendo de cerca los pensamientos de Kogotkov, aporta los siguientes aspectos.

a) Es fundamental conocer y tomar en cuenta el ambiente en el cual vive la persona. Estos señalamientos que hace la autora permitieron ampliar el horizonte sobre el cual debía ser analizado el fenómeno de las necesidades de información.

b) La unidad de información debe conocer el ambiente en el cual labora la persona, ya que persona y lugar tienen una íntima relación y esto es importante debido a que tendrá relación con el mismo lugar donde está ubicada la unidad de información. Asimismo este aspecto fue vital para que el horizonte cubriera todo tipo de medio ambiente en el cual vive el usuario.

c) El "factor tiempo" -como lo llama ella- es importante para el establecimiento de los servicios bibliotecarios y de información que brinden la unidad de información para su comunidad de usuarios. Este elemento, que introduce la autora, permite, dentro de la amplitud sobre la cual se estudió el fenómeno y su relación con el diseño de los servicios de información, no descartar su posible influencia en dicho fenómeno ni en la relación usuario-documento (información)- unidad de información.

Los siguientes autores están ubicados, aunque no con rigurosidad, en otra fase del fenómeno de las necesidades de información, el cual

---

21 Cfr. – DURRANCE, J.C. *Armed for action: library response to citizen information needs*. New York: Neal-Schuman, 1984.
– DURRANCE, J.C. "Information needs" En: *Retinking the library information age*. V. II. U.S. Office of Educational Research Goverment, Office of Library Process, 1988.
– DURRANCE, J.C. "Information needs: old song, new tune" *School library media quaterly*, spring 1989, vol. 17, no. 3, pp. 126-130.

se refiere al momento en que son manifestadas éstas a través de un comportamiento informativo. Así es como Kunz, Krikelas, Hill, Núñez, Figuereido, Sanz y Prasad exponen similitudes en relación con este aspecto,[22] enfatizando la importancia de la determinación del comportamiento informativo de las comunidades de usuarios.

Los aspectos expresados en común por estos autores son los siguientes:

a) La existencia de diversos métodos que permiten determinar el comportamiento informativo de los usuarios.

b) Algunos de ellos dan una clasificación de ciertos métodos.

c) Asimismo exponen la posibilidad de una relación entre el método y la comunidad de usuarios, pero no señalan con claridad dichas relaciones.

Devadason[23] es el último autor, de los principales, del que se pueden mencionar los siguientes argumentos y planteamientos:

---

22 – KUNZ, W., H.W.J. Rittel y W. Schwuchow. *Methods of analysis and evaluation of information needs*. München: Verlag Dokumentation, 1977.
– KRIKELAS, James. "Information seeking behavior: patterns and concepts" *Drexel library quaterly*. Vol. 19, no. 2 Spring 1983. pp. 5-20
– HILL, Helen Katherine. *Methods of anlysis of information need*. Denton, Texas : H. K. Hill, 1987. Tesis-(Masters of Arts)—School of Library and Information Studies
– NÚÑEZ PAULA, I. A. "Guía metodológica para el estudio de las necesidades de formación y de información de los usuarios o lectores" *Ciencias de la información*, 1992, vol. 23, no. 2, pp. 119.123
– NÚÑEZ PAULA, I. A. "Metodología para la introducción del enfoque sociopsicológico en las entidades de información".*Ciencias de la información*, diciembre 1991, vol. 22, no. 4, pp. 10-20
– FIGUEREIDO, Nice Menezes de, *Estudos de uso e usuarios da informaçao*. Brasilia: IBICT, 1994.
– SÁNZ CASADOS, Elias. *Manual de estudios de usuarios*. Madrid: Fundación Germán Sánchez Ruipérez, 1994.
– PRASAD, H. N. *Information need and user*. Varanasi : Indian Bibliographic Center, 1992.
23 DEVADASON, F. J. Pandala Pratap. "A methodology for the identification of information needs of users": *IFLA Journal*, 1997, vol. 23, no. 1, pp. 41-51.

a) Es posible establecer una metodología para investigar las necesidades de información.

b) Propone una metodología, pero luego de ser analizada, encontró que era muy reducida y no contemplaba el horizonte amplio con los elementos que los autores precedentes indicaban.

Respecto a los autores que han tratado asuntos relacionados con la satisfacción de usuarios, aspecto íntimamente relacionado con el fenómeno de las necesidades de información, se tiene a Applegate,[24] de quien se exponen los siguientes puntos:

a) La satisfacción de los usuarios tiene dos vertientes: una material y una emocional. Aunque la autora no menciona que la satisfacción es parte de un fenómeno más amplio, como lo son las necesidades de información, se consideró importante esta propuesta desde el punto de vista de que la satisfacción tiene un lado emocional, toda vez que ello se relaciona con la naturaleza y surgimiento de las necesidades de información en los sujetos.

b) La relación entre la satisfacción del usuario y el comportamiento ante los servicios bibliotecarios y de información. Esto tiene que ver con el comportamiento informativo y el usuario mismo.

c) La satisfacción de usuarios puede ser positiva o negativa.

Mostert[25] y Verdugo[26] presentan algunos aspectos metodológicos para la detección del nivel o grado de satisfacción de los usuarios. De ellos se consideran los siguientes puntos:

a) La utilización de determinados métodos, técnicas e instrumentos para determinar la satisfacción de usuarios de los servicios bibliotecarios y de información.

---

24 APPLEGATE, R. *Op. cit.*, p. 527.

25 MOSTERT, D.N.J., J.H.P. Eloff y S.H. von Solms. "A methodology for measuring user satisfaction" *Information processing and management*. 1984, Vol. 25, no. 5, 1989, pp. 545 -556

26 VERDUGO SÁNCHEZ, José Alfredo. *Manual para evaluar la satisfacción de usuarios en bibliotecas de instituciones de enseñanza superior de la República Mexicana*. México: UNAM, Anuies, 1989.

b) La relación de la satisfacción con las comunidades de usuarios.

Con relación a las aportaciones de índole pragmática sobre la satisfacción, de entre los varios autores que han abordado el tema se consideraron a Magaloni, Pérez y Andaleeb,[27] debido a que los resultados de sus trabajos ilustran lo que será entendido por satisfacción con relación a aspectos del servicio bibliotecario y de información.

De estos autores se toman en cuenta los siguientes puntos con el fin de sistematizar estos aspectos:

a) Presentan aspectos que desde su perspectiva miden la satisfacción de los usuarios, como son: calificar las características de un servicio o una herramienta -por ejemplo catálogo-, personal, colecciones, información que les es proporcionada, documentos que les son localizados y proporcionados, etcétera. Aquí la satisfacción de los usuarios está relacionada con sus necesidades de información, que son las que tienen que satisfacer, el motivo por el cual algunos de los rubros que mencionan estos autores tiene estrecha relación.

b) Exponen la aplicación tanto de las técnicas como de los instrumentos de que se valieron para determinar el nivel de satisfacción de los usuarios.

Como puede observarse, entre las propuestas de los tres bloques de autores que fueron descritos en este apartado no hay una relación de sus resultados, siendo que están todos hablando de lo mismo, pero en diferente momento, aquel en el cual se desarrolla el fenómeno de las necesidades de información en los usuarios.

27 – MAGALONI DE BUSTAMANTE, Ana María. *Una alternativa para evaluar y diseñar servicios especializados de información documental*. México: UNAM: Centro Universitario de Investigaciones Bibliotecológicas, 1984.
– PÉREZ DIEZ, Amalia Vicenta. *Perfil y nivel de satisfacción de los usuarios del OPAC de una biblioteca universitaria*. Madrid: CINDOC, FESABIUD, 1996
– ANDALEEB, Syed Saad. Explaining user satisfaction with academic libraries: strategic implications. En: *College and research librarires*, march 1998, vol. 59, no. 2, pp. 156-168.

Desde mediados de los años sesenta la literatura concernida con investigar a los usuarios de los servicios bibliotecarios y de información se desarrolló rápidamente. La mayoría de ellos en temas sobre ciencia y tecnología pero un buen número también abordó las ciencias sociales, primero, y las humanidades después, esto último en los años setenta. Sólo hasta años más recientes se ha incursionado en las áreas industriales, de negocios y de otros sectores sociales; algunos de estos estudios fueron realizados en escalas mayores y no sólo con grupos reducidos o muy específicos.

Existen varias investigaciones (hasta 1975) que han indagado diversos grupos de usuarios con distintos instrumentos: cuestionarios, entrevistas, diarios y observaciones. Y se siguieron replicando esas investigaciones de las cuales no hay aportes sustanciales, pues en muchos de los casos se dieron a conocer como resultados empíricos. No se han hecho, pues, investigaciones con profundidad y metodología.[28]

Según Wellard uno de los antecedentes sobre el comportamiento en la búsqueda de información data de 1930 y fue realizado por profesores de la University of Michigan.

Otro corresponde a 1948 por la "The Royal Society Scientific Information Conference", en sus "report and papers" organizada en Londres, que inicia sus estudios sobre un tipo particular de usuarios que son las comunidades académicas de científicos. Sobre los cuales se hacen las preguntas siguientes

 ➢ ¿qué información usan?
 ➢ ¿qué fuentes de información utilizan?

A continuación se enlistan algunas de las investigaciones importantes realizadas con una cobertura más amplia sin desconocer que existen otras que han sido reseñadas en varias fuentes.

---

28 KNETSCHEL, F. "Information requirements as a basis for the planning of information activities" En: *Problems of information user needs*. edit. by Al Mikhailov. Moscow: All Union Institutte for Scientific and Technical Information, 1975, p. 16.

1) Hopkins University Study.[29]
2) US Departament of Defense.[30]
3) NASA.[31]
4) INFROSS Study.[32]

---

29 Véanse las tres partes de la fuente principal en la cual se describe la investigación de la Hopkins University. GARVEY, W.D. *Communication: the essence of science.* New York: Pergamon Press, 1979, pp. 202-224, 256-279, 412-434.
La investigación fue realizada por la John Hopkins University en Baltimore, Maryland, Estados Unidos, por un grupo de psicólogos responsables de la misma y afiliados a la American Psychological Association. Se investigaron cuestiones en torno al uso de la información y al comportamiento informativo de científicos de tres áreas: ciencias físicas, ciencias de la ingeniería y ciencias sociales. Los sujetos de investigación fueron 12 442 científicos e ingenieros.

30 NORTH AMERICAN AVIATION. *Autonetics Division DOD user needs study. Final technical report.* Aneaheim, Cali.: DOD, 1966. 2 v. Esta investigación fue realizada por el Departament of Defense de los Estados Unidos y su finalidad era encontrar el comportamiento informativo del personal, así como su satisfacción con respecto al centro de documentación de la Defensa Nacional y de la industria de la defensa norteamericana.

31 GILMORE, JS *The channel of technology acquisition in comercial firms and the NASA dissemination program.* Denver Col.: NASA, 1966. Este estudio fue realizado en la NASA con 62 compañías o empresas vinculadas a la investigación espacial norteamericana. El objetivo de este trabajo era definir el comportamiento informativo que seguían estas empresas en la búsqueda de la información. Se utilizó el cuestionario como instrumento para la recolección de datos.

32 LINE, M:B: "Information uses and needs of social scientists: an ovierview of INFROSS" En*: Aslib proceedings,* 1971, vol. 23, pp. 412-434. Proyecto realizado bajo la responsabilidad de la Bath University en Inglaterra. INFROSS corresponde a las siglas de Information Requeriments of Social Science y fue iniciado en 1967.Los sujetos de esta investigación fueron investigadores en el área de ciencias sociales en Inglaterra,y fue aplicada a 2 602, que correspondían a una muestra. Se utilizó el cuestionario, una entrevista y también se usó un tercer instrumento que consistió en registrar las observaciones de un grupo reducido de científicos sociales del servicio experimental establecido en la Bath University y en la Bristol University. Los resultados se centraron en el uso de las referencias, índices, abstracts, catálogos de bibliotecas y bibliografías, así como en el empleo de libros y las referencias incluidas en estos.

5) CRUS (Center for Research on User Studies). [33]
6) Voigt's Study.[34]
7) Otros estudios en hispanoamérica (Argentina,Chile, España. Uruguay y México).

El análisis de las investigaciones enlistadas anteriormente, a excepción de las hispanoamericanas, arroja lo siguiente:

a) Los resultados sólo abarcan, principalmente, la segunda fase del fenómeno que corresponde al comportamiento informativo.

b) Se indaga sobre las fuentes y recursos que utilizan las comunidades estudiadas

c) Se centran en comunidades muy específicas, principalmente científicas y académicas.

d) Se toma en cuenta dentro de los estudios a la producción científica

e) No investigan la satisfacción ni las necesidades de información como una parte integral del fenómeno de las necesidades de información.

---

33 Véanse diferentes estudios producto del CRUS como:
– STONE, S. Humanities information research: proceedings of a seminar, Sheffield 1980. Sheffield: CRUS, 1980.
– CORKILL, C. Doctoral students in humanities: a small scale panel study of information needs and uses, 1976-1979. Sheffield: CRUS, 1981.
– CORKILL, C. y M. Mann Information needs in the humanities: two postal surveys. Sheffield: CRUS, 1978.
El Center for Research on User Studies desde su creación en 1976 es el encargado de la realización de investigaciones sobre el comportamiento informativo en el área de humanidades en Inglaterra. Algunos de los aspectos generales obtenidos fueron los siguientes: los estudiantes en humanidades tienden a trabajar solos; los materiales usualmente utilizados son los primarios; la biblioteca se constituye en un importante recurso informativo, y el uso del préstamo interbibliotecario es muy intenso.

34 VOIGT, M.J. *Scientist' approaches to information*. Chicago: American Library Association, 1961. Esta investigación fue realizada bajo la responsabilidad de Melvin Voigt entre 1958 y 1959 dentro del Programme Fulbright sobre la recuperación y uso de la información por parte de los científicos. Se utilizó como instrumento la entrevista con científicos y con los bibliotecarios del servicio de información y referencia en las áreas de química, física y ciencias biológicas.

En cambio las investigaciones realizadas en hispanoamérica, principalmente, Argentina, Chile, España y México, presentan otras características, asimismo los aspectos desarrollados en Cuba, solamente que en esta última, éstos se conjugan con la formación de usuarios.

Así es que en suma, los resultados de diversas investigaciones llevadas a cabo en el transcurso de las décadas de 1960, 1970 y principios de 1980 están enmarcadas en el ámbito científico, ya que como se explicó anteriormente este tipo de usuarios eran el tema sobre el que se investigaba; posteriormente las investigaciones se inclinaron hacia los científicos del área de ciencias sociales y después a las humanidades.

En suma las investigaciones sobre los usuarios se basan en los siguientes aspectos:

➤ determinan el tipo de biblioteca,
➤ razón por la cual se realizan todas las actividades de una biblioteca,
➤ con base en sus necesidades informativas se realiza la selección de materiales.
➤ generan información y a la vez usan información
➤ buscan la información para satisfacer su necesidad.

Es así como las investigaciones sobre los usuarios de la información pueden tratar en forma específica entre otros los siguientes aspectos:

➤ Concepto
➤ Tipologías
➤ Surgimiento de sus necesidades
➤ Comportamiento informativo
➤ Satisfacción
➤ Formación
➤ y otros tópicos de investigaciones.

Ahora bien, en términos más contemporáneos para investigar el fenómeno de las necesidades de información éstas se pueden realizar sobre alguna de sus partes o de forma integral.

- ➤ Surgimiento de las necesidades de información.
- ➤ Comportamiento en la búsqueda de información.
- ➤ Satisfacción de las necesidades de información.

Para poder desarrollar y apoyar las investigaciones y contribuir con conocimiento que permita desarrollar teorías han surgido, desde 1956, varios modelos sobre las necesidades de información, de los cuales tenemos los siguientes:

- ➤ 1956. Case Wester Reserve University. School of Library Science
- ➤ 1983. University of Wisconsin-Madison. School of Library and Information Studies.
- ➤ 1993. The Staff of the College of St. Scholastica Library.
- ➤ 1997. The Asian Institute of Technology. Center for Library and Information Resources.
- ➤ 2000. University of Glaslow. Departament of Computing Science
- ➤ 2001. Universidad Nacional Autónoma de México. Centro Universitario de Investigaciones Bibliotecológicas

Los modelos presentados permitirán conformar los fundamentos teóricos sobre las necesidades de información y contribuir con esta parte al conocimiento sobre los usuarios de la información.

BIBLIOGRAFÍA

AGRAWAL, SP y M. Lal. Information needs of social scientifics En: *International library review*. 1987, no. 19, pp. 292-293.

AINA, L.O. "Information needs and information seeking involvement of framers in six rural communities in Nigeria" *Quaterly bulletin of international association of agricultural libraries and documentalist, 1985, no.* 30, pp. 35-40.

ALCAIN PARTEARROYO, M.D. y J.M. Sánchez Nistal. *Análisis de la bibliométrico de las búsquedas retrospectivas on line y de fotodocumentación en psicología*. Madrid: Reunión de Especialistas en Teledocumentación,1982.

ÁLVAREZ H., Manuel. *Estudio de caso*. México: Escuela Nacional de Biblioteconomía y Archivonomía, 1982.

ALLEN, T.J. "Information needs and uses" *Annual review of information science techn*ology, 1969, vol. 4, pp. 3-29.

– –. "Information needs and uses" *Annual review of information science techn*ology, 1969, vol. 4, pp. 3-29.

ANDALEEB, Syed Saad. "Explaining user satisfaction with academic libraries: strategic implications" *College and research libraries*, march 1998, vol. 59, no. 2, pp. 156-168.

APPLE, E. "Survey of learning resources center: facilities and use" En: Ching-Chi, Che, ed. *Quantitative mesasurement and dynamic library services*. Phoenix, Ar.: Oryx, 1978. pp. 185-199.

APPLEGATE, R. "Models of user satisfaction: understanding false postives" *RQ Reference quarterly*, summer 1993, no. 4, pp. 525-540.

ATHERTON, Pauline. *Manual para sistemas y servicios de información*. París: UNESCO, 1978.

AYALA, Francisco J. *Origen y evolución del hombre*. México: Alianza, 1991.

BELKIN, N. J. "Models of dialogue for information retrieval" *International Forum in Information Scence*, 1981, vol. 4, pp. 18-19.

BETTIOL, E. M. "Necessidades de informaçao: uma revisao" *Revista de Biblioteconomia de Brasilia*. Jane-junio 1990, vol. 18, no. 1, pp. 59-60.

BICHTELER, J y W. Dederich "Information-seeking behaviour of geoscientists" *Special libraries*. Winter 1989, vol. 80, no. 3, pp. 169-178.

BISCHOF, L. J. Interpretación de las teorías de la personalidad. México: Trillas, 1989.

BLYUMEANU, D.I. "Refining initial concepts in information need theory" Nauchno Teknicheskaya Infoamrtisiva". 1986, Serie 2, no. 2, 1986. pp. 48-52. (texto en inglés)

BOURNE, L. E. Jr. Psychology : its principles and meaning. 2nd ed. New York: Hol, Rinehart and Winston, 1976.

BRIONES, Guillermo. *Métodos y técnicas de investigación para las ciencias sociales.*México: Trillas, 1987.

BRITTAIN, J.M. *Information and its users: a review with special reference to social science*. Bath: Bath University press, 1970.

CABRERA G., Ma. Teresa y Johanna Faulhaber. *La evolución humana*. México: UNAM, 1979.

CALVA GONZÁLEZ, Juan José "El comportamiento en la búsqueda de información de los investigadores del área de humanidades y ciencias sociales" *Investigación bibliotecológica*, 1999, vol. 13, no. 27, pp. 11-40.

– –. *Las necesidades de información de los investigadores del área de humanidades y ciencias sociales y del área científica*. México: UNAM, 1997. Informe de investigación.

– –. *Las necesidades de información documental. Teoría y métodos*. Madrid: el autor, 2001. Tesis (Doctor en Ciencias de la Información)—Universidad Complutense de Madrid. Departamento de Biblioteconomía y Documentación.

CARIDAD SEBASTIÁN, M. "El usuario on line español" *Documentación de ciencias de la información*, 182, vol.6, pp.77-103.

CASE, D. O. "The collection and use of information by some american historians: a study of motives and methods" *Library Quarterly*, 1991, vol. 61, no. 1, pp. 70

Ciencias biológicas: de las moléculas al hombre. Adaptado de la versión azul del Biological Science Curriculum Study; Claude A. Wolch ... [et al.] México: CECSA, 1978.

CIRIGLIANO, Gustavo F. *La conducta informativa en universitarios argentinos.*Buenos Aires, Universidad de Buenos Aires, 1971.

CORKILL, C y M. Mann *Information needs in the humanities: two postal survey.* Sheffield: University of Sheffield, 1978.

– –. *Doctoral students in humanities: a small scale panel study of information needs and uses*, 1976-1979. Sheffield: CRUS, 1981;

CHING-CHIH CHEN, Peter Hernon. *Information seeking: assessing and anticipating user needs.*New York; Neal-Schuman, 1982.

CHISNALL, P. M. La esencia de la investigación de mercados. México: Pretince Hall, 1996.

D'ELIA, G., WALSH, Sandra. "User satisfaction with library services: a measure of public library performance?" *Library quarterly*, 1983, vol. 53, no. 2, pp. 109-133.

DAY, J. y E. MacDowell. "Information needs of science and technology students" *Education libraries bulletin.* Summer 1988, vol 31, no.2, pp.1.-16.

– –. Information needs and use of art and design student. En: *Education libraries bulletin.* Spring 1985, vol. 28, no. 1, pp. 34

DELBECQ, Andre L., Andrew H. Van de Ven, David H. Gustafson. *Técnicas grupales para la planeación.* México: Trillas, 1995.

DERVIN, B. Y K. Clark *Asking significant questions: alternative tools for information needs and accountability assesments by libraries.* Belmont, Calif.: Peninsula Library System for California State Library, 1987.

DERVIN, B. y M. Nilan. "Information needs and uses" En: Annual review of information science and technology, 1986, vol. 21, pp. 3-33.

DESANTES GUANTER, José M. *Teoría y régimen jurídico de la documentación.* Madrid, EUDEMA, 1987.

DEVADASON, F. J. Pandala Pratap. "A methodology for the identification of information needs of users" *IFLA Journal*, 1997, vol. 23, no. 1, pp. 41-51.

Diccionario de la Lengua Española / Real Academia Española. Madrid: Real Academia Española, 1992.

Directrices para los estudios relativos a los usarios de la información (versión experimental) / UNISIST. París: UNESCO, 1981.

DURRANCE, J. C. "Information need" En *Rethinking the library information age*. V. 11, U.S. Office of Educational Research Goverment, office of library process, 1988.

– –. "Information needs: old song, new tune" *School Library Media Quarterly. Sring* 1989, vol. 17, no. 3, pp. 126-130.

– –. *Armed for action: library response to citizen information needs*. New York: Neal-Schuman, 1984.

ENGLIS, H.B., ENGLISH, A. Ch. *Diccionario de psicología y psicoanálisis*. Buenos Aires: Paidós, 1977.

"*Estudio da demanda de informaçao dos usuarios da area biotecnologia*"/. Fundacion de Tecnologia Industrial. *Ciencia da informaçao*,1986 julio-decembre, vol. 15, no. 2. pp. 163-192.

"*Estudo da demanda de informaçao no sector de geociencias e tecnologia mineral*" /. Departamento Nacional da Produçao Mineral. *Ciencia da informaçao*. Janauri – junio 1986, vol. 15, no. 1, pp. 81-98.

EVANS, G. E. *Técnicas de administración para bibliotecarios*. México : UNAM, 1980.

FAIBISOFF, S. G, Donald P. Ely. "Information and information need" *Information reports and bibliographies*. 1976, Vol. 5 no. 5, pp. 2-16.

– –. " Information and information needs" En: *Key papers in the design and evaluation of information systems*. New York: Knowledge Industry, 1978.

193

FELICIANO, M. S. Acces to law: information needs of researchs in law and the public. En: *The use of information in the changing world*. Norht Holland : Elsevier, 1984, pp. 197-208.

FIGUEIREDO, Nice Menezes de. Estudos de uso e usuarios da informaçao. Brasilia, DF: IBICT, 1994.

FISHER DE LA VEGA, Laura. *Mercadotecnia*. México: Interamericana, 1996.

FORD, N. "Psychological determinant of information needs" *Journal of librarianship*. Janaury 1986, vol. 18, no.1, pp. 47-62.

FRANTS, Valery I. "The needs for information and some aspects for information retrieval: system construction" *Journal of the American Society for Information Science*. March 1988, vol. 39, no. 2, pp. 86-91.

FRENCH, B A "User needs and library services" *Library trends*, winter 1990, vol. 38, no. 3, pp. 415-441.

FULTON, C. "Humanists as information users: a review of the literature" *Australian academic and research libraries*. 1991, vol. 22, no. 3, pp. 188-197.

GARCÍA MELERO, L.A. y M.J. López Manzanedo. "Encuesta sobre los fondos, catálogos y servicios de la Biblioteca Nacional, un caso práctico". En: *V Congreso de la Asociación Española de Archiveros. Bibliotecarios y Documentalistas*. Zaragoza: ANABAD, 1991, pp. 339-355.

GARFIELD, E. "Society's unmet information needs" En *ASIS bulletin*, october-november 1985, p. 6-8.

GARVEY, W.D. *Communication: the essence of science*. New York: Pergamon Press, 1979.

GILMORE, JS *The channel of technology acquisition in comercial firms and the NASA dissemination program*. Denver Col.: NASA, 1966.

GOMEZ, I. V. Cano, E. Sanz y A. Mendez. "A new application of bibliometria indicators for the assessment of research performance" En: *Science and technology indicators. Proceedings of the first international workshop on science and technoloy indicators*. Leiden: 1988, pp. 241-260.

HAVERLOCK, C. *Planning for innovation through dissemination and utilization of knowledge*. University of Michigan. Institute of Social Research, 1979.

HEIM, K. M. "Social scientific information needs for numerical data: the evolution of international data archive infraestructure" *Collection management*. Spring 1987, vol 9, no. 1, pp. 1-5.

HERNÁNDEZ SAMPIERI, Roberto, C. Fernández Colado y P. Baptista Lucio. *Metodología de la investigación*. México: McGraw-Hill, 1994.

HERNER, Saul y Mary Herner. "Information needs and uses in science and technology" En: *Annual review of information science and techology*. 1967, vol. 1, pp. 1-34.

HILL, H. K. *Methods of analysis of information need*. Denton, Texas : H. K. Hill, 1987. Tesis (Masters of arts)—Scholl of Library and Information Studies.

JARECKA, H., ALEKSANDOVICZ, H.J. "A contribution to research on information user needs" En MIKHAILOV, AI. *Problems of information user needs*. Moscow: All Union Institute for Scientific and Technical Information, 1975, pp. 148-162.

JARVELIN, K., A. J. REPO "On the impacts of modern information technology on information needs and seeking : a framework" En *Representation and exchange of knowledge as a basis information process*. Amsterdan : North Holland, 1984, pp. 207-231.

JAVERLIN, K. "A taxonomy of knwledge work support tools" En *1984: Challenges to an information society proceeding of the ASIS Annual meeting* . Flood, Barbara, edit. Nwe York : Knowledge to publications for ASIS, 1984, pp. 59-60.

KATZ, W. A. *Introduction to reference work*. New York: McGraw Hill, 1974.

195

KNEISCHEL, F. "Information requirements as basis for the planning of information activities" En: *Problems of information user needs*. Moscow:Intitute for Scientific and Technical Information, 1975. pp. 12-21.

KOGOTKOV, S. D. "Formation of information needs" *Nauchno Teknicheskaya Infoamrtisiva*. 1986, Serie 2, no. 2, 1986, pp. 38.-47 (tecto en inglés).

KRIKELAS, J. "Information seeking behavior : patterns and concepts" *Drexel library quaterly*. Spring 1983, vol. 19, no. 2, po. 5-20.

KUMAR, G. "Use of information in social sciences: a conceptual framework". En *The use of information in a changing world*. *E*dit. Van Der Laan and A. A. Winters. North Holland . Elsevier, 1984, pp. 241-251.

KUNZ , W., H.W.J. Rittel, W. Schwuchow. *Methods of analysis and evaluation of informations needs: a critical review*. Munchen: Verlag dokumentation, 1977.

LANCASTER, F.W. *Pautas para la evaluación de sistemas y servicios de información*. París: UNESCO, 1978.

LEAKEY, Richard E. *Orígenes del hombre*. México : CONACYT, 1982.

LEON URQUIZA, Norma, Flora Piñol Gómez y Ximena Sánchez Staforelli. *Las necesidades de información de la comunidad académica chilena*. Santiago de Chile: Consejo de Rectores, Comisión Asesora de Bibliotecas, 1992

LIN, Nana, William Garvey. Information needs and uses" En *Anual Review of Information Science Thechnology*. 1972, vol. 7, pp. 5-38.

LINE, M. B . "Information uses and needs of social scientists: an overview of INFROSS" En *Aslib proceedings*, vol. 23, 1971, pp. 412-434.

– –. "Draft definition: information and library needs, wants, demands and uses" En *Aslib proceedings*, july 1975, vol.27, no. 2, pp. 308-313.

LIPETZ, Ben-Ami Information needs and uses En: *Annual review of information science technology, 1970*, vol. 5, pp. 3-32.

LÓPEZ PIÑEIRO, J.M. y M.L. Terrada. "Los indicadores bibliométricos y la evaluación de la actividad médico-científica" *Medicina clínica*, 1992, vol. 98, pp.342-388

LÓPEZ YEPES, José. "Reflexiones sobre el concepto de documento ante la revolución de la información: ¿un nuevo profesional del documento" *Scire*, enero junio 1997, vol. 3, no. 1, pp. 11-30.

– –. *Fundamentos de información y documentación*. Madrid: EUDEMA, 1990.

– –. *Nuevos estudios de documentación: el proceso documental en las ciencias de la comunicación social*. Madrid: Instituto Nacional de Publicaciones, 1978.

– –. *La documentación como disciplina. Teoría e historia*. 2ª ed. Actualizada y ampliada. Pamplona: EUNSA, 1995.

MAGALONI DE BUSTAMANTE, Ana Maria. *Una alternativa para evaluar y diseñar servicios especializados de información documental*. México: UNAM: Centro Universitario de Investigaciones Bibliotecológicas, 1984.

MAGAÑA RODRÍGUEZ, Ivonne. "El usuario y la información" *Boletín de información documental del sector comercio*. Enero-febrero 1982, no. 1, p.42-57.

MARTÍNEZ COMECHE, Juan Antonio. *Teoría de la información documental y de las instituciones documentales*. Madrid: Síntesis, 1995.

MASLOW, A.H. *El hombre autorrealizado: hacia una psicología del ser*. México : Kairós, 1988.

MCDIARMID, E. W. *The library survey: problems and methods*. Chicago, ALA, 1940.

MELO, L.G.C. *Hábitos e interesses dos usuarios da Biblioteca Central da Universidade Federal de Pernambuco*. Rio de Janeiro: IBICT, 1978.

MÉNDEZ, A., A. Villagra y M.J. San Millan. *Utilización de las bases de datos automatizadas en ciencias sociales y humanidades. Experiencia del ISOC.* Madrid: Reunión de Especialistas en Centros de Documentación, 1982.

MENZEL, H. "Information needs and uses in science and technology" En: *Annual Review of information science and technology*, 1966, vol. 2, pp. 41-69.

– –. "The information needs of current scientific research" *Library quarterly*, 1964, vol. 34, pp. 4-19.

MIKHAILOV, A.J. "Preface" En: *Problems of information user needs*. Moscow: All Union Institute for Scientific and Technical information , 1975, pp. 4.

MORALES CAMPOS, Estela. "Bibliotecología e información" *Boletín de la Asociación andaluza de Bibliotecarios*, abril junio 1989, vol. 15, no. 5, p. 13-21.

– –. *"Sociedad e información"* OMNIA: *revista de la coordinación General de Estudios de posgrado*. Septiembre 1990, año 6, no. 20, pp. 83-88.

MOSTERT, D.N.J., ELOFF, J.H.P. VON SOLMS, S.H. "A methodology for measuring user satisfaction" *Information processing and management*. 1984, vol. 25, no. 5, 1989, pP. 545 -556

MUCIÑO REYES, Ma. Del Rosario. *La mercadotecnia, un instrumento necesario para el bibliotecario actual: un programa en la biblioteca CEPAL/México*. México: La autora, 1990, p. 15. Tesis (Licenciatura en Biblioteconomía)—Escuela Nacional de Biblioteconomía y Archivonomía.

NEGRETE GUTIÉRREZ, María del Carmen. *La selección de materiales documentales en el desarrollo de colecciones*. México: UNAM, Centro Universitario de Investigaciones bibliotecológicas, 1988.

NEVES, F.I O status quo do servico de referencia em bibliotecas brasileiras" *Ciencia da informaçao*. Janaury july 1986, vol. 15, no., pp. 39-44.

NORMAN, D.A. *El procesamiento de la información en el hombre*. Buenos Aires: Paidós, 1972.

NORTH AMERICAN AVIATION. *Autonetics Division DOD user needs study. Final technical report*. Aneaheim, Cali.: DOD, 1966.

NÚÑEZ PAULA, I. A. "La idoneidad como criterio para evaluar la satisfacción de las necesidades peculiares de información" *Actualidades de la información científica y técnica*, 1986, vol. 17, no. 4-6, pp. 69-84.

– –. "Guía metodológica para el estudio de las necesidades de formación y de información de los usuarios o lectores" *Ciencias de la información*, 1992, vol. 23, no. 2, pp. 119-123.

– –. "Metodología para la introducción del enfoque sociopsicológico en las entidades de información" *Ciencias de la información*, diciembre 1991, vol. 22, no. 4, pp. 10-20

– –. *"Enfoque sociopsicológico del servicio informativo bibliotecari: una visión integral" En: Información: aspectos sociopsicológicos*. La Habana; IDICT, 1990. Tomo I,

O'DONNEL, Pacho. *Teoría y técnica de la psicoterapia grupal*. Buenos Aires: Amorrortu, 1974

PAISLEY, W. J. "Information needs and uses" En: *Annual review of information science and technology*. 1968, vol. 3, pp. 1-30.

PARDINAS, Felipe. *Metodología y Técnicas de investigación en ciencias sociales: introducción elemental*. México: Siglo XXI, 1978.

PÉREZ ALVAREZ-OSSORNIO, J.R. "Estructura de la demanda de información de la comunidad científica española " *Revista Española de Documentación Científica*, 1987, vol. 10, no. 1, pp. 29-44.

PÉREZ DIEZ, Amalia Vicenta. *Perfil y nivel de satisfacción de los usuarios del OPAC de una biblioteca universitaria*. Madrid: CINDOC, FESABIUD, 1996

POWELL, R. R. "Reference effectiveness: a review of research" *Library and information science resarch*. 1984, vol. 6 no. 1, pp. 3-20.

PRASAD, H. N. *Information need and user.* Varanasi : Indian Bibliographic Center, 1992.

PREMSMIT PIMRUMPAI. "Information needs of academic medial scientists of Chulalongkong University" *Bulletin of the Medical Library Association.* October 1990, vol. 78, no. 3, pp. 383-387.

RODHE, N. F. "Information needs" En: *Advances in librarianship.* 1986, vol. 14, pp. 49-73.

RODRÍGUEZ LUIS, Iradia. "Estudio de las necesidades informativas de los profesionales e investigadores en el Sistema Nacional de Salud" *Actualidades de la Información Científica y Tecnológica.* 1990, vol. 21, no. 1(150), pp. 47-64.

ROJAS SORIANO, Raúl. *Guía para realizar investigaciones sociales* México: Universidad Nacional Autónoma de México, 1992

ROMAN HAZA, M T. *Comportamiento informativo de los estudiantes de la licenciatura de las carreras de química y física.* México : UNAM, Centro Universitario de Investigaciones Bibliotecológicas, 1986.

SAFIN, A. "Probability models of information needs" *Nauchno teknicheskaya informatsiya*, 1989, serie 2, no. 12, pp. 60-74 (texto en inglés)

SAGAN, Carl *Los dragones del edén: especulaciones sobre la evolución de la inteligencia humana.* México : Grijalbo, 1984. p 16.

SAGREDO FERNÁNDEZ, Felix "Estado actual de los bancos de datos en prensa" En: López Yepes, José et al. *Estudios de documentación general e informativa.* Madrid: Seminario Millares Carlo, 1981, pp. 365-377.

SANTOS ROSAS, Antonia, J.J. CALVA GONZÁLEZ "Las necesidades de información de los usuarios: un estudio" *Documentación de Ciencias de la Información.* 1997, no. 20, pp. 207-224

SÁNZ CASADO, Elias *Manual de estudios de usuarios.* Madrid: Fundación Germán Sánchez Ruipérez, 1994.

SELLTIZ, C. *Métodos de investigación en las relaciones sociales.* 8ª ed. Madrid: Rialp, 1976.

SHAPIRO, E. L. "The problem of information needs and queries" *Nauchno Tekcnicheskaya Informatsiva.* 1985, serie 2, no. 10, pp. 53-58 (texto en inglés).

SHEKHURIN, D:E: "Scientist's creative potential; clue to his information needs" En: *Problems of information user needs.* Moscow: Institutte for Scientific and Technical Information, 1975. pp. 103- 112.

SHERA, J. *Fundamentos de la educación bibliotecológica.* México : UNAM, Centro Universitario de Investigaciones Bibliotecológicas, 1990.

SIERRA BRAVO, Restituto. *Técnicas de investigación social: teoría y ejercicio.*4ª ed. Revisada y ampliada. Madrid: Paraninfo, 1985.

SLATER, M "Information needs and communication problems of social scientists: the United Kingdom situation" *International journal of information and library research.* 1989, vol. 1, no. 2, pp. 131-144.

– –. *Information needs of social scientists: a study desk research and interview.* London: British Library Research, 1989.

– –. *"Social scientists' information needs in the 1980s" Journal of documentation.* September 1988, vol. 44, no. 3, pp. 226-237.

SOKOLOV, A.V. "Influencia de los factores subjetivos en la calidad del trabajo de los sistemas de búsqueda informativa" *Nauchno Technicheskaya Informatsyva*, 1967, Serie 2, no. 12, pp. 9-36.

SOUZA FARIA, Clarice M. "A comunicaçao da informaçao cientifica e tecnologica: perspectivas de pesquisa" *Revista de Biblioteconomía de Brasilia.* Enero junio 1986, vol. 14, no. 1, pp. 39.49.

STAKE, Robert E. *Investigación con estudio de casos.* Madrid: Morata, 1998.

201

STERNGOLD, Arthur "Marketing for special libraries and information center" *Special libraries*, october 1982, vol. 75, no. 4, pp. 254-259.

STIEG, M F. "The information needs of historians" *College and research libraries*. November 1981. pp. 545-561.

STONE, S. *Humanities information research: proceedings of a seminar, Sheffield 1980*. Sheffield: CRUS, 1980;

STREATFIELD, D. R: "Moving towards the information user: some research and its implications" *Social science information studies*. 1983, vol. 3, no. 4, pp. 223-240.

SWIT, D.F., Violo A. Will y D. A. Barner. "A sociological approach to the design of information systems" *Journal of the american society for information science*, 1979, Vol. 30, no. 4, pp. 215-223.

TAYLOR, R. S. "Question negotiation and information seeking in libraries" *College and Research Library*, 1968, no. 29, p. 178-199.

The Royal Society Scientific Information Conference: report and papers submitted. London: The Royal Society, 1948.

VÁZQUEZ, M. Y R. Sancho. "Estudio de la producción científica española sobre polímeros en el periodo 1974-197" *Revista de Plásticas Modernas*, 1980, vol. 40, pp. 713-720.

VELAZQUEZ, Pablo. *Las necesidades de los usuarios de la información agrícola en América Latina*. Buenos Aires: s.n., 1972.

VERDUGO SÁNCHEZ, José Alfredo. *Manual para evaluar la satisfacción de usuarios en bibliotecas de instituciones de enseñanza superior de la República Mexicana*. México: UNAM, Anuies, 1989.

VOIGT, M.J. *Scientists approaches to information*. Chicago: American Library Association, 1961.

WILSON, T.D "On uses studies and information need" *Journal of documentation*. 1981, Vol. 37, No.1, pp. 3-5.

WILSON, T.D. y D. R. Streatfield "Structured observation in the investigation of information nees" Social science information studies. 1981, vol. 1, no 3, pp. 173-184.

WOLL, E. B. *An application and analysis of six output measures correlated with user satisfaction in the branch libraries of Carnegie Library of Pittsburgh System*. Pittsburgh, Ph. E. B. Wolls, 1987. Tesis (PhD. University of Pittsburgh)

WOOD, D. N. "User studies a review of the literature from 1966 to 1970" En: *Aslib Proceedings*. 1970, vol. 23, no. 1, pp. 111-23.

TEMA:
LECTURA Y SOCIEDAD

Lectura y sociedad, una visión panorámica

ADOLFO RODRÍGUEZ GALLARDO
Universidad Nacional Autónoma de México

El primer obstáculo que surge cuando se estudia la lectura es su definición, parecería un asunto sencillo y de poca importancia, pero ciertamente no lo es. A lo largo de los años se han prodigado diferentes explicaciones sobre lo que es la lectura y cómo identificar a un alfabetizado de aquel que no lo es, con el único fin de intentar delimitar el universo que hay que estudiar cuando se abordan los temas relacionados con la lectura y la escritura.

Los primeros estudios establecieron como parámetro para diferenciar a una persona alfabetizada de aquella que no lo era, su habilidad para leer y escribir en latín. En esos tiempos se confundía a quienes eran *literati* con los que eran *clereci*, aunque no todos los miembros de la iglesia sabían leer y escribir. Los *literati* eran aquellos que tenían acceso a las escrituras sagradas, las cuales se escribían y conservaban en latín. Sólo muchos siglos después, con la introducción de las lenguas vernáculas, las personas que no sabían latín tendrían acceso directo a las sagradas escrituras, a la educación y a la cultura.

Las investigaciones efectuadas con la intención de estudiar la lectura en Europa durante la Edad Media y el Renacimiento, así como en siglos posteriores, utilizaron como criterio definitorio para determinar la condición de lector o alfabeto, la capacidad de los implicados para escribir su nombre en las actas matrimoniales. El principio del que se partía era que puesto que la enseñanza de la lectura y la escritura se hacía separadamente; es decir que primero se enseñaba a leer y posteriormente a escribir, entonces quienes podían firmar su nombre en las actas de matrimonio forzosamente sabían leer, pues de otro modo no hubieran podido aprender a escribir. Es posible que muchas personas aprendieran a dibujar su nombre, tal como lo hacían algunos de los copistas que produjeron maravillosos trabajos de iluminación de los libros en la Edad Media, y quienes no sabían leer y escribir, por lo cual se los conoce como copistas, pues reproducían las letras, las palabras y las frases que se encontraban en el original sin ser capaces de entender el contenido de la obra.

Otra forma de distinguir a un alfabetizado de quien no lo estaba, y posiblemente la más usada en el mundo, era la denominada censal, caracterizada porque era el individuo mismo quien afirmaba o negaba sus habilidades para leer y escribir. Así, ante la pregunta expresa de si sabía leer y escribir, su respuesta sin más trámite, era considerada como verdadera. De esa suerte y con ese tipo de definición resultaría que en México el nivel de analfabetismo sería del 3.5 al 7% de la población.

Otras formas de establecer los niveles de analfabetismo y definir quién sabe leer y quién no, es aplicar exámenes de conocimientos relacionados con las supuestas habilidades que deben poseer los estudiantes de primaria al terminar determinados niveles. Así por ejemplo en algunos países se dice que están alfabetizados quienes saben leer y escribir a un nivel de cuarto año de enseñanza básica. Éste es el mínimo que se utiliza cuando el criterio de evaluación es la capacidad lectora unida a los niveles escolares. En otros casos se ha establecido que se considera alfabetizado a aquel que ha concluido la primaria. En este caso, como en el anterior, el número de analfabetos aumenta considerablemente. En México, por ejemplo decíamos que el índice de analfabetismo, de acuerdo con el criterio censal, es del 3.5 al 7% de la población, pero si tomamos en cuenta la terminación del ciclo primario para determinar quién está alfabetizado tendríamos entonces un aumento dramático y los analfabetos alcanzarían aproximadamente el

30% de la población, según las estadísticas del Instituto Nacional de Estadística, Geografía e Informática (INEGI).

Algunos países desarrollados consideran que el nivel que debe considerarse es el que se obtiene tras nueve años de escolaridad. Si adoptamos este criterio entonces México debe preocuparse, porque los niveles de analfabetismo se irían hasta las nubes y enfrentaríamos una situación catastrófica.

Para terminar de complicar el problema están aquellas personas que concluyeron los niveles de escolaridad deseados en cada caso, pero que en realidad no son capaces de aprovechar la lectura y la escritura eficientemente en su vida diaria. Son éstos a quienes se ha denominado analfabetas funcionales, porque tienen un cierto nivel de conocimientos que no es suficiente para encontrar trabajo, leer un periódico, interpretar instrucciones sencillas, comprender los horarios de autobuses o trenes, beneficiarse de servicios que ofrecen los gobiernos locales o nacionales, etcétera.

En muchos casos el conocimiento de las operaciones básicas de aritmética, como el sumar y restar son requisitos para considerar a una persona como alfabetizada. Así, la Organización para la Cooperación y el Desarrollo Económicos (OCDE) ha establecido como criterio que los alfabetizados deben ser capaces de balancear correctamente una chequera; es decir, hacer operaciones de suma y resta. (Pero en México la mayoría de la población no tiene chequera, de tal suerte que tendríamos que buscar otra cosa para probar su habilidad en este aspecto).

Mencionaremos ahora algunos ejemplos de cómo la falta de habilidades lectoras afecta a los individuos en particular y a la sociedad en general.

Por principio de cuentas no existe ninguna sociedad que pueda ser considerada desarrollada en lo social, lo político, lo educativo, o lo económico, que cuente con un elevado número de analfabetas. Los países desarrollados tienen en general bajos índices de analfabetismo, en ellos la diferencia entre analfabetas varones y mujeres es mínima, lo cual explica en parte su desarrollo, pero éste no es el único elemento que causa el desarrollo de una nación, pues la capacidad lectora es una condición necesaria, pero no suficiente para el mismo.

Los aspectos más evidentes de la relación que existe entre sociedad y lectura se encuentran en el campo educativo. No se puede tener una sociedad educada si los habitantes de un país no son capaces de leer, pues la educación mediante la comunicación oral, aunque posible, resulta extremadamente limitada. Además, la capacidad para entender problemas cada vez más complejos está en estrecha relación con los niveles de lectura. Una sociedad educada parte del principio de que sus habitantes tienen altos niveles de eficiencia en la lectura y de que esto les permite ascender en la escala educativa.

La educación en algunos países se encuentra limitada por concepciones que tienen que ver con el papel que se les asigna a las mujeres en la vida religiosa. Así, por ejemplo, en los países islámicos, en los que las mujeres son marginadas de la enseñanza religiosa y ésta es el eje de la educación, las mujeres representan el mayor número de analfabetas. Cuando la palabra escrita de los materiales teológicos excluye a una parte importante de esa sociedad, ésta es marginada y se convertirá en un lastre para el desarrollo social.

Pero la exclusión de las mujeres no es algo que suceda sólo por motivos religiosos, también existen razones de tipo político. Hay muchos ejemplos de sociedades donde las mujeres no han contado con la posibilidad de elegir a sus gobernantes, y ésta es una de las razones que se han esgrimido para explicar el alto índice de analfabetismo. Esta relación es perversa, pues por una parte la mujer es marginada de la lectura y escritura, pero eso a su vez las deja de lado en los procesos educativos y termina por marginarlas políticamente, todo a partir de su falta de capacidad lectora.

La relación entre hombres y mujeres que no saben leer y escribir es aproximadamente del doble; es decir que por cada hombre que no sabe leer, existen dos mujeres que tampoco tienen esa capacidad.

Ésta es una apreciación muy general por lo que la proporción puede ser menor para los países desarrollados y mayor para los países en vías de desarrollo. Donde es especialmente aguda la marginación de las mujeres como lectoras es en las sociedades islámicas; es necesario profundizar en las características de éstas para poder entender mejor el por qué de la exclusión. De esta suerte las mujeres de los países subdesarrollados son quienes más sufren de la marginación que afecta a toda la sociedad y deben cargar con esta gran desventaja; sin embargo las actividades y deberes que tienen para con la familia no disminuyen por esta causa sino al contrario, les hace más difícil cumplir con su rol de amas de casa, madres, educadoras e incluso, en muchos casos, sostén único de su familia.

Se cuenta con información que permite afirmar que mientras más educada es una madre, y en particular si sabe leer y escribir, menor es la mortalidad infantil, la cual disminuye dramáticamente.

Han existido sociedades, y todavía las hay, que antes de otorgarle a sus ciudadanos el derecho al voto, primero tienen éstos que probar que saben leer y escribir. En los Estados Unidos, hasta 1964, se exigía que los ciudadanos aprobasen un examen de lectura, y a quienes no sabían leer se les negaba el derecho al voto; no es casual que aquellos a quienes esto sucedía fueran mayoritariamente negros. Hasta ese entonces las escuelas de menor nivel en los Estados Unidos eran precisamente aquellas que atendían a ese grupo racial, y por lo tanto no resultaba raro que el peso político de los negros no se hiciera sentir en las urnas.

Incluso cuando se establecieron las elecciones en la forma en que ahora las conocemos, en secreto y por escrito, no faltó quien sostuviera que esa modalidad tenía por objeto marginar a quienes no sabían leer. En algunos países, como en el caso de México, se trató de resolver este problema con la incorporación de los emblemas de los partidos en las boletas electorales, aunque el PRI se reservó el más conocido y que incluía los colores de la bandera nacional.

Sin embargo también existe en la vida política la censura, que intenta funcionar como una barrera entre los escritores y los lectores para evitar la proliferación de ideas políticas contrarias a las autoridades civiles y eclesiásticas.

Un ejemplo fue el dictador Rosas, de la Argentina, quien en el siglo XIX llegó a prohibir el correo para que sus enemigos políticos no se comunicaran entre sí.

Existen evidencias de que la vida económica se ve favorecida cuando se cuenta con personas que tienen un adecuado nivel educativo, y de que mientras más alto sea éste mayor serán las posibilidades de que la economía en general sea beneficiada. Cuando los trabajadores no son capaces de leer, el proceso de actualización y modernización de la mano de obra se ve seriamente afectado.

No es posible catalogar a los trabajadores con base exclusivamente en la transmisión oral de los conocimientos. La velocidad con que cambian los inventos tecnológicos utilizados en la industria y los servicios requiere que los trabajadores sean capaces de actualizarse por sí mismos mediante la lectura.

Ya hemos mencionado que el analfabetismo margina a los hombres y mujeres que se encuentran es esa situación, pues no son capaces ni de leer las ofertas de trabajo y en muchas ocasiones tampoco pueden llenar satisfactoriamente las solicitudes de empleo. En estos casos tienen que depender de trabajos en los que la lectura no es necesaria, y éstos son los que reciben la menor remuneración. Así la falta de habilidad para leer y escribir es una condena a la pobreza.

Se ha dicho, y con cierta razón, que la lectura está muy ligada a las religiones, especialmente a las grandes religiones occidentales: el judaísmo, el cristianismo y el protestantismo. Estas religiones se basan en textos sagrados que han sido inspirados por Dios, una modalidad más reciente, ya que los dioses antiguos de los griegos y los romanos, por ejemplo, no tenían la tentación de escribir, y por lo tanto no esperaban que llegaran a ellos mediante la lectura.

El catolicismo y el protestantismo son las únicas religiones que no marginan a las mujeres de la enseñanza de los textos sagrados. En el judaísmo y en el islam, son los hombres los que han de aprender a leer los textos sagrados y a comprender su significado. Las mujeres tienen otras actividades, pero entre ellas no se incluye la lectura.

Se ha dicho que el protestantismo provocó un mayor acercamiento a la lectura que el catolicismo, quizá porque en aquél la relación entre el individuo y la divinidad no pasa por un clero que interpreta las escrituras y otorga la salvación o la condena en el otro mundo: los protestantes llegan a la divinidad directamente, sin intermediarios, y esto lo hacen mediante la lectura.

Por último, la relación de comunicación individual y social mediante el uso de la escritura y la lectura es muy larga y ha incorporado a todas las tecnologías de una forma u otra. Ninguna tecnología ha hecho desaparecer la lectura, ni la hará desaparecer. Sólo una visión ingenua del papel que juegan las tecnologías puede llevarnos a pensar que éstas pueden provocar la desaparición de la lectura y la escritura.

Para concluir sólo deseo expresar que existen muchas formas de abordar la lectura: su enseñanza, su comprensión, los problemas subjetivos que implica, la necesidad que tenemos de crear y fomentar los hábitos de lectura, todo lo cual es muy importante y debe de continuarse investigando; a mi en lo personal me interesa trabajar el impacto que tiene la lectura en los diferentes procesos sociales.

TEMA:
LECTURA Y SOCIEDAD

La lectura: ese obscuro objeto de investigación

ELSA MARGARITA RAMÍREZ LEYVA
Universidad Nacional Autónoma de México

HACIA LA SOCIEDAD DE LA INFORMACIÓN Y EL CONOCIMIENTO

Hoy en los inicios del presente siglo, y a la luz del contexto de la sociedad actual, la lectura ya no se considera únicamente como un medio de emancipación de los pueblos, ni un derecho de los ciudadanos, ha pasado a constituirse en una actividad estratégica comparable a la información y el conocimiento. Por lo mismo, en la última década el tema de la lectura ha adquirido un nuevo significado, al igual que la información. Al respecto, no está por demás recordar que "[...]la sociedad no puede ser tal sin comunicación y no puede transformarse sin la información".[1] Es decir, la información junto con la comunicación, son elementos que organizan, mantienen y permiten la evolución de las sociedades, y ciertamente su presencia forma parte del origen de la vida humana en sociedad, pero es hasta ahora que se repara en su importancia por el hecho de formar parte de los recursos estratégicos del actual modelo económico mundial. Por consiguiente, la lectura en la actualidad es un tema de especial atención puesto que es la base para construir la sociedad de la información.

---

[1] Paoli, J. Antonio. *Comunicación e información. Perspectivas teóricas*. México: Trillas; UAM, 1983. p. 17

Ciertamente, a partir del siglo XIX la lectura empezó a formar parte de los modelos de desarrollo y modernización de las naciones, que se consolidaron en e siglo XX, pero las premisas sobre las que fue construido el modelo cultural de ese siglo, dirigido a formar ciudadanos educados, además de eliminar el analfabetismo, ahora resultan insuficientes; más aún, las expectativas de esas premisas en muchas naciones no fueron alcanzadas.

En efecto, en la mayoría de los países –a pesar de los avances cuantitativos en cuanto a la cobertura educativa de nivel básico de seis y más años, y también en los desarrollados en donde el cincuenta por ciento de su población joven cursa el nivel de educación superior– los resultados sobre las capacidades de lectura no son los esperados. Los estudios cualitativos sobre las destrezas de ciudadanos que concluyeron el ciclo básico de nueve años muestran la existencia de serios problemas. Es decir, que no se logró concretar el ideal de una sociedad con destrezas de lectura, escritura y expresión oral bien consolidadas y superiores a las básicas.

Las aptitudes de lectura de la mayor parte de la población alfabetizada y educada no se corresponden con las necesidades del modelo de sociedad de la información: por lo mismo, los organismos internacionales como UNESCO y OCDE han establecido directrices para adecuar, entre otras habilidades, las de lectura. Los nuevos parámetros de lectura nos obligan a efectuar reformas profundas en los sistemas educativos, con el propósito de formar ciudadanos capaces de utilizar la información para generar conocimiento, desarrollo, innovación y riqueza.

Por tal motivo los ámbitos educativos, académicos, políticos y culturales se ven urgidos a revisar el paradigma de la lectura, sobre aspectos fundamentales, tales como: ¿qué es ser lector, independientemente de modas e intereses? ¿qué es la lectura? ¿qué es leer? ¿cómo se forma el gusto por esa actividad? ¿cuáles son las causas del desaliento en la práctica de la lectura por gusto en grupos que han alcanzado niveles de educación básica e incluso superiores? Asimismo habría que revisar los comportamientos de diferentes grupos de lectores, y las ausencias de información confiable y actualizada sobre esas conductas, así como la función de los mediadores. Pero también es importante analizar, de manera crítica, los parámetros de lectura que se intentan imponer en el proyecto de modelo de sociedad de la información

Respecto a la sociedad de la información, aun cuando en la actualidad su construcción conceptual está en estado embrionario, ya nos remite a un paradigma asociado con una actividad cultural, estado que ha empezado a gestar nuevas formas de organización social y productiva, propiciado por la tecnología digital disponible para crear, organizar, transferir y usar información. Es decir, la actividad digital, iniciada con la evolución de la computadora, la automatización, las telecomunicaciones, y posteriormente el surgimiento de la poderosa Internet, han empezado, a gobernar, paulatinamente, los flujos de información, así como también las comunicaciones para diversas actividades. Además, encontramos a la actividad digital encarnada en cada vez más servicios, operaciones, artefactos y artículos de uso cotidiano, en la vida tanto privada como social. Este modelo social es un fenómeno que tiende a enlazar en red a cada vez más naciones, al grado de producir una interdependencia dinámica sostenida y organizada mediante información, en una estructura tecnológica de comunicación. En esta estructura el sujeto lector es el principal protagonista, pues sus capacidades, repercuten en la calidad de la información y el conocimiento que produzca y consuma. A la vez, de esa calidad depende el desarrollo de la sociedad de la información.

El paradigma de la sociedad del siglo XXI, denominada sociedad del conocimiento y, recientemente, sociedad de la información y del conocimiento, está formado, en parte, por descripciones prometedoras, que encontramos en la Declaración de CEPAL e incorporadas en el Sistema *e-México,* y también en los proyectos de las naciones que aceptaron integrarse al nuevo modelo de sociedad. El documento al cual hacemos referencia, señala: "[...]la sociedad de la información es un sistema económico y social, donde el conocimiento y la información constituyen fuentes fundamentales de bienestar y progreso[...]" y agrega "[...]representa una oportunidad para nuestros países y sociedades[...]".[2] Estas ideas están fundadas en la capacidad de las tecnologías de información y comunicación, consideradas no sólo un fruto del desarrollo (por ser consecuencia de éste), sino también, en gran medida, uno de sus motores (por ser una herramienta de desarrollo).[3]

Dado lo anterior, en la Cumbre Mundial de la Sociedad de la Información, tanto en la próxima a celebrarse en diciembre de 2003 como en la del año de 2005, se formalizarán acuerdos básicos para llevar a todas las naciones hacia la sociedad de la información y el conocimiento. Pues como bien señala Crovi Duretta "[...]a pesar de haber grandes diferencias en el acceso a estas TIC entre las naciones y entre los individuos, todos los países tienen al menos una franja de su sociedad que las ha integrado a sus actividades".[4] Es decir, las naciones ya están transitando hacia el nuevo modelo social, desde luego a diferentes ritmos, algunos llevan el liderazgo;[5] otros, con enormes esfuerzos intentan alcanzar los parámetros determinados por organismos internacionales; conforme a fechas y metas establecidas para transformarse en sociedad de la información y el conocimiento. Esas metas son: "[...]que todas las aldeas estarán conectadas a Internet en 2010, y en 2015 tendrán un punto de acceso comunitario".

---

2   *Íbidem*. En Sistema e-México [En línea] ttp://www.inegi.com.mx
3   Naciones Unidas. CEPAL. *Los caminos hacia una sociedad de la información en América Latina y el Caribe*. (29-31: 2003 : Bávaro, Punta Cana, Rep. Dominicana). [En línea]. fs20 http://www.itu.int/wsis/docs/rc/bavaro/eclac-es.pdf
4   Crovi Druetta, Delia. Sociedad de la información / sociedad del conocimiento. Ficciones, opciones, certezas. En *Foro Sociedad de la Información ¿Qué haremos?* [En línea]http://www.unam.mx/sociedadinformacion/index.html
5   El liderazgo también lo pueden estar conduciendo las poderosas empresas de tecnología y telecomunicaciones digitales, las cuales imponen leyes de mercado revestidas de desarrollo social o humanos. Esta situación deja verse en uno de los acuerdos que llevarán los representantes del sistema e-México a la próxima cumbre, tal y como se acordó en la reunión convocada por la Dirección General de Cómputo Académicos de esta Universidad celebrada en agosto pasado, y es el referido a los gobiernos, que Internet se mantenga como espacio público.

"En 2010 habrá cobertura inalámbrica para el 90% de la población mundial, y para el 100% en 2015."[6] Los países que no alcancen a cumplir dichos acuerdos, corren el riesgo de entrar a formar parte del grupo de naciones estigmatizadas como pobres, ignorantes y atrasadas, conforme a las características de las nuevas categorías en las que se divide el mundo, "infopobres" e "inforricos", conforme a los nuevos parámetros del modelo social

De tal manera, la sociedad de la información empieza a convertirse en una realidad, que tiene presencia en los discursos políticos, científicos y académicos, además de ser asumida por amplios sectores sociales.[7] Lo mismo sucede cuando usamos y consumimos los artefactos, los servicios y productos digitales institucionalizados o contextualizados, enraizados en los ambientes domésticos, laborales, educativos, de servicios y de entretenimiento. Con ello aceptamos una representación de nuestro mundo, lo cual implica modificar nuestras prácticas sociales de comunicación, entre ellas, las de la lectura.

LA LECTURA: UN PROBLEMA PARA LA BIBLIOTECOLOGÍA EN LA TRANSICIÓN HACIA LA SOCIEDAD DE LA INFORMACIÓN

La disciplina bibliotecológica si bien ha acumulado un amplio capital de conocimientos sobre los objetos físicos, que constituyen el registro de los saberes, también lo ha hecho sobre los mecanismos para acceder y usar sus contenidos; sin embargo nuestra disciplina

---

6 En relación con ello, no esta de más recordar lo señalado por George Orwell en su impresionante libro titulado *1984:* "Para controlar todo no basta con apropiarse de la voluntad y de la conciencia de los individuos hay que hacerse dueño de su lenguaje".

7 El CUIB ha sido de los pioneros en el estudio de la lectura desde una perspectiva bibliotecológica, iniciado en 1986 por Ma. Trinidad Román Haza. En cuanto a docencia, fue aprobado el programa que presenté y fue enriquecido por el comité, de manera que la asignatura *Lectores, Lectura y bibliotecas* fue incluida como una asignatura obligatoria en la reciente reforma al plan de estudios del Colegio de Bibliotecología de la UNAM, bajo la dirección del Dr. Felipe Martínez Arellano

tiene aún una deuda con el tema de la lectura y los lectores,[8] pues no se le ha dado el mismo énfasis en comparación con los registros, su organización, acceso y disponibilidad. Por consiguiente, esos temas deben ser estudiados con mayor amplitud a fin de innovar el cuerpo del conocimiento y la práctica bibliotecológicas con el fin de superar "mucho más que una pericia técnica", como bien lo apunta Shera, El mismo autor propone profundizar en la cuestión filosófica sobre "¿qué es un libro para que el hombre pueda conocerlo? y ¿qué es un hombre para que pueda conocer qué es un libro?"[9] Chartier lo enuncia en otras palabras como el estudio del encuentro entre el mundo del lector y el mundo del texto. Por cierto, el CUIB, es una de las instituciones que orienta su misión en ese sentido de profundizar en los fundamentos teóricos. Aspecto, éste último, de particular importancia, en especial, porque el nuevo modelo social, y el impacto tecnológico están transformando nuestro sistema social de comunicación. Sin duda esta situación nos obliga a repensar los aspectos teóricos, metodológicos y de la práctica bibliotecológica, a lo cual el CUIB nos convoca a reflexionar y a dialogar en este Coloquio sobre lectura y sociedad en el contexto de la era de la información.

La lectura, en efecto, es y ha sido el medio de articulación entre hombre e información registrada, como Millán señala en esta metáfora: "[...]la lectura es considerada la llave del conocimiento en la sociedad de la información",[10] No está de más precisar que, de alguna manera, esto es así para todas las sociedades si tomamos su acepción más amplia, pues también en las sociedades orales se produce el acto

---

8   Shera, Jesse. *Fundamentos de la educación bibliotecológica.* México: UNAM, Centro Universitario de Investigaciones Bibliotecológicas, 1990. p. 41

9   Millán, José Antonio. La lectura y la sociedad del conocimiento. [En línea]. En *La factoría* no. 19, oct.2002 /ene 2003.
     http://www.lafactoriaweb.com/articulos/millan19.htm

10   Cfr. Knowldge and skills for life. *First results form the* OECD *Program for International Student Assesment* (PISA) 2000. Paris: Organization for Economic and Development Cooperation, 2001. 322 p.

de leer el mundo y las imágenes, de lo cual tenemos una gran variedad de testimonios.

Decíamos que las premisas relacionadas con la lectura, están fundadas en aparentes certezas y concepciones, que por cierto tienden a exagerar sus virtudes o simplifican su complejidad y alcances. Precisamente sobre muchas de ellas se han cimentado las acciones y programas no sólo pedagógicos sino también los bibliotecológicos, los cuales son determinantes en el desarrollo de prácticas lectoras, la creación de los espacios de lectura, la integración del corpus documental y bibliográfico, y la formación de los mediadores cuyo propósito está dirigido a promover la lectura.

Pues bien, ahora a la luz de la sociedad de la información y el conocimiento nos encontramos ante obstáculos supuestamente superados por las acciones de los programas e instituciones educativas públicas y privadas, desarrollados y perfeccionados a lo largo del siglo pasado. Al respecto, una de las metas que se buscaban en el año 2000 era erradicar el analfabetismo en todo el mundo. Sin embargo, en el presente siglo XXI persisten el analfabetismo y, en particular el denominado analfabetismo funcional, el cual se ha agudizado; y la lectura se ha convertido en una práctica obligatoria e incluso prescindible cuando se concluyen los estudios, útil para determinadas necesidades, o bien, para el consumo de productos cuyo contenido favorece el avance del analfabetismo funcional. Dicho de otra manera, la práctica social de la lectura, en su mayor parte, puede calificarse de precaria, por la calidad y cantidad de lo que se lee, situación de la cual no escapan los sectores sociales para los que el factor económico no es obstáculo y entre quienes incluso han alcanzado la educación superior.

En suma estamos ante una situación paradójica, pues por un lado creció la oferta de lectura y el volumen de información mejoró su capacidad de distribución, de circulación y acceso, y además, las bibliotecas han ampliado su cobertura en los países en vía de desarrollo. Por el otro, creció la población de lectores en el mundo, pero no su calidad, pues se lee mal, poco, y a ello se suman los contenidos que no contribuyen a mejorar el capital lingüístico y mucho menos el intelectual. Por consiguiente, el deterioro en las actitudes y aptitudes de lectura impide superar los niveles de la educación básica. Problema no sólo exclusivo de países en vías de desarrollo, sino que también ensombrece a muchas potencias, a pesar, como ya dijimos, de las acciones alcanzadas en la educación básica a lo largo de casi un siglo, tendientes a formar más y mejores lectores, ciertamente éstos son más pero no mejores que lo esperado.[11]

EL LADO OBSCURO DE LA LECTURA

Adentrarnos en las partes obscuras de la lectura implica convertirla en un objeto de estudio, por tanto, reducirla exclusivamente a una habilidad o destreza, lejos de aportarnos claridad nos limita su estudio. Por lo tanto el darle estatuto de actividad, como bien propone Jitrik,[12] permite tener un horizonte más amplio de los factores que participan en la dimensión individual y social del sujeto lector, y en el proceso de lectura. De hecho, existen una serie de supuestos que aluden a cualidades propias de una actividad compleja, pero nos faltan certezas de cómo se produce esa actividad.[13] Sabemos de ella que la constituyen un conjunto de fuerzas provenientes de diferentes entidades que dan lugar a las prácticas de lectura.

En el acto de leer participan por lo menos tres entidades: el sujeto lector con su historia personal, familiar, aptitudes, habilidades, motivaciones y su circunstancia; el texto, con sus contenidos, estructura, más los elementos que lo componen; y el soporte físico, su formato. Todo ello en interacción con las fuerzas sociales determinadas por

---

11 Jitrik, Noé. *Lectura y cultura*. México: UNAM, Dirección General de Publicaciones y Fomento Editorial, 1998. p. ?¿

12 Jitrik, Noé. *La lectura como actividad*. México: Fontamara, 1997. p. ¿?

13 Lledó, Emilio. *El surco del tiempo*. 2ª ed. Barcelona: Crítica, 1992. p.47

factores políticos, económicos, culturales y tecnológicos que determinan usos y necesidades. En relación con la idea de necesidad, es oportuno remitirnos a la idea de Lledó "[...]nada es «en sí» útil si su realidad no armoniza con la de aquel para quien «la utilidad» funciona." Y agrega "[...]depende de una perspectiva que no surge sólo del individuo, sino de un espacio social más amplio" hay una autoridad que determina el contenido de utilidad.[14] Es decir, que las fuerzas políticas y económicas, ideológicas y, en ciertos casos y épocas, también religiosas, determinan las prácticas de lectura. Sin embargo la institución bibliotecaria ha tenido momentos de cierta independencia para establecer una posición de equilibrio entre esas fuerzas y el derecho a la libertad y al saber. Hoy es uno de esos momentos en los cuales la bibliotecología tendrá que determinar una posición ante las fuerzas que ahora podrían determinar ciertas prácticas de lectura en un aparente entorno de libertad, pero sometido a las leyes del mercado.

LA LECTURA UN OBJETO DE ESTUDIO ENIGMÁTICO

El estudio de la lectura constituye un tópico enigmático, pues como decíamos anteriormente son diversas las fuerzas que actúan tanto en el proceso individual como social de la formación de las prácticas de lectura. Pero también en el terreno teórico intervienen otros elementos, como son los supuestos o las consideradas verdades que han trascendido pero que no alcanzan para explicar qué es leer, cómo se producen determinados comportamientos lectores, los usos de la lectura y la forma en que proceden los factores, tanto individuales como sociales. Además también hay que considerar la influencia de las diferentes mediaciones en la producción de determinadas prácticas de lectura.

---

14 Este fenómeno es abordado en los libros de: Shiffrin, André. *La edición sin editores*. Barcelona: Anagrama, 2000.

Hay pues, que, desmontar los supuestos sobre los que se apoya el conocimiento de la lectura a fin de analizarlos, explicarlos.

Aunado a los problemas teóricos sobre la lectura, podemos sumar la falta de información cualitativa y cuantitativa respecto de las prácticas de lectura que se han producido, Pero también, el hecho de que pocos países lleven un seguimiento del comportamiento de su sociedad o hayan efectuado estudios que permitan conocer las variables que influyen en los cambios de los comportamientos lectores, o, en los comportamientos no lectores.

La complejidad se acentúa en nuestros días debido al cambio del soporte textual distinto totalmente del soporte tradicional en papel. Ciertamente los efectos de la tecnología digital nos abren una nueva problemática, a la vez que una oportunidad, para ampliar los conocimientos sobre la actividad lectora, el sujeto lector y los públicos lectores: el cambio al soporte de la computadora. Además, la escritura electrónica y el Internet nos anuncian una revolución en los modos de producir, preservar y transferir, la información, pero también en el modo de leer y asimismo de usar la información. Esta tecnología, además, cambia la representación espacio temporal en relación con la establecida por el medio impreso. De igual manera los mediadores: el libro, la biblioteca, el bibliotecólogo, el maestro, empiezan a estar presentes en el medio tecnológico.

Algunas de las características actuales de las TIC nos llevan a suponer cambios en las prácticas sociales de lectura, entre ellas:

➢ Internet, es una nueva representación tanto del texto, como del objeto documental y del espacio de lectura que compite con bibliotecas, librerías y medios impresos.

➢ La actividad digital favorece la interacción hombre texto mediada por la máquina a través de la modalidad de autoservicio, que tiende a incorporar las actividades que antes requerían de mediadores humanos. Cambian así las funciones de este mediador para lograr que la máquina ejecute parte de su trabajo: la participación del lector.

➤ El fenómeno de la virtualidad en la institución bibliotecaria es un factor que debe incorporarse en la función social de la institución bibliotecaria como mediadora y espacio de lectura para diferentes fines y públicos lectores.

➤ El factor tiempo es un elemento cada vez más valorado, por tanto proliferará la escritura de textos para facilitar una lectura veloz, y ésta podría llegar incluso a constituirse en un tipo de lectura similar a la de imágenes.

➤ El placer de leer puede substituirse por el placer a la interactividad de información textual y audiovisual.

Es pertinente señalar que la tecnología por sí misma no es la que produce los cambios, ni tampoco el libro impreso, o la lectura, los cambios suceden porque existe una conjugación de fuerzas que configura el modelo cultural, el cual a su vez es una representación de los símbolos, valores y las políticas económicas, y culturales de sus sociedades. Es decir, la tecnología está inmersa en un contexto que propicia determinadas prácticas sociales, por ello se ha empezado a insistir, por ejemplo, en que la tecnología puede fortalecer la lectura escolarizada, utilitaria, especializada, rápida y abreviada. Pero antes de convertir estos argumentos en verdades es indispensable analizar los efectos de la tecnología en la sociedad en cuanto a la lectura se refiere.

Otro factor es el relativo a los nuevos requisitos de lectura, establecidos por la Organización para la Cooperación y el Desarrollo Económicos: que los lectores sean capaces de transformar la información en conocimiento a fin de producir, transformar e innovar bienes y servicios, y que puedan también convertir el conocimiento en autoeducación, en actualización permanente y, además, en solución de problemas que a la vez genere nuevo conocimiento. Es evidente que se trata de una lectura más bien utilitaria, escolarizada y con fines laborales, y por tanto, económicos.

Otro problema ciertamente no nuevo para la bibliotecología pero sí más complicado, se refiere a las leyes del mercado que imponen sus condiciones, sus tiempos y las prácticas de consumo de sus productos editoriales. Las empresas multinacionales están ganando terreno en el mercado de bienes, servicios de información y comunicación impresa, y digital, además de los medios masivos, radio y televisión e Internet. Han empezado a comprar casas editoras de gran tradición que lograban mantener un equilibrio entre la calidad y las ganancias en comparación con las multinacionales, interesadas en productos editoriales guiados más por fines políticos y económicos, pero también en crear públicos consumidores para sus productos.[15] Así entonces, ante las condiciones de lectura surgen nuevas fuerzas en la sociedad contemporánea que producen tensiones, las cuales nos demandan una definición de las prácticas sociales de lectura. Lo cual significa un reto para la bibliotecología en la sociedad del siglo XXI, como lo señalan Chartier y Hébrard: "[...]así como en el siglo XIX el sector bibliotecario representó la lectura como medio de emancipación de los pueblos y en el siglo XX a la lectura pública moderna".[16]

Cabe recordar una vez más que la concepción de lectura determina la función de la institución bibliotecaria, la conformación de acervos y espacios para la lectura, la formación de bibliotecólogos y de mediadores, las políticas y las acciones de fomento a la lectura; en suma, el modelo cultural. Asimismo es importante subrayar que la única manera de que el acto de leer sea una actividad que mejore las capacidades de los ciudadanos sería una práctica de lectura constante, preferentemente literaria, y sobre temas diversos, como modo para alcanzar la capacidad de ejercer la lectura crítica, única que puede garantizar una adecuada elección de la información, ya sea para fines educativos, informativos o de entretenimiento.

---

15 Chartier, Anne-Marie y Jean Hébrard. *La lectura de un siglo a otro*. Barcelona: Gedisa, 2002. p. 10

16 Aldea. "Pueblo de corto vecindario y, por lo común, sin jurisdicción propia." Es decir sin poder o autoridad para gobernarse y ejecutar las leyes.

LA LECTURA EN LA INVESTIGACIÓN BIBLIOTECOLÓGICA

En el campo bibliotecológico el estudio de la lectura nos debe conducir a responder uno de los problemas propiciados por la era de la información, me refiero al de formular una representación social de la lectura. Por eso se insiste en poner bajo estudio los diferentes factores involucrados en la actividad lectora, de manera que la actividad bibliotecológica pueda constituir una fuerza de equilibrio social entre las diferentes fuerzas que participan en la conformación de las prácticas sociales relacionadas con la lectura.

Antes de asumir un modelo cultural impuesto debemos analizarlo y tener una propuesta que se traduzca en una representación social de la lectura pública en la sociedad contemporánea, de acuerdo con la realidad de cada nación.

Por lo que se refiere a los aspectos metodológicos relacionados con los problemas de la lectura, dada su complejidad, como ya lo señalamos anteriormente, su estudio hace necesario recurrir a teorías y métodos de otras disciplinas. Al respecto encuentro en lo personal buenas posibilidades en la teoría de las representaciones y las prácticas sociales de la psicología social, lo cual podría ser una opción de abordaje para este problema y ayudarnos a formular alternativas para el cambio de actitudes frente a la lectura, en particular la que hacemos por gusto, asumida como una práctica cotidiana. Un aspecto fundamental en la investigación de este tema es identificar ideas y prejuicios personales que pueden interferir e influir en este proceso. Asimismo, es indispensable crear articulaciones con la actividad bibliotecológica, pues además de los análisis y explicaciones de las problemáticas de la lectura debemos buscar la aportación de nuestra disciplina a la solución de este asunto.

En cuanto al rumbo que debe tomar la investigación bibliotecológica en relación con el tema de la lectura, considero que es necesario lo siguiente:

➤ Revisar y actualizar las categorías respecto de la lectura y los lectores.

➤ Analizar las prácticas de lectura y comprender su relación con diferentes factores.

➤ Desarrollar fundamentos para formular políticas de lectura.

➤ Desarrollar parámetros de evaluación e influencia de la biblioteca en las prácticas de lectura de los públicos lectores.

➤ Estudiar las prácticas de lectura de los diferentes públicos de la sociedad con énfasis en la mexicana.

➤ Analizar aspectos cualitativos de lectura desde la óptica de la bibliotecología acerca de ¿qué es la lectura? y ¿qué es ser sujeto lector?

Y por último, formular desde la actividad bibliotecológica la propuesta de un modelo cultural en donde la lectura sea realmente la llave hacia el conocimiento.

BIBLIOGRAFÍA

Chartier, Anne-Marie y Jean Hébrard. *La lectura de un siglo a otro*. Barcelona: Gedisa, 2002. 205 pp.

Crovi Druetta, Delia. Sociedad de la información / sociedad del conocimiento. Ficciones, opciones, certezas. [En línea]. En *Foro Sociedad de la Información ¿Qué haremos?* http://www.unam.mx/sociedadinformacion/index.html

Jitrik, Noé. *La lectura como actividad*. México: Fontamara, 1997. 87 pp. (Fontamara; 193).

Jitrik, Noé. *Lectura y cultura*. México: UNAM, Dirección General de Publicaciones y Fomento Editorial, 1998. 85 pp.

Lledó, Emilio. *El surco del tiempo*. 2ª ed. Barcelona: Crítica, 1992. 231 pp.

Millán, José Antonio. La lectura y la sociedad del conocimiento. [En línea]. En *La factoría* no. 19, oct.2002 /ene 2003. ttp://www.lafactoriaweb.com/articulos/millan19.htm

Naciones Unidas. CEPAL. *Los caminos hacia una sociedad de la información en América Latina y el Caribe.* (29-31: 2003 : Bávaro, Punta Cana, Rep. Dominicana). [En línea]. En fs20 http://www.itu.int/wsis/docs/rc/bavaro/eclac-es.pdf

Paoli, J. Antonio. *Comunicación e información. Perspectivas teóricas.* México: Trillas; UAM, 1983. 138 pp.

Shera, Jesse. *Fundamentos de la educación bibliotecológica.* México: UNAM, Centro Universitario de Investigaciones Bibliotecológicas, 1990. 456 pp.

El legado bibliográfico en México: un aspecto inconcluso de la investigación bibliotecológica

MARÍA IDALIA GARCÍA AGUILAR
Universidad Nacional Autónoma de México

> *Los libros tienen los mismos enemigos que el hombre: el fuego, la humedad, los bichos, el tiempo y su propio contenido*
> **Paul Valéry**

INTRODUCCIÓN

Toda biblioteca puede observarse desde dos perspectivas. La primera relacionada con sus actividades de información y para las cuales requiere de la selección, almacenamiento, organización y sistematización de materiales bibliográficos y documentales. Estas actividades permiten que la segunda perspectiva sea precisamente, la conservación de esos materiales para garantizar las actividades de información de la biblioteca. Esta última perspectiva constituye, en nuestra opinión, la condición patrimonial de la biblioteca, condición que le es inherente como institución social y que a largo plazo siempre representará un problema que deberá considerar el desarrollo histórico de la propia institución bibliotecaria.

El problema patrimonial de las bibliotecas mexicanas representa pues un aspecto ineludible para ellas en su condición de instituciones culturales. Este aspecto es de gran envergadura y su alcance requiere el establecimiento de acuerdos y políticas concretas que permitan garantizar a largo plazo la permanencia de la riqueza cultural depositada en las bibliotecas de un país. Pero todo acuerdo y política que se diseñe sin considerar previamente la realidad institucional de la custodia mediante la realización de estudios culturales corre el inevitable riesgo de fracasar abruptamente.

En efecto, esta realidad institucional a la que nos referimos varía considerablemente en cada país. En el nuestro presenta matices contrastantes a lo largo y ancho del territorio, y por esta razón nuestras políticas culturales de Estado en asuntos bibliotecarios deberían empezar por reconocer esas múltiples realidades que necesariamente reflejan condiciones socioeconómicas y culturales diversas. Los asuntos relacionados con las bibliotecas mexicanas, en tanto instituciones que resguardan la memoria documental mexicana y son responsables de garantizar los servicios de información para la sociedad, se han distinguido por su relación directa con la vida política más que como un tema de relevancia para la sociedad en su conjunto.

Es bajo esta perspectiva como debe entenderse el legado bibliográfico de un país como México, cuya problemática se refleja directamente en su condición institucional así como en el pobre reconocimiento social que ese legado recibe. Pero también las inciertas condiciones que afectan al mundo de la cultura en México aquejan igualmente a la herencia bibliográfica. El conocimiento de estas circunstancias tan especiales nos ayuda a comprender los derroteros seguidos por las múltiples propuestas elaboradas en el pasado sobre el problema patrimonial que enfrentan las bibliotecas. Casi ninguna de esas propuestas, personales o institucionales han conseguido consolidarse y menos aún dejan un sendero de continuidad que garantice el futuro de las colecciones patrimoniales de las bibliotecas, públicas y privadas, del país.

Ideas tales como la elaboración de un catálogo colectivo o una condición jurídica de protección específica, entre muchas otras, han sido presentadas múltiples veces en eventos especializados, reuniones nacionales y otros espacios de reflexión, pero no han logrado consolidarse como una preocupación institucional ni profesional. Dichas ideas forman parte de las bases fundamentales para construir un futuro distinto para el legado bibliográfico mexicano. Empero comprender por qué tales ideas navegan indefinidamente en el tiempo, representa sólo una de las múltiples aristas de la realidad social y cultural de México que hay qué vislumbrar para entender el problema.

La investigación en este tema, permitiría identificar los problemas más emergentes y diseñar las estrategias más adecuadas. Sin embargo, la investigación bibliotecológica en México ha obviado muchos de los problemas patrimoniales reduciéndolos a simples detalles históricos y culturales o a decorados introductorios de otros temas de investigación que se consideran más importantes o más modernos. Esta omisión de la investigación ha favorecido la ausencia de formación especializada y por tanto ha convertido al bibliotecario en un destructor del bien bibliográfico más que en su defensor incansable.

Apuntalar en la investigación especializada el tema del bien bibliográfico como objeto patrimonial debe partir de la definición y comprensión del objeto mismo, y a su vez concretar los numerosos espacios de acción sobre los cuales se requieren profundas reflexiones que permitan entregarle a las generaciones venideras tanto el legado bibliográfico como la responsabilidad de su tutela y la custodia de un patrimonio que, en realidad, se encuentra en riesgo permanente.

EL ESTADO DEL ARTE: UN APORTE PRIMORDIAL DE LA INVESTIGACIÓN

Sin duda una de las más importantes contribuciones de la investigación al desarrollo del conocimiento lo representa la delimitación del estado del arte en relación con un aspecto concreto de la realidad social. Esta contribución podría ubicarse en varios aspectos, entre los cuales se encuentran: la producción bibliográfica sobre el tema; el tipo y las características de las investigaciones realizadas y en proceso; los cambios en la formación profesional propiciados por las aportaciones de la investigación; el intercambio de información local, regional e internacional; la participación de la investigación en la elaboración o modificación de los ordenamientos jurídicos; la divulgación del conocimiento especializado y, en ocasiones afortunadas, el mejoramiento de las condiciones de la propia realidad social.

En un país de las dimensiones poblacionales[1] del nuestro, los asuntos relacionados con la bibliotecología no son escasos. Por el contrario, ni el número de bibliotecas ni el número de bibliotecarios es suficiente para satisfacer las necesidades de información de este ingente grupo de habitantes. No obstante esta parte de la realidad social y cultural del país solamente ha generado la necesidad de tener escuelas de formación en diversos estados, pero no centros de investigación. Actualmente el Centro Universitario de Investigaciones Bibliotecológicas (CUIB) de la Universidad Nacional Autónoma de México es la única institución del país en donde se realiza investigación especializada sobre bibliotecología y estudios de la información. En esta dependencia universitaria existen 5 áreas de investigación en las que trabajan 24 investigadores. Si comparamos este número con el número de habitantes del país, la relación entre las partes resulta sumamente desequilibrada.

La existencia de esta institución universitaria debe también las interesantes reflexiones presentadas en los eventos anuales organizados por la Asociación de Mexicana de Bibliotecarios, la Escuela de Bibliotecología e Información de la Universidad Autónoma de San Luis Potosí y la Universidad Autónoma de Chiapas, entre otros organismos relacionados con la profesión bibliotecaria. Empero, tampoco habría que olvidar que desafortunadamente una parte importante

---

1   Según los últimos datos del Censo de Población, en el año 2000 había un total de 97,483,411 millones de habitantes. Información recuperada del Instituto Nacional Estadística, Geografía e Informática disponible en la página http://www.inegi.gob.mx/inegi/default.asp [Consultado: marzo de 2004] Las predicciones en este aspecto, estiman que la población en el año 2010 será de 120 millones de habitantes. Información del Consejo Nacional de Población disponible en la página http://www.conapo.gob.mx/m_en_cifras/principal.html [Consultado: marzo de 2004]

de los trabajos presentados en este tipo de eventos no pueden ser considerados necesariamente como resultado de un análisis sesudo de un tema, y por tanto una verdadera aportación al conocimiento especializado.

Naturalmente existen sus notables excepciones, pero la mayoría de estos trabajos son presentaciones de casos específicos. En este espacio de información no suele aparecer como temática frecuente el legado bibliográfico mexicano. Ciertamente las tendencias temáticas nos permiten ver las preferencias y las preocupaciones de los profesionales de un país. Si sumamos a esta apreciación la realidad social de las instituciones y los contenidos temáticos de la formación profesional es muy probable que podamos construir un mapa temático que muestre las debilidades y fortalezas relativas al desarrollo del conocimiento de una disciplina.

Por ejemplo, a pesar de la importancia nacional que tienen las bibliotecas públicas, no existe en el CUIB una línea de investigación dedicada de forma exclusiva a esta cuestión. La ausencia de este espacio de reflexión se ve reflejado de forma directa en dos aspectos importantes: los contenidos temáticos de la formación profesional, y los efectos que puede producir el desarrollo del conocimiento en la realidad social. Este último aspecto se puede observar también en el número de publicaciones especializadas, el tipo de temáticas que abordan los trabajos ahí publicados y las personas que ahí publican. Así, el CUIB edita la única revista especializada en bibliotecología del país que publica información derivada de proyectos de investigación. Otros espacios de la misma disciplina publican lo que se considera material de difusión y divulgación.

Una analogía semejante a la anterior puede realizarse con el tema del legado bibliográfico que se custodia en las bibliotecas mexicanas. Pero detengamos un momento la reflexión para puntualizar qué entendemos por legado bibliográfico. Para nosotros el legado bibliográfico de un país es toda la herencia cultural representada en los impresos y manuscritos acumulados a lo largo de la historia, y que actualmente se custodian en instituciones culturales contemporáneas. Decimos instituciones culturales porque no son exclusivamente las bibliotecas los lugares donde se conservan estos materiales históricos; también se encuentra este tipo de objetos en archivos y museos.

De igual forma hemos incluido a los manuscritos entendiendo a éstos como "libros manuscritos"; es decir, "[...]al libro copiado directamente por medio de una mano que utiliza un instrumento para trazar sobre un soporte los rasgos de las letras",[2] debido a que este objeto es el antecedente directo del impreso y que se ha desarrollado en convivencia con él. Incluso como paso previo a la elaboración de un impreso es probable encontrar un manuscrito.

Desde esta perspectiva, el legado bibliográfico mexicano estaría compuesto por la mayor parte de los materiales que componen lo que conocemos como el fondo antiguo de una biblioteca;[3] es decir, manuscritos, incunables, libros antiguos, ediciones del siglo XIX y algunas del siglo XX. Éstos son los objetos de estudio que analiza la investigación especializada y sobre los cuales nos dice algo en primer lugar el estado del arte. Sin duda en esta primera aportación se distingue la construcción del fundamento del objeto de estudio y de las consecuentes relaciones entre todas las disciplinas.

Definir al objeto de estudio, fundamentar su lugar en la realidad y determinar sus relaciones frente a los otros objetos de estudio de la misma disciplina son sólo algunas de las partes importantes que dan inicio a un proyecto de investigación. Es aquí donde tenemos que enfrentar el principal problema y el primer aporte de la investigación dedicada al legado bibliográfico en México. Indudablemente en el pasado se han elaborado algunos trabajos dedicados a ciertos aspectos

---

2   Manuel Sánchez Mariana. *Introducción al libro manuscrito*. Madrid: Arco Libros, 1995. p. 7

3   *Cfr*. Idalia García y Miguel Ángel Rendón Rojas. "El fondo antiguo su estructura conceptual". En *Binaria. Revista de Comunicación, Cultura y Tecnología*. Texto disponible en http://www.uem.es/binaria/anteriores/n1/introfl.html [Consultado: marzo de 2004]

relacionados con este legado, pero la característica principal de ese espacio de conocimiento e información es que no tiene continuidad en el tiempo y ni siquiera entre las partes que se analizan.

Podemos ejemplificar dicha situación con el trabajo sobre la encuadernación de Manuel Romero de Terreros.[4] Este texto se publicó en 1946 y sigue siendo a la fecha el único trabajo publicado que analiza las diferentes encuadernaciones que se realizaron en México. No obstante el trabajo presenta de forma muy somera las encuadernaciones históricas, de las que se sabe poco y de forma muy genérica. Si comparamos el conocimiento que otros países tienen sobre sus encuadernaciones nos daremos cuenta del escaso interés que hemos puesto en un tema de relevancia no sólo histórica sino patrimonial.

Podemos decir sin temor a equivocarnos que el objeto de estudio del legado bibliográfico mexicano desde la perspectiva patrimonial ha sido abordado de forma escasa y poco profunda. La investigación en este tema no puede realizarse sin conocer el objeto de estudio en cuestión (el fondo antiguo) que es una construcción histórica, y el conjunto de materiales (v.g. libros antiguos) que integran ese armazón teórico conceptual. Por ello:

> [...]es también necesario profundizar en el objeto para entenderlo desde la perspectiva estructural, conociendo sus partes y disposición. Además es imprescindible establecer no ya los elementos identificadores que van a constituir el sustrato de la descripción, sino las posibles descripciones y sus objetivos.[5]

De esta manera construir un universo conceptual y sus relaciones es también una de las aportaciones importantes de la investigación especializada y constituye una de las fronteras del estado del arte. Lo an-

---

4 Manuel Romero de Terreros. *Encuadernaciones artísticas mexicanas.* 2ª ed. México: Biblioteca de la II Feria del Libro y Exposición Nacional del Periodismo, 1943.

5 "Presentación" En *Tasación, valoración y comercio del libro antiguo: textos y materiales, Jaca, 2-6 de septiembre de 2002* / edición a cargo de Manuel José Pedraza Gracia. Zaragoza: Prensas Universitarias de Zaragoza, 2002. p. 9

terior, no significa que el establecimiento de tal frontera se convierta en una limitante del propio tema ni de los objetos de estudio que se vinculan con él; por el contrario, esa delimitación permite construir las relaciones entre las partes y explicar cómo funciona todo el entramado dentro de la frontera conceptual y teórica establecida.

No obstante la misma frontera debe reconocer a las otras disciplinas vinculadas o que afectan el conocimiento del objeto de estudio. Hoy en día no se puede decir que una disciplina del conocimiento pueda, de manera aislada, explicar la parte de la realidad de la que se ocupa. Pero al delimitar el estado del arte de una temática específica, la investigación no debe confundir la función del objeto de estudio con el fundamento de ese mismo objeto. La primera no es capaz de explicar las relaciones entre partes, temas y disciplinas; la segunda permite explicar cabalmente el lugar del objeto de estudio dentro de una disciplina y por ende establecer las relaciones entre las partes vinculadas (temas, objetos, disciplinas, etcétera) y apuntar así al objeto mediante su definición (que no permite confusión alguna) en la esfera de las teorías y principios que orientan a la disciplina que se encarga de su estudio.

Por ejemplo podemos observar que en lo que se refiere a disciplinas como la emblemática, la crítica literaria, la historia cultural o la filosofía, existe un interés continuo por conocer y difundir ciertas piezas del legado bibliográfico. Pero existe una característica interesante que debemos distinguir en los trabajos publicados de esas disciplinas: se hace mención a la edición de un impreso pero no al ejemplar de éste que suponemos que el autor ha trabajado.[6] Esta es la condición patrimonial, que el investigador informe dónde está el libro que

---

6   *Cfr.* José Pascual Buxó. "De la poesía emblemática en la Nueva España". En *Emblemata Aurea: la emblemática en el arte y la literatura del Silgo de Oro* / editores Rafael Zafra y José Azanza. Madrid: Fundación Universitaria de Navarra: Akal, 2000 o los diversos trabajos del volumen *La producción simbólica en la América Colonial: interrelación de la literatura y las artes* / editor José Pascual Buxó. México: UNAM. Instituto de Investigaciones Bibliográficas, 2001.

ha trabajado y si tiene alguna característica material relevante que lo distinga, tal como encuadernación, anotaciones manuscritas o su estado de conservación.

Con esa información en el futuro sabríamos con precisión cuál es la fuente de cada investigador, de la misma manera que hoy podemos identificar el material que trabajó García Icazbalceta o Toribio Medina. De otra manera no podemos garantizarle a las generaciones venideras que podrán consultar las mismas fuentes de quienes los antecedieron y hacer una lectura nueva o renovada del mismo material. En otros países, la fuente histórica no ha variado en décadas su lugar en el ordenamiento de la biblioteca ni las condiciones por las que se la ha valorado patrimonialmente. A diferencia de nuestro país en donde no podemos asegurar con plena certeza ese lugar patrimonial.

Éste es tan sólo un abordaje ligero acerca del escabroso camino que debe abordar todo interesado en la temática del legado bibliográfico mexicano. La falta de bibliografía específica y publicada, de información estadística fiable, de especialistas dedicados al tema y de contenidos académicos en la formación especializada, entre otros aspectos de relevancia, no le permiten al interesado recorrer una traza segura en el conocimiento anteriormente desarrollado sino que lo obligan a recorrer múltiples senderos. Esta forma de trabajo como la que hacen en otros países, busca pistas ciertas que la ayuden no solamente a identificar y definir claramente el objeto de estudio, sino también a apuntalar afirmaciones y posiciones desde lugares disciplinares variopintos.

Todo esto frente a una realidad social de la condición patrimonial que supera con creces las más ligeras estimaciones. Ésta es una de las características más llamativas del tema en cuestión. La realidad de ese legado, en todos sus aspectos, tal como el número de piezas documentales existentes, las características de las mismas, las instituciones vinculadas en la custodia, la valoración o apreciación de su naturaleza, las características de ésta, el lugar que guarda en el conjunto del patrimonio cultural, el reconocimiento como objeto patrimonial,

la trasmisión de sus contenidos y valores a la sociedad, el establecimiento de la protección jurídica, entre tantos otros, se confrontan de
forma directa con la escasa presencia del tema en la investigación bibliotecológica que se realiza en el país.

Sin duda en los últimos años venimos observando algunos cambios importantes en los intereses relacionados con este legado, pero
esta efervescencia de la preocupación no puede garantizarnos de
ninguna manera que la tendencia será la misma en unos años o en
unas décadas. El problema está presente y es emergente; la falta de
preocupación profesional está directamente relacionada con la pérdida patrimonial, que es irreversible. Entonces ¿Por qué no ha logrado apuntalarse y fortalecerse el legado bibliográfico en el mundo
profesional del bibliotecario? Quizá la respuesta sea la misma que
Fernando Benítez escribió en su *Libro de los desastres* (1976): si nos
diéramos cuenta de su valor, ya en el siglo XIX hubiésemos vendido
una sola colección para pagar la deuda externa.

Esa misma carencia sobre el valor de una riqueza cultural heredada
sigue destruyendo la memoria bibliográfica acumulada cual si fuera
una gotera. Al final lo que ocurre con el legado bibliográfico mexicano
es un problema de valoración y de formación, y hasta la fecha ni la de-
sidia ni la ignorancia han sido consideradas pecados capitales o al menos definidas como condiciones punibles por ninguna ley mexicana.

ESPACIOS PARA LA INVESTIGACIÓN ESPECIALIZADA: EL INSTITUCIONAL, EL JURÍDICO Y EL SOCIAL

La investigación bibliotecológica en México no ha abordado cabalmente las diversas problemáticas que enfrenta el legado bibliográfico
con la intención de asegurar su permanencia para las generaciones venideras. Esta opinión se deriva de la escasa producción bibliográfica
del país relacionada con esta temática y especialmente de la magnitud
que tiene la problemática existente en las bibliotecas mexicanas.

En líneas anteriores habíamos precisado que carecíamos de información fiable sobre esta situación institucional a la que hacemos mención. El mundo de las instituciones de custodia del legado bibliográfico es uno de los espacios principales donde pueden desarrollarse temáticas de investigación. Intentemos plantear a *grosso modo* esta realidad institucional para observar aquellos lugares que requieren de una reflexión. Un fondo antiguo en el que se encuentra parte de nuestro legado bibliográfico se compone de piezas que deben ser apreciadas desde dos puntos de vista: el del soporte o la condición material del objeto, y el de la información que contiene ese soporte.

Desde este punto de vista el problema patrimonial se inicia definiendo el universo de materiales que componen nuestro legado bibliográfico, caracterizándolo desde los puntos de vista anteriormente expuestos y desde la dimensión numérica del conjunto de objetos. Es decir, desde la apreciación cualitativa y cuantitativa de un problema específico. El principio de la custodia para una institución cultural comienza por dimensionar el contorno del conjunto de objetos que debe salvaguardar. En suma, se trata de identificar claramente qué tipo de responsabilidad se adquiere con la custodia de bienes patrimoniales y cómo va a realizarse dicha custodia.

He aquí un punto de análisis para la investigación que puede ayudar a responder preguntas tales como ¿Cuáles son las características que determinan la valoración patrimonial de un objeto bibliográfico? ¿Cómo deben registrarse tales características y en qué orden? En efecto, el aparentemente fácil dilema que presenta el inventario y registro de bienes patrimoniales debe analizar y conocer al objeto mismo de la custodia y definir qué tipo de instrumento de control debe elaborarse para reflejar la naturaleza patrimonial del objeto y para asegurar una adecuada salvaguarda del mismo.

En esta tónica ninguna decisión podría dejar de considerar las opciones tomadas por instituciones culturales de otros países que tienen mayor experiencia en el trabajo con este tipo de materiales y con el reconocimiento de su valía patrimonial. Por ejemplo, el hecho de que se hayan realizado catálogos en México de este tipo de materiales antiguos,[7] sin considerar la existencia de la norma internacional ISBD (A) es, en parte, responsabilidad de la investigación especializada. Si como hemos dicho la investigación ayuda a definir el estado del arte de una temática, entonces de haber existido interés en el legado bibliográfico alguien habría informado de la existencia de dicha norma o cuando menos habría aportado argumentos sólidos para explicar por qué razón no se la utilizó.

Los niveles de descripción bibliográfica y las técnicas que los justifican son una de las más incisivas críticas que el mundo exterior realiza acerca del trabajo bibliotecario. La elaboración de catálogos y bibliografías en el espacio patrimonial resultan instrumentos cruciales sin los cuales es imposible diseñar un futuro de salvaguarda para el legado bibliográfico, pero también para la transmisión de la información. Entonces ¿por qué el propio mundo profesional del bibliotecario ha degradado la elaboración de dichos instrumentos? Es difícil responder a esta pregunta considerando el trabajo que en esta materia se realiza en otros países y lo que esto ha significado tanto para el control patrimonial como para el conocimiento histórico.

La razón misma que explique cuál es el lugar y la función social de cualquier biblioteca y del bibliotecario, pero específicamente de aquella institución que custodia bienes bibliográficos y su responsable, representa por sí misma un tema de investigación. Las características de las bibliotecas y sus recursos materiales, humanos y financieros en el marco de la cultura de un país como el nuestro, representa otra mirada de investigación.

---

7   En esta estimación se encontrarían todos los catálogos de fondos antiguos de bibliotecas realizados por el Instituto Nacional de Antropología e Historia, que se realizaron sin considerar las normas internacionales pero tampoco los datos básicos de registro que son relevantes para este tipo de objetos patrimoniales.

El mundo de las bibliotecas como instituciones culturales del pasado y su evolución en el devenir histórico hasta adquirir las características que las definen en la vida contemporánea son temas de investigación que actualmente se analizan muy poco. Tendríamos que agregar aquí los problemas de conservación y preservación, de valoración y tasación, de custodia y difusión, e incluso las formas de transmisión de la herencia bibliográfica entre generaciones.

Ahora bien, las bibliotecas no son entidades asiladas de forma satelital en la vida cultural de un país y mucho menos cuando se trata de la custodia de bienes patrimoniales. No hay que olvidar que en una perspectiva patrimonial, el objeto bibliográfico se integra a una herencia cultural compuesta de otros objetos de distinta naturaleza. En conjunto general conforma lo que definimos como patrimonio cultural y dentro de éste se reconocen tipos de bienes como los históricos, los artísticos, los documentales, los arqueológicos o los bibliográficos.

Por esta razón resulta incluso equívoco denominar patrimonio bibliográfico a ese legado al que nos estamos refiriendo. El patrimonio es sólo uno, es una herencia compartida y colectiva. Los objetos no pueden ser subdivididos en varios patrimonios sino en conjuntos de bienes según su naturaleza compartida y por tanto también su problemática.

Desde esta perspectiva, debemos comprender que en nuestro país las instituciones responsables del patrimonio cultural por ministerio de ley no poseen un departamento específico dedicado a trabajar sobre el legado bibliográfico del país. En el organigrama del Estado Mexicano existe una Dirección General de Bibliotecas adscrita al Consejo Nacional para la Cultura y las Artes cuya finalidad es el servicio de información que se ofrece mediante la Red de Bibliotecas Públicas, pero no el control de los bienes patrimoniales.

Esta realidad de las instituciones culturales se verá reflejada de forma directa en la elaboración de leyes, tanto federales como estatales. Nuestro país solamente tiene una *Ley General de Bibliotecas*; no existen leyes federales ni para los archivos ni para los Museos. Dicha ley no hace mención en ninguno de sus artículos al problema patrimonial de las bibliotecas, lo que nos conduce a reflexionar si somos conscientes de que para poder ofrecer servicios de información, toda biblioteca debe antes conservar información.

Esta parte patrimonial de la problemática de la institución bibliotecaria debe enfrentarse a la realidad del patrimonio cultural y de las instituciones que lo custodian. Este apartado del problema de la protección legal del legado bibliográfico lo hemos tratado de analizar en un texto anterior[8] a partir de un espacio más amplio de comprensión denominado por la UNESCO patrimonio documental. A través de esta reflexión y esa lectura, nos damos cuenta de que esta arista de la realidad es aún más compleja de lo que parece. Analicemos dos lugares desde los cuales la investigación bibliotecológica podría participar para solucionar la protección legal del legado bibliográfico.

Lo primero es aquello que la investigación bibliotecológica debe hacer al construir una estructura teórica. En efecto, para hacer tal construcción la investigación requiere delimitar y definir cada uno de los objetos que se vinculan entre sí o que se reconocen como parte del campo disciplinar. Evidentemente se debe hacer lo propio con los fenómenos de la realidad social y las relaciones que se establecen entre ellos, y que afectan la explicación o comprensión de los objetos de estudio de la disciplina en cuestión.

Si no definimos claramente los objetos que componen ese legado bibliográfico y las características que determinan que los objetos materiales que lo integran puedan ser considerados como patrimoniales, difícilmente conseguiremos elaborar textos legales que reconozcan el problema que nos ocupa.[9] Por ejemplo, la protección legal vigente en nuestro país reconoce a ciertos objetos pero no a las

---

8 *Cfr.* Idalia García. *Miradas asiladas, visiones conjuntas: defensa del patrimonio documental mexicano.* México. UNAM. CUIB, 2001.

9 *Ibidem.*

instituciones de custodia, y esto crea realidades confrontadas de apreciación patrimonial.

En segundo lugar esta misma investigación aporta datos relevantes para valorar los bienes bibliográficos custodiados por nuestras instituciones culturales. La valoración de un objeto patrimonial es también parte del problema de la tasación y, por ende, del comercio legal e ilegal de estas piezas. Una ley patrimonial pretende evitar el saqueo y el deterioro de la riqueza cultural de un país, y podría, por tanto, llegar a considerar la tasación como un elemento de seguridad del Estado.

De ahí que sea necesaria la participación del especialista para definir claramente todos los objetos que se protegerán, los niveles de protección y las razones que justifican esto, así como las responsabilidades institucionales y personales que se derivan de la custodia de bienes patrimoniales en tanto heredad colectiva, cuya seguridad debe garantizarse dado que afecta a terceros.

Son precisamente éstos quienes conforman el espacio social del legado bibliográfico. No hay condición patrimonial para ningún objeto mueble o inmueble si no existe ninguna relación con lo social. Es la sociedad la que determina por qué ciertos objetos son valorados patrimonialmente y por qué otros no. Esa misma sociedad reinterpreta los símbolos y significados contenidos en los objetos heredados y es la que transmite los valores que lo caracterizan. En suma, un patrimonio sin conexión con la sociedad no es más que una colección de objetos muertos.

Es por esta razón que la investigación bibliotecológica no puede dejar de lado las relaciones del legado bibliográfico con la sociedad, especialmente si consideramos que la mayor parte de los bienes bibliográficos tiene una naturaleza extremadamente frágil y por ello no puede relacionarse de forma directa con lo social. Es decir, se hace necesario diseñar medidas y mecanismos que le permitan al conjunto de la sociedad conocer y disfrutar su legado bibliográfico pero sin ponerlo en riesgo.

Una de las maneras que han permitido este conocimiento, sin riesgo de pérdida material, han sido las exposiciones bibliográficas, los facsímiles y últimamente la digitalización de objetos bibliográficos, ya sea completos o sólo algunas de sus partes más representativas. Todo este espacio de reproducción implica también la necesidad de desarrollar la investigación. No hay que olvidar que los códigos bajo los cuales esos objetos fueron elaborados se han perdido en el tiempo. Por eso para transmitir su contenido e importancia es necesario recrear el pasado del objeto mismo para comprender su valor, así como su devenir en el tiempo, sólo así podremos comprender la importancia de su conservación y su condición patrimonial.

Estos tres espacios mencionados, el institucional, el jurídico y el social, así como sus relaciones, conforman el entramado en el que deben implementarse las políticas culturales del legado bibliográfico. Ya en líneas anteriores nos referimos al problema del inventario y registro del legado bibliográfico. Una vez que se ha decidido qué tipo de instrumento de control es el más adecuado para este tipo de materiales, debe también pensarse en la posibilidad de que el registro sea compartido por todas aquellas instituciones culturales que tengan bajo su custodia materiales de la misma naturaleza. Esto es lo que en muchos países se conoce como catálogo colectivo del patrimonio bibliográfico. Semejante proyecto nacional y de tal envergadura y alcance no puede ser planeado para un simple periodo político.

Sin embargo las políticas culturales en México son extremadamente complicadas en los temas más comunes como el fomento al arte y la protección del patrimonio cultural. El mismo tipo de política en lo que se refiere al legado bibliográfico mexicano, no ha logrado elevar su importancia y convertirse en un tema nacional que nos conduzca a reflexionar seriamente sobre el tiempo perdido y las acciones que podríamos estar tomando para impedir la perdida de materiales valiosos para nuestra memoria colectiva. Sin duda, con esta reflexión la investigación bibliotecológica podría darse cuenta de la importancia que tiene el tema que ha quedado permanentemente inconcluso.

EL CONOCIMIENTO DEL LEGADO BIBLIOGRÁFICO COMO HERENCIA CULTURAL

Quizás donde más se resiente la ausencia de la investigación bibliotecológica en lo que se refiere al legado bibliográfico, es en el conocimiento y la identificación de los bienes bibliográficos en lo que toca a sus características materiales y de información. Estas peculiaridades son las mismas que hoy observamos en el trabajo de los grandes bibliógrafos mexicanos y constituyen también los elementos de valoración de un objeto bibliográfico como bien patrimonial.

> El libro es un objeto único que transmite el estado del conocimiento y, por tanto, al hombre, la ciencia y la sociedad que lo ha creado atrapados en un momento concreto de su evolución, pero que, por él mismo, muestra también la situación del momento de su creación. *Todos estos aspectos determinan que resulte imposible apreciar el libro de una manera única*.[10]

Ciertamente estas múltiples miradas sobre un objeto tan peculiar, fuerzan a considerar con mayor importancia a los ejemplares que a las ediciones. En términos patrimoniales nos interesa saber cuál de todas las ediciones poseemos y cuáles son las características que la distinguen.

Esta información es la que se debe dar a conocer[11] de forma paralela a la mirada disciplinar sobre el objeto, sea ésta estética, histórica,

---

10 Manuel José Pedraza Gracia. "Identificación, análisis y descripción de los elementos materiales del libro antiguo". En *Comercio y tasación del libro antiguo: análisis, identificación y descripción, Jaca, 1-5 de septiembre de 2003* / edición a cargo de Manuel José Pedraza Gracia. Zaragoza: Prensas Universitarias de Zaragoza, 2003. p. 11 y 12. La negrita y cursiva son mías.

11 Un ejemplo que apuntala esta información lo representaría la siguiente nota: "El que se conserva en la Biblioteca Nacional de Madrdi son sig. R 34813, ejemplar que perteneció a Pascual de Gayangos, en la hoja segunda vuelta, justo antes de la portada, indica en inscripción manuscrita: "liber rarissimus". sagrario López Poza. "Diferencias entre la primera y segunda edición de las Empresas Políticas de Saavedra Fajardo. En *La producción simbólica en la América Colonial: interrelación de la literatura y las artes* / editor José Pascual Buxó. México: UNAM. Instituto de Investigaciones Bibliográficas, 2001.Nota 2, p. 194

científica, etcétera. El análisis, identificación y conocimiento de estos elementos nos da una idea del valor que tienen los objetos del legado bibliográfico como fuentes históricas. Es ubicando estos objetos en el pasado y a sus elementos características en relación con otras fuentes (como los documentos históricos) como podemos acercarnos de manera más precisa a lo que les aconteció a las generaciones que nos precedieron.

Pero, "[...]en México, los estudios sobre la historia del libro, su irradiación y difusión son escasos. Se trata de un campo al que se le ha dedicado [poco] esfuerzo e interés; sin embargo, existen todavía muchos aspectos que pueden proporcionarnos elementos que den a luz a varios pasajes de nuestra historia".[12] Si analizamos el desarrollo de este conocimiento histórico en Francia, España, Italia, Inglaterra, Alemania e incluso en los Estados Unidos, observaremos que todas esas publicaciones le dan continuidad al conocimiento previamente desarrollado y que gracias a él se valora y custodia de mejor manera la herencia bibliográfica.

Consideremos un caso para ejemplificar esta situación: en nuestro país siempre se han distinguido por encima de cualquier otro libro a los mal denominados "incunables americanos".[13] Esta valoración especial está vinculada a la condición de ser el primer territorio americano en donde se introdujo el "arte de la imprenta". Sin duda y en términos comparativos son los objetos bibliográficos sobre los que

---

12 Columba Salazar Ibargüen. *Una biblioteca virrreinal de Puebla, siglo XVIII: Fondo Andrés de Arze y Miranda.* Puebla: BUAP. Instituto de Ciencias Sociales y Humanidades, 2001. p. 12

13 Desde la época de Nicolás León se ha discutido esta denominación. En lo particular considero que es equívoca ya que nuestro impresos del siglo XVI tienen mayor cercanía en su estructura material con los libros producidos después de 1500; este año se considera de manera general el año de cierre del periodo incunable. La imprenta en México llegó casi 100 años después de haber comenzado su desarrollo en el continente europeo. En resumen, los impresos novohispanos del XVI son más cercanos a los denominados libros antiguos. *Cfr.* José Luis Checa Cremades, *El libro antiguo.* Madrid: Acento Editorial, 1999.

más se ha escrito y los que más se han reproducido, pero si comparamos el tipo de información y conocimiento que en Europa se tiene de los incunables,[14] por cada país, tendremos que reconocer que nuestra información es pobre, escasa y poco novedosa.[15]

La encuadernación y las anotaciones manuscritas que tienen los bienes bibliográficos, así como otros elementos históricos, nos ayudan a delinear el pasado de cada pieza y a relacionar ese pasado con otros. Específicamente nos ayuda a introducirnos en lo que se conoce como la historia cultural y de las mentalidades. Estos estudios han permitido analizar no sólo los objetos bibliográficos que hemos heredado, sino a quienes los poseyeron y las razones por las que los adquirieron. El uso del libro se manifiesta en su evidencia histórica y mediante ésta podemos acercarnos a la comprensión del libro en su medio social. Efectivamente se trata de un conocimiento especializado que posteriormente debe ser socializado para poder transmitir el valor cultural del objeto.

Sin embargo para que sea posible el conocimiento derivado de la investigación primero hay que incluirlo temáticamente en las escuelas profesionales. Empero, en nuestro país, dicha formación profesional no incluye prácticamente ningún contenido relacionado con los bienes bibliográficos en su dimensión patrimonial ni como fuentes históricas. Es decir, los alumnos no reconocen ni identifican esa doble dimensión material y de información a la que nos hemos venido refiriendo. Tal actitud permite en las escuelas de bibliotecología y documentación la exclusión temática de prácticamente todos los materiales del fondo antiguo que son considerados como objetos

---

14 *Cfr. Incunabula and their Readers: Printing, Selling and Using Books in the Fifteenth Century* / edited by Kristian Century. London: The British Library, 2003.

15 De este periodo histórico se sabe muy poco. Cada uno de los impresores del siglo XVI novohispano ha sido trabajado por un investigador, pero después de esto no se ha vuelto a retomar el tema. En este caso se presenta la condición de análisis que recupera la edición por sobre el ejemplar y siendo los primeros impresos nos debería importar cuántos quedan de cada edición, en dónde se localizan y cuáles son las peculiaridades que distinguen a unos de otros.

patrimoniales. Por esta consideración dichos objetos conforman un universo de conocimiento especial que no debería ser obviado y que no obstante se considera irrelevante frente a otros.

Parecemos no damos cuenta de que la falta de conocimiento en el profesionista posibilita en gran medida un riesgo permanente para los objetos patrimoniales tanto como los bibliográficos. En efecto, si el profesionista encargado de la custodia desconoce las características, internas y externas por las que un material bibliográfico es considerado valioso en términos patrimoniales, entonces no está capacitado para ejercer adecuadamente la salvaguarda del objeto en cuestión. No hay que olvidar que la salvaguarda es un conjunto de procesos que incluyen tanto el conocimiento del objeto que se custodia como la posibilidad de implantar medidas específicas para su preservación a largo plazo.

Desde esta perspectiva parece fácil comprender por qué las bibliotecas con materiales patrimoniales no suelen entregársele como responsabilidad a un bibliotecario profesionista sino a un historiador o un literato. Es ésta una cuestión de valoración cultural que no formamos ni fomentamos en la educación bibliotecológica. Por la misma condición en términos generales, el bibliotecario, no muestra interés en desarrollar investigaciones relacionadas con el material antiguo.

> El resultado es que la mayoría de las historias han sido hechas no por bibliotecarios, sino por historiadores. Al respecto podría preguntarse ¿es que el bibliotecario no tiene capacidad de hacer una investigación histórica de su propia profesión? Creo que no es problema de capacidad, en muchos de los casos, sino de tiempo y de posesión de una cultura histórica sólida.[16]

Es evidente que si no incluimos los temas históricos en la formación bibliotecológica, si no investigamos y por tanto producimos nuevos conocimientos, si no valoramos el legado bibliográfico como comunidad bibliotecológica, no le proporcionaremos a los profesionistas de

16 Rosa María Fernández de Zamora. "La historia de las bibliotecas en México 1980-1996: una revisión de la literatura". En *Investigación Bibliotecológica*. Vol. 11, no. 22 (enero/junio 1997) p. 54

la bibliotecología una formación histórica sólida. El aislamiento de una disciplina respecto del medio cultural de la sociedad en la que se desarrolla no puede ser considerado castigo divino, sino una opción que ha tomado un colectivo profesional.

El escaso interés que la comunidad bibliotecológica mexicana ha puesto sobre el pasado de su profesión, sobre la institución que la explica y sobre los objetos de estudio que su disciplina analiza es sólo responsabilidad de la propia comunidad. Más aún, el futuro de la memoria bibliográfica contemporánea que será el legado bibliográfico de las próximas generaciones también es nuestra responsabilidad. La máxima histórica que dice que quienes no aprenden de su pasado están condenados a repetirlo parece una advertencia para reflexionar sobre este aspecto inconcluso de la investigación bibliotecológica en México.

BIBLIOGRAFÍA UTILIZADA

BARKER, Nicolas. *Form and Meaning in the History of the Book: Selected Essays*. London: The British Library, 2003.

CHECA CREMADES, José Luis. *El libro antiguo*. Madrid: Acento Editorial, 1999.

Comercio y tasación del libro antiguo: análisis, identificación y descripción, Jaca, 1-5 de septiembre de 2003 / edición a cargo de Manuel José Pedraza Gracia. Zaragoza: Prensas Universitarias de Zaragoza, 2003.

Emblemata Aurea: la emblemática en el arte y la literatura del Siglo de Oro / editores Rafael Zafra y José Azanza. Madrid: Fundación Universitaria de Navarra: Akal, 2000.

FERNÁNDEZ DE ZAMORA, Rosa María. La historia de las bibliotecas en México 1980-1996: una revisión de la literatura. En *Investigación Bibliotecológica*. Vol. 11, no. 22 (enero/junio 1997)

GARCÍA AGUILAR, Idalia y Miguel Ángel Rendón Rojas. "El fondo antiguo: su estructura conceptual". En *Binaria. Revista de Comunicación, Cultura y Tecnología.* Texto disponible en http://www.uem.es/binaria/anteriores/n1/introfl.html [Consultado: marzo de 2004]

‒ ‒. *Miradas aisladas, visiones conjuntas: defensa del patrimonio documental mexicano.* México. UNAM. CUIB, 2001.

Incunabula and their Readers: Printing, Selling and Using Books in the Fifteenth Century / edited by Kristian Century. London: The British Library, 2003.

MATEO RIPOLL, Verónica. *La cultura de las letras: estudio de una biblioteca eclesiástica en la Edad Moderna.* San Vicente de Raspeig: Universidad de Alicante, 2002

PEARSON, David. *Provenance Research in Book History: A Handbook.* London. The British Library, 1994.

La producción simbólica en la América Colonial: interrelación de la literatura y las artes / editor José Pascual Buxó. México: UNAM. Instituto de Investigaciones Bibliográficas, 2001.

ROMERO DE TERREROS, Manuel. *Encuadernaciones artísticas mexicanas.* 2ª ed. México: Biblioteca de la II Feria del Libro y Exposición Nacional del Periodismo, 1943.

Tasación, valoración y comercio del libro antiguo: textos y materiales, Jaca, 2-6 de septiembre de 2002 / edición a cargo de Manuel José Pedraza Gracia. Zaragoza: Prensas Universitarias de Zaragoza, 2002.

SALAZAR IBARGÜEN, Columba. *Una biblioteca virrreinal de Puebla, siglo XVIII: Fondo Andrés de Arze y Miranda.* Puebla: BUAP. Instituto de Ciencias Sociales y Humanidades, 2001.

SÁNCHEZ MARIANA, Manuel. *Introducción al libro manuscrito.* Madrid: Arco Libros, 1995.

Algunas reflexiones sobre investigación y patrimonio bibliográfico mexicano

ROSA MARÍA FERNÁNDEZ DE ZAMORA[1]
Universidad Nacional Autónoma de México

L a era de la información caracterizada por el triunfo de Internet tuvo su origen a comienzos de los años ochenta y apenas ha alcanzado el inicio de su plenitud en este principio de siglo y de milenio. Disponer de la información, como ahora puede hacerse a través de la Red que desaparece las distancias entre individuos e instituciones, ha llevado a que la información adquiera un gran valor: "Los cambios que se están produciendo están configurando día a día una sociedad impensable hasta hace unos años, pero posee un alcance equiparable a las revoluciones de las 'tecnologías de la palabra', como las llama Walter J. Ong al referirse al descubrimiento de la escritura y al desarrollo de la imprenta de tipos móviles y señalar que esta última potenció a la escritura a extremos excepcionales '[...]pues fue la impresión la que de hecho ratificó la palabra y con ella la actividad intelectual'" (citado por Darío Villanueva Prieto. p. 11)

En esta época de Internet como se señala, es difícil pensar que alguien no esté consciente del valor que tiene la información, ¿pero potenciará la actividad intelectual como lo hizo la imprenta?

---

1 Agradezco el apoyo de Gloria Miriam Rivera para la realización de esta ponencia.

PATRIMONIO BIBLIOGRÁFICO

¿Qué es lo que entendemos por patrimonio bibliográfico? Podemos decir que es parte del patrimonio documental que es muy diverso e importante, y que forma parte del patrimonio cultural de una colectividad.

Si nos restringimos al término patrimonio bibliográfico, estaríamos hablando de todo ese legado impreso heredado de tiempos pasados, (y por tanto no incluiría la herencia documental prehispánica) esa parte de nuestro patrimonio cultural que no sólo constituye un testimonio valioso de nuestro pasado y de nuestra historia sino también parte de esa memoria colectiva que nos da identidad. En el caso de México ese patrimonio es muy amplio y variado. A este legado producido por las diferentes épocas de nuestra historia, generalmente lo dividimos en:

> ➤ Época virreinal: Siglo XV a 1821
> ➤ Época Independiente-Republicana: 1821- 1910
> ➤ Época contemporánea: 1911-2000

Cada época tiene sus características peculiares generales y particulares, y los documentos son testimonio de esas peculiaridades, lo cual hace que se conviertan en un atractivo cultural, histórico o político para los investigadores.

Este legado no está formado sólo por lo publicado en México sino también por los libros, periódicos, revistas y otros impresos que llegaron de Europa para formar las bibliotecas mexicanas, especialmente durante las épocas virreinal y decimonónica.

En relación con las publicaciones impresas en México, las de los siglos XVI y XIX son aquellas que hasta ahora han despertado mayor interés entre los investigadores de las diferentes disciplinas y por tanto las más estudiadas.

Sin embargo el patrimonio virreinal y el contemporáneo están en desventaja frente al arqueológico o el prehispánico, para confirmar lo cual basta con considerar la ley vigente y su aplicación sobre la protección del patrimonio, la *Ley Federal de Monumentos y Zonas Arqueológicos, Artísticos e Históricos*, la cual, como asienta Martha Fernández (p.28) al referirse a los monumentos arquitectónicos: "A pesar de que la lista de bienes virreinales dignos de ser protegidos y conservados se ha ampliado, especialmente en este siglo en que ya no sólo se contemplan obras aisladas, sino también zonas enteras, su valoración se mantiene restringida y relegada su protección, de manera que siempre se encuentra en peligro de perderse para sacar a la luz la belleza de una ruina prehispánica." Esta situación se le puede aplicar también al patrimonio bibliográfico, que igualmente ha sido relegado y al cual se le ha dedicado poca atención en las bibliotecas. En cuanto al patrimonio contemporáneo esta ley no lo contempla como tal. En conclusión, se privilegia al patrimonio prehispánico sobre el novohispano y el contemporáneo.

De allí la necesidad de despertar interés en cuanto al valor patrimonial de los documentos, para que se respeten en tanto testimonios del pasado y como parte esencial del patrimonio cultural del presente, y de esta manera adquieran un nuevo valor apoyado por el resultado de estudios de investigación.

Pero mencionar que las publicaciones mexicanas de los siglos XVI y XIX han sido las más investigadas no significa que han sido suficientemente estudiadas, pues siempre habrá algo nuevo por descubrir.

Por ejemplo, en mi investigación sobre los impresos mexicanos del siglo XVI como patrimonio cultural, podré incluir con ayuda de uno de mis asesores, una obra descubierta en la biblioteca de la Universidad de Salamanca hace más de doce años,

Doctrina cristiana muy util...1578

Presente amistoso

desconocida por el eminente García Icazbalceta, por otros bibliógrafos estudiosos de esos impresos y por bibliógrafos y bibliólogos contemporáneos. Este impreso es la *"Doctrina cristiana muy util, y necessaria así para los españoles, como para los naturales, en lengua mexicana y castellana, Ordenada por mandado del illustrissimo y reverendissimo Señor, Don Pedro Moya de Contreras...*México: Pedro Balli, 1578. Pero también se han localizado además dos obras que se daban por perdidas:, *La vida del Bienaventurado Sant Francisco...agora nuevamente traducida en lengua mexicana.* México: Pedro Balli, 1577, que también se encuentra en la Universidad de Salamanca y el *Calendarium* impreso por la viuda de Pedro Ocharte apud Cornelio Adrián César, encontrado recientemente en la Biblioteca Nacional.

El patrimonio bibliográfico del siglo XIX ha sido todavía más estudiado que el del XVI y resulta sumamente atractivo para los estudiosos de las cuestiones políticas, económicas y sociales, pues abundan especialmente las investigaciones sobre el periodismo y las revistas, aunque "no así las cuestiones relativas a la cultura que no ha logrado acaparar la atención de los estudiosos, dicen los especialistas en ese siglo." (L. Suárez de la Torre p. 7)

Si los siglos XII y XIII han sido poco estudiados, el siglo X es también un periodo olvidado en la investigación de nuestro patrimonio bibliográfico. Sin embargo en su primera mitad surgieron imprentas que reunían calidad del contenido y belleza en la impresión, se podría afirmar que fueran imprentas artesanales de gran calidad.

251

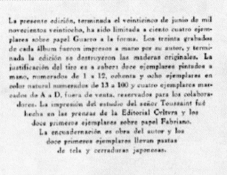

Campanitas de plata ...1925

Colofón: *Treinta asuntos mexicanos: grabados en madera. 1928*

Ejemplo de ello son las obras salidas de las editoriales Cultura, Fondo de Cultura Económica, Imprenta Universitaria, y las imprentas de organismos oficiales como la Secretaría de Educación Pública y la Secretaría de Relaciones Exteriores, cuyas publicaciones, tan poco apreciadas, con el tiempo van adquiriendo gran valor. Esas publicaciones contaban, además, con bellos y ricos colofones que ahora han desaparecido. Lo mismo se puede mencionar sobre la importancia que tiene ahora la fotografía como fuente documental de gran valor.

Es necesario resguardar todo esto para las futuras generaciones en tanto que tiene valor estético, social e histórico; salvarlo de la indiferencia e ignorancia que pueden llevarlos a su destrucción. El investigador bibliotecario consciente de la significación de este patrimonio para su comunidad y para la humanidad debe propiciar su estudio y buscar los medios para difundirlo y preservarlo.

INVESTIGACIÓN

Como es sabido la investigación está agrupada en dos facetas: la básica, cuyo fin primordial es la búsqueda de verdades universales y la aplicada, enfocada a la solución de problemas concretos de carácter nacional.

Los bibliotecólogos investigadores del patrimonio bibliográfico deben reconocer que una de sus tareas fundamentales es darle solución a uno de los graves problemas nacionales: la falta de control bibliográfico sobre los fondos antiguos patrimoniales existentes en las bibliotecas mexicanas En el contexto de esta misión, se puede reconocer que una de las tareas o propósitos de la investigación debe ser el estudio del "entorno" en que se encuentra el patrimonio bibliográfico de México, porque hay que preguntarse ¿se puede realizar investigación sobre el patrimonio bibliográfico sin contar con los catálogos o inventarios necesarios de las colecciones existentes en las diferentes bibliotecas del país?

Sabemos que el patrimonio sobre todo el antiguo, está poco o nulamente catalogado, que el panorama en cuanto a catálogos o bases de datos es muy pobre, y que a veces esto está hecho sin ninguna normalización. Así, creo que una de las tareas esenciales es promover la formación o realización de catálogos normalizados y automatizados, y ponerlos a disposición de los investigadores a través de Internet.

Sin estas herramientas es difícil incursionar en la investigación del patrimonio bibliográfico en cualquiera de sus aspectos y sobre todo en el planeamiento de proyectos de largo alcance, porque se desconoce el entorno sobre el que se puede trabajar. La consecuencia de esto ha sido un rezago en el estudio de este patrimonio.

Vale concluir que la catalogación de estos fondos es una prioridad nacional, pues además de identificar y ubicar las obras de las diferentes épocas y orígenes que integran esos fondos antiguos, su control bibliográfico facilita el acceso para estudiarlas desde múltiples aspectos y asegura, además, su resguardo y conservación. Hay que tener en cuenta que los trabajos de identificación, de ubicación, y su rareza, unicidad y preservación, característicos de un estudio patrimonial, deben ser cuidadosos y normalizados.

Todo lo anterior se puede realizar ahora con mayor facilidad usando las nuevas tecnologías de información. Pero una herramienta de trabajo cooperativo que puede ayudar a mitigar el problema del control bibliográfico sería un catálogo colectivo de fondos antiguos. En este sentido, la Biblioteca Nacional ha buscado desde hace más de diez años la elaboración de un Catálogo Colectivo de Fondos Antiguos en las Bibliotecas Mexicanas que pudiese propiciar además la catalogación de fondos no registrados.

Sabemos que el patrimonio bibliográfico documental, en todos sus aspectos, es de interés no sólo para el investigador bibliotecólogo, sino también para los investigadores del diseño gráfico, del papel, de la tinta, del libro como objeto de arte, del sociólogo que estudia la lectura, del historiador, etcétera. "[...]estudiosos todos del quehacer humano reflejado en ese patrimonio, para obtener así una mejor comprensión de su tiempo y de su destino." (B. de la Fuente p.12)

La investigación sobre el patrimonio bibliográfico en esta era de la información se está convirtiendo cada vez más en una investigación multidisciplinaria, no queda solamente en la tarea del bibliotecólogo, o del bibliógrafo o del bibliólogo, se debe trabajar en cooperación con el computólogo, el diseñador gráfico y el matemático; es decir, hay que hacer una integración de saberes. Maurice Line señala que en esta época en que la digitalización ofrece la posibilidad de un acceso mucho más amplio, por vez primera las publicaciones patrimoniales, generalmente resguardadas en las bibliotecas nacionales, pueden hacerse universalmente accesibles al público general y a los investigadores, sin arriesgar su integridad y su seguridad.

La moderna tecnología ofrece múltiples oportunidades que debemos incorporar al registro, estudio y difusión del patrimonio bibliográfico mexicano.

OBRAS CONSULTADAS

Castells, Manuel. La era de la información/Economía, Sociedad y Cultura. *Revista valenciana d'estudis autonomics.* no. 24, 1998. p.325-330

Fernández, Martha La conservación del patrimonio virreinal de México. *Revista de la Universidad* no. 502, 1992. p. 24-28

Fuente, Beatriz de la. Reflexiones en torno a la conservación de las obras de arte *Revista.de la Universidad* no. 502, 1992. p. 12-15.

Ley Federal de Monumentos y Zonas Arqueológicos, Artísticos e Históricos. *Diario Oficial* 6 de mayo de 1972. p.16-20

Line, Maurice. Making the Nation's Whole Cultural Heritage Accessible. *Alexandria* v.11,no.3,1999 p.145-147

Villanueva Prieto, Darío. Presentación, en *Ex-Libris Universitatis: el patrimonio de las bibliotecas universitarias españolas*. Santiago de Compostela, 2000. Madrid: CRUE, 2000.

TEMA:
EDUCACIÓN BIBLIOTECOLÓGICA

Aprender en la virtualidad: reflexiones desde la investigación bibliotecológica

ROBERTO GARDUÑO VERA
Universidad Nacional Autónoma de México

INTRODUCCIÓN

La educación en sus diversos niveles y modalidades es un área privilegiada para comprender y prever los procesos que se generan con la constante aparición de las Tecnologías de Información y Comunicación (TIC) y los desafíos que deben ser enfrentados por las disciplinas en beneficio de la sociedad contemporánea. Así, la "educación virtual"[1] y las tecnologías convergen para aglutinar procesos educativos, contenidos, canales de comunicación y actores del aprendizaje. En consecuencia, las TIC han puesto de manifiesto la necesidad de incidir en investigaciones dirigidas a estudiar las posibilidades que aquéllas pueden ofrecerle a la educación virtual del presente siglo.

Por lo anterior, es menester investigar permanentemente sobre la importancia que pueden tener para la bibliotecología las teorías que sustentan a la educación virtual, las repercusiones que ha propiciado

---

1 Educación virtual. Modelo caracterizado por un currículo innovador y flexible, que propicia la interactividad en el proceso de aprendizaje y la autoformación. Se apoya en redes de teleproceso, en herramientas didácticas en multimedios y en bibliotecas y laboratorios virtuales.

Internet en la educación virtual, y los efectos que ocasiona este tipo de enseñanza en el aprendizaje de los fenómenos emergentes que deben ser atendidos por la disciplina bibliotecológica. Sin duda, la educación virtual y su convergencia con las Tecnologías de Información y Comunicación, han dado lugar a diversos fenómenos de investigación, por lo tanto en el presente trabajo se reflexiona en torno a los aspectos siguientes: lo virtual en la educación; las TIC en la educación virtual; la investigación bibliotecológica y el aprendizaje virtual en bibliotecología. Finalmente se hace referencia a programas recientes y relevantes en México orientados a la educación vía Internet, los cuales pueden ser de utilidad para la investigación y el aprendizaje virtual en bibliotecología.

LO VIRTUAL EN LA EDUCACIÓN

En la actualidad es muy común hablar de universidad virtual, educación vía Internet, educación virtual, aprendizaje virtual, entornos virtuales de aprendizaje, etcétera. Sin embargo, conviene en principio preguntar ¿qué es lo virtual? A este respecto se ha señalado que lo virtual es aquello que está implícito, lo que es de facto. Pero como término se ha definido de la siguiente manera: "Virtual, frecuentemente en oposición a efectivo o real; que tiene existencia aparente y no real".[2] En este mismo sentido el *Diccionario Enciclopédico de Términos Técnicos* define a lo virtual como "[...]efectivo, aparente, irreal. Que existe en esencia o en sus efectos, aunque no en forma real y verdadera".[3] Por su parte Maestre Yenes señala que lo virtual es la:

> [...]forma de funcionar basada en las tecnologías de la información y de las comunicaciones en la que se simula el mundo real dando una serie de prestaciones y funcionalidades que permiten en gran medida

---

2 *Diccionario de la Lengua española*, p. 2095
3 *Diccionario Enciclopédico de Términos Técnicos*, p. 1709

obtener los mismos servicios y prestaciones que se obtendrían en aquel [...] utilizando las posibilidades que proporciona Internet.[4]

Con base en los aspectos precedentes, se puede señalar que lo virtual es la acción que produce efectos en la sociedad de forma no presencial, situación que conlleva a la simulación, a lo simbólico. "Cabe advertir que en estos tiempos la dimensión simbólica está sobredimensionada, en particular desde que los medios masivos de comunicación comienzan a ocupar un lugar destacado en la sociedad y elaboran discursos que explican los hechos, interpretan situaciones y acciones de los seres humanos".[5]

Se advierte que la educación virtual pretende incidir en el uso creciente de las Tecnologías de Información y Comunicación (TIC), y alimentar el interés de los tutores al ofrecerles un nuevo modelo de gestión educativa centrado en el aprendizaje de los alumnos, lo cual implica fomentar el estudio independiente y el estudio colaborativo y la interacción académica efectiva entre tutor-alumno; alumno-tutor; el desarrollo de habilidades cognoscitivas en los alumnos; y la capacidad de análisis, de síntesis y la formulación de juicios valorativos.

En consecuencia el tutor se convierte en facilitador de los aprendizajes y diseñador de estrategias de autoaprendizaje al inculcar el aprendizaje interactivo, el análisis crítico y la reflexión como bases fundamentales del trabajo en equipo, y al asumir el papel de observador se convierte en uno de los diversos recursos de consulta a través de asesorías personalizadas o colectivas. Pero también desarrolla materiales de instrucción, selecciona contenidos y sugiere lecturas complementarias, y fomenta el aprendizaje cooperativo mediante la asignación de proyectos o casos de estudio que generen discusiones en equipos, ya sea en forma presencial o en línea.

---

4 MAESTRE YENES, Pedro. *Diccionario de gestión del conocimiento e informática.* Madrid: Fundación DINTEL, 2000. p. 240

5 CROVI DRUETTA, Delia. *Virtudes de la virtualidad: algunas reflexiones desde la educación.* p. 75

Así, en este contexto de virtualidad educativa, a cada alumno se le considera el eje del proceso educativo, gestor de su propio crecimiento intelectual y profesional, y organizador de su tiempo de estudio, lo cual implica oportunidades para ser creativo, reflexivo y analítico. Por lo tanto la pretensión es que los alumnos virtuales desarrollen una actitud crítica para asimilar nuevos conocimientos y para investigar.

De este modo el alumno debe participar activamente en discusiones colectivas, en temas de debate, en confrontación de ideas, mostrar interés por su propio proceso de aprendizaje, y hacer investigación bibliográfica de calidad para complementar la información proporcionada por el tutor con el propósito de enriquecer sus conocimientos. De esta manera adopta una permanente actitud de curiosidad en la investigación que le aporta conocimiento en torno a la selección de la información relevante en un mundo social donde la información crece de manera constante y mucha de ella puede no ser valiosa para el curso en cuestión. También desarrolla habilidades en el uso extensivo de tecnologías de información y comunicación que necesita utilizar.

Lo virtual ha dado lugar a la generación de comunidades virtuales que en los inicios del siglo XXI fracturan fronteras nacionales e internacionales, desbordan contextos institucionales y culturales, y evidencian cambios en las formas de comunicarse a través de redes académicas. Sin embargo, procede hacer la siguiente interrogante "[...]¿cuál es el entorno social en el que surge y se afianza el concepto de virtualidad? En principio, [...] se trata de un entorno que va mucho más allá de las posibilidades creadas por la tecnología. O dicho en otros términos, la tecnología sola no lo explica".[6] En este sentido, se puede señalar que la comunidad virtual se hace realidad si existen afinidades temáticas, académicas o intereses investigativos comunes, aspectos que pueden propiciar la aparición de escenarios de interacciones sociales y telemáticas.

---

6 *Ibídem*, p. 76

Así, una comunidad virtual, según Crovi Druetta, es aquella donde "[...]el núcleo de atención y también de unión e interacción se ubica en el interés por un tema o asunto. Es una comunidad que realiza sus intercambios por medio de la red, o sea virtualmente. Trabaja de manera desterritorializada y sin la presencial física, [...] no hay un aquí y ahora, no se oponen a lo real sino a lo actual".[7]

Así, lo virtual conlleva a la conectividad y a la interactividad, y la primera requiere de la unión de distintas tecnologías de red, a lo cual se le ha denominado convergencia tecnológica debido a que posibilita la confluencia de diversas tecnologías. Así la convergencia y la interactividad tienen sentido cuando la sociedad puede utilizar para su beneficio los flujos de información que se transmiten a través de las tecnologías de red. La velocidad en el traslado de la información, la instantaneidad de la comunicación y la transmisión de grandes volúmenes de datos repercuten en lo educativo, en la construcción del conocimiento y en lo laboral. El espacio se afecta por expresiones como navegar, ciberespacio, cibernauta.

Así, Crovi Druetta señala que "[...] el común denominador que subyace a estos cambios, es una nueva concepción del tiempo y el espacio surgido del concepto de virtualidad".[8] En este tenor, la misma autora afirma lo siguiente: "[...] se ha dicho con acierto que a partir de los nuevos medios y su manejo del tiempo/espacio, hemos pasado de la lectura a la navegación; de la transmisión a la inclusión; del texto al hipertexto. Y estas son nociones que nos exigen contar con nuevas habilidades para vivir en una sociedad donde lo virtual ya es cosa de todos los días".[9]

Sin duda la virtualidad que favorece la convergencia tecnológica de principio de siglo induce, cuando se trata de procesos educativos, a posturas de visibilidad-invisibilidad. Los sujetos del aprendizaje se

---

7 *Ibidem*, p. 80
8 *Ibidem*, p. 80
9 *Ibidem*, p. 82

ocultan en determinados momentos, y en otros aparecen en forma virtual acudiendo a la dimensión espacio-tiempo para discutir, preguntar, opinar o desmentir. Nos encontramos ante un escenario novedoso para la educación virtual en el que se destacan los siguientes aspectos:

1. Convergencia de tecnologías, modelos educativos y modelos de comunicación.
2. La relación entre la institución, el tutor, el alumno y el material de instrucción, han sufrido cambios significativos frente a la virtualidad.
3. Los contenidos de apoyo al proceso de enseñanza-aprendizaje también experimentan cambios sustantivos al aplicar teorías del aprendizaje, la digitalización y el uso de hipermedios en red. Los grupos interdisciplinarios cobran especial importancia para asegurar un adecuado aprovechamiento de los recursos didácticos, los conocimientos y las infraestructuras tecnológicas.
4. La recuperación vía Internet de la información de apoyo a los aprendizajes, sin embargo, les ha mostrado a los actores del proceso educativo la inestabilidad de la misma y la dificultad para su cotejo en términos de veracidad y de autenticidad.

Las necesidades del mercado de trabajo y de los egresados que buscan incorporarse a él, han hecho que las instituciones educativas vean en la educación virtual un desafío y a su vez una estupenda oportunidad para hacerle llegar a una mayor población propuestas educativas de esta naturaleza. Pocos dudan de ello, sin embargo, es menester tener en mente que se trata de un desafío que exige asumir compromisos investigativos, de estudio y de reflexión. Todo ello dirigido a buscar propuestas novedosas y de amplio alcance respecto al mejor aprovechamiento de la virtualidad en los aprendizajes.

TECNOLOGÍAS DE INFORMACIÓN Y COMUNICACIÓN (TIC) Y VIRTUALIDAD EN LA EDUCACIÓN

La génesis del presente siglo muestra que el futuro tecnológico que tienen las computadoras y las redes de comunicación respaldará múltiples actividades relacionadas con diversos procesos educativos, y que la enseñanza virtual será en su momento tan común como lo es en la actualidad el uso de computadoras e Internet. En los inicios del presente siglo se observa que los sistemas tecnológicos de comunicación e información han transformando diversos procesos y prácticas tradicionales de la educación a distancia y la socialización del conocimiento, mediante innovaciones que han modificado las formas de comunicación, producción, distribución, apropiación, representación, significación e interpretación de la información, el conocimiento y el saber.

Así, las TIC plantean nuevos fenómenos de investigación orientada a la educación virtual debido, entre otras cosas, a las transformaciones tecnológicas operadas en el campo de las telecomunicaciones y la computación, las cuales han generado cambios en las sociedades en cuanto a las formas de trabajo, las maneras de interacción y comunicación de grandes sectores sociales, y la forma de acceder a la información en un mundo global. A este respecto, Castells señala que las Tecnologías de Información y Comunicación han generado un cambio de paradigmas cuyas características son las siguientes:

- ✓ Las tecnologías son para actuar sobre la información que es el insumo de aquellas.
- ✓ Dado que la información es parte integral de toda actividad humana, todos los procesos de nuestra existencia están moldeados por el nuevo medio tecnológico.
- ✓ La interacción que propicia la red, mediante una lógica de interacciones, da lugar a una complejidad de interacciones y a un desarrollo impredecible.
- ✓ Las tecnologías de la información ofrecen gran flexibilidad y ello permite reconfigurar y modificar las organizaciones e

instituciones, rasgos decisivos de una sociedad en cambio constante.

✓ Las tecnologías de la información ofrecen una convergencia creciente (microelectrónica, telecomunicaciones, optoeléctrica y computadoras) de tecnologías específicas en un sistema altamente integrado.[10]

En este entorno, la información constituye el ingrediente clave a partir del cual la sociedad participa en procesos de cohesión, globalización, informatización, educación y generación de conocimiento. Así, en las últimas décadas han surgido ideas que consideran el uso de las TIC en propuestas educativas virtuales como el medio idóneo para democratizar la educación a través de la prestación de servicios educativos en forma global. Sin embargo, se debe reconocer que el camino que exige recorrer el mundo tecnológico es largo y con muchos problemas, de manera principal para los países donde la cultura informática es apenas introductoria, los sistemas de información automatizados se utilizan de manera restringida y los modelos educativos evidencian graves atrasos.

También se advierte que el uso de las Tecnologías de Información y Comunicación enfrentan a los actores de la planeación y el desarrollo educativo a nuevos métodos de trabajo. Ello incluye, entre otros aspectos: investigación para el desarrollo de plataformas para el aprendizaje virtual; inversión en infraestructura tecnológica; planificación apropiada a la calidad académica que se persiga; actualización permanente de la planta académica; preparación de autores de contenidos (material didáctico), y la formación de tutores que respondan a las exigencias de la comunicación educativa en entornos virtuales de aprendizaje. En consecuencia, la creación de programas de educación virtual en diversos niveles y en distintas disciplinas necesita, además, de una apropiada comprensión y explicación de los conocimientos,

---

10 CASTELLS, Manuel. La era de la información: economía, sociedad y cultura. En *La Sociedad Red*. México : Siglo Veintiuno Editores, 1999. p. 94.

hechos y fenómenos de la disciplina en la que se planee la propuesta educativa, de un replanteamiento sobre las diversas estrategias del proceso de enseñanza-aprendizaje, y de la apropiación de las TIC que necesite utilizar.

Las universidades de hoy reconocen que deben preparar a sus nuevas generaciones con una perspectiva orientada a la reflexión, la autoformación y la apropiación de tecnologías que les faciliten el logro de aprendizajes dinámicos y versátiles. Sin embargo el uso apropiado de Tecnologías de Información y Comunicación es también un asunto que atañe a los docentes para la consecución de los objetivos de su programa académico. Hay que reconocer que lo anterior ha sido un problema presente de manera permanente en los sistemas educativos; sin embargo, los esfuerzos que se hagan al respecto les permitirán a los egresados afrontar las exigencias actuales del mercado laboral, el cual precisa de profesionales de alto nivel y con apropiación de las TIC.

Por lo anterior la universidad virtual tiene como propósito atender las tendencias de globalización y económicas además de plantear cambios en los modelos de enseñanza. "Las ventajas de la universidad virtual son amplias y variadas, y se consolidan cada vez más a partir del crecimiento de Internet".[11] Sin embargo la educación virtual tiene pocos años de existencia por lo que educadores y universidades someten a discusión cuestiones como las siguientes: ¿Cómo se logra un aprendizaje integral a través de la interactividad y la navegación en red? ¿Cómo se aborda el proceso educativo y el uso apropiado de la información frente a los retos de la globalización y el constante desarrollo tecnológico? ¿Qué papel deben asumir las universidades y las bibliotecas digitales frente a las exigencias de la educación en línea? ¿Cómo incide la tecnología de información y comunicación en la organización,

---

11 CONTRERAS MAYÉN, Rita. Reflexiones en torno al uso de la tecnología de la información en el terreno educativo. En *Soluciones Avanzadas: tecnologías de información y estrategias de negocios* jun. 1997, vol. 5, no. 46. p. 12.

la transferencia, el acceso y la recuperación de contenidos y flujos de recursos digitales para el aprendizaje virtual? ¿Qué representa para las universidades la educación virtual, el tele-aprendizaje y la educación en línea? Y en términos de costo beneficio ¿es rentable la educación virtual?

Las respuestas a los cuestionamientos mencionados pueden estar en las experiencias relacionadas con el uso de medios en la educación, en este sentido, "[...] cabe mencionar que la frustrada experiencia de introducir medios audiovisuales en la enseñanza durante los años 70, no tomó en cuenta la necesidad de transformar los métodos y técnicas de enseñanza para aprovechar certeramente la tecnología disponible en la época".[12]

Si aprendemos de esta historia se comprenderá con mucho mayor claridad que en la actualidad el uso de las TIC exige transformar los modelos educativos y los métodos de enseñanza-aprendizaje con el propósito de utilizar adecuadamente la tecnología disponible y reconocerle su valor en su justa dimensión. "[...]Hoy en día las condiciones han cambiado considerablemente y se espera que la introducción de las TIC en el terreno educativo atienda las necesidades reales de maestros y estudiantes, aceptando el hecho de que la institución escolar fungirá como coordinadora y ya no como rectora del proceso enseñanza-aprendizaje".[13] El cambio más importante radica en que el peso de la calidad de la educación y el ritmo de aprendizaje dejará de ubicarse en las escuelas y pasará a manos del estudiante. Aunque esto pareciera enfatizar el individualismo, propiciará todo lo contrario.

La generación de tecnologías orientadas a la educación es de suma importancia debido a que para hacer efectivo el proceso enseñanza-aprendizaje la educación virtual requiere de apoyos para eliminar la separación física del estudiante y del tutor, por lo que se necesita de

---

12 *Ibídem*, p. 14
13 *Ibídem*, p. 14

redes de cómputo que faciliten la superación de las distancias y constituyan una plataforma sólida para el soporte de las herramientas y materiales didácticos, y cuyo contenido esté organizado atendiendo a teorías del aprendizaje y contemple facilidades de interacción con el alumno virtual. De la armonía plena entre estos elementos depende que la dispersión geográfica entre los participantes no sea un obstáculo y, por el contrario, se torne en una posibilidad de enriquecimiento, intercambio y aportación de conocimiento para el programa educativo específico.

INVESTIGACIÓN BIBLIOTECOLÓGICA Y APRENDIZAJE VIRTUAL EN BIBLIOTECOLOGÍA

Se asume que los elementos, nociones y efectos de las Tecnologías de Información y Comunicación son inherentes a cualquier propuesta de investigación referida al aprendizaje virtual en bibliotecología. Por lo tanto a través de ésta se deberá explicar que el desarrollo de las habilidades de alumnos y tutores en el uso de tecnologías no tiene valor en sí sino que estriba en las facilidades que puede otorgarle al aprendizaje de los fenómenos bibliotecológicos, sus principios y sus teorías con el propósito de que el alumno a distancia adquiera conocimiento sobre el desarrollo de la disciplina, sus supuestos y la repercusión que tiene el conocimiento bibliotecológico en las sociedades usuarias de información.

Asimismo, la investigación bibliotecológica debe explicar que los fenómenos que estudia se presentan en escenarios sociales específicos y que, a través de su evolución, se han generado instituciones sociales para la organización, preservación y difusión de la cultura denominadas bibliotecas, centros de documentación, centros de información y unidades de información. Con dichas denominaciones, entre otros propósitos, se pretende expandir la cobertura de acción del profesional formado en bibliotecología.

En consecuencia, los servicios de información ejercidos por cada tipo de unidad de información tienen repercusiones sociales que se caracterizan por la atención que le den a los grupos sociales entre los que se desenvuelven. Por ello la clasificación mencionada ha facilitado la identificación y la precisión de las características y contenidos de los servicios dirigidos a grupos sociales específicos tomando en cuenta sus demandas y requerimientos de información. Pese al uso de tecnologías en la enseñanza de la disciplina, los propósitos de la bibliotecología, ha escrito Rodríguez Gallardo, continúan siendo "[...]preservar los registros de información y al mismo tiempo facilitar la consulta de los materiales que se mantienen como la base de la disciplina".[14] El mismo autor afirma que "[...] se podría señalar que a lo largo de la historia, la bibliotecología ha sufrido cambios en su forma, más no en su fondo".[15]

Por lo tanto la investigación bibliotecológica referida al aprendizaje virtual en bibliotecología debe explicar que una formación adecuada del bibliotecólogo requiere hábitos de autoaprendizaje orientados hacia determinados conocimientos teóricos en equilibrio con los aplicados. Lo anterior implica esencialmente un dominio del conocimiento de los fenómenos bibliotecológicos, aspecto que debe plasmarse a través del discurso de los materiales de instrucción que se desarrollen para el aprendizaje de dicha disciplina. Con ello se buscaría que el estudiante virtual se oriente hacia la adquisición de conocimiento significativo reafirmando su valor a través de la aplicación en diversos aspectos de su vida profesional.

Así, es menester que el alumno aprenda a identificar los fenómenos bibliotecológicos y a apropiarse de aquellos conocimientos que se generan en otras disciplinas para comprender y explicar los objetos propios de la bibliotecología. El aprendizaje virtual de esta disciplina, implica buscar la formación de un alumno a partir de aglutinar los

---

14 RODRÍGUEZ GALLARDO, J. A. *Formación humanística del bibliotecólogo: hacia su recuperación*. México: UNAM, CUIB, 2001. p. XI

15 I

conocimientos disponibles con la finalidad de que adquiera conocimiento que le facilite ejercer su profesión en un mercado de trabajo sujeto a constantes cambios. En este sentido, el aprendizaje sobre bibliotecología requiere de marcos referenciales que ayuden a entender su génesis y desarrollo con el propósito de identificar los fenómenos y problemas que deben ser estudiados por la investigación y la enseñanza bibliotecológica.

En este sentido, habrá que explicar que el fenómeno de globalización ha penetrado en las sociedades con la intención de eliminar barreras de comunicación y para facilitar los flujos de la información a través de la tecnología digital, la informática y las telecomunicaciones. En consecuencia, el estudio de la globalización y su repercusión teórica y aplicada en la bibliotecología implican a su vez, evaluar, conocer y manejar las herramientas tecnológicas que realmente apoyen el aprendizaje de ella y le garanticen al estudiante la adquisición de conocimiento significativo referido a la disciplina.

Plantearse nuevos fenómenos en la investigación bibliotecológica, implica incidir en la formación de un profesional que identifique, detecte, organice, cree y difunda, a través de tecnologías de vanguardia, información de carácter especializado en áreas estratégicas para el desarrollo local, nacional y regional de determinada nación. En este contexto, se percibe que la sociedad actual crea nuevas demandas referidas a los servicios de información, que podrían determinar factores estratégicos y, en muchos casos, incidir en ventajas competitivas en la toma de decisiones de diversos sujetos sociales, en los niveles macro-social, referido a la globalización, y micro-social, referenciado a contextos nacionales o regionales.

La atención a estas demandas requiere de un profesionista en bibliotecología que tenga capacidad, entre otros aspectos, para identificar y caracterizar escenarios culturales, sociales y económicos en los que sea factible aplicar Tecnologías de Información y Comunicación, realizar una adecuada gestión de las mismas y, diseñar sistemas de información acordes con los sujetos demandantes de los servicios de información.

En este contexto la investigación referida al aprendizaje virtual en bibliotecología, debe prever las estrategias didácticas que conduzcan al alumno hacia una preparación profesional con niveles óptimos de conocimiento bibliotecológico y tecnológico acorde con diversos escenarios sociales, capacidad de liderazgo para el diseño, organización y provisión de servicios de información dirigidos a diversos entornos sociales considerando entre otros fenómenos lo global y la sociedad de la información, aspectos que indican la necesidad de incidir en ambientes cooperativos e integradores.

Con lo expuesto arriba se puede observar que el uso de Tecnologías de Información y Comunicación ha propiciado la generación de propuestas educativas sustentadas en tecnología de redes de teleproceso. Así, en el presente milenio se vislumbra con mayor certeza que la convergencia tecnológica se orienta cada vez más a generar plataformas en entornos digitales, sistemas de información en línea y contenidos de aprendizaje en multimedios. En consecuencia, la investigación y la educación virtual de principios del siglo XXI se encuentra en la búsqueda permanente de mejores ambientes y procesos educativos a través de racionalizar el uso de tecnologías, innovar los aprendizajes atendiendo las dimensiones de reflexión, e investigar y colaborar académica e institucionalmente.

NUEVAS OPORTUNIDADES PARA LA INVESTIGACIÓN Y EL APRENDIZAJE VIRTUAL EN MÉXICO

Históricamente la educación a distancia ha obtenido poco o, en muchos casos, ningún reconocimiento social, ya que se ha puesto en tela de juicio la calidad académica que se puede lograr utilizando dicha modalidad. Sin embargo, hacia finales del siglo XX y los inicios del siglo XXI las Tecnologías de Información y Comunicación han contribuido a que la educación virtual se convierta en un fenómeno de atención para gobiernos e instituciones educativas cuyo propósito es utilizar de la mejor manera las TIC y no quedarse a la zaga de los beneficios que éstas puedan otorgarle a la educación del presente siglo. En este contexto, en México se han iniciado muy recientemente las siguientes acciones:

PROGRAMA UNIVERSIDAD EN LÍNEA (PUEL). UNIVERSIDAD NACIONAL AUTÓNOMA DE MÉXICO

La Coordinación de Universidad Abierta y Educación a Distancia (CUAED) de la UNAM liberó el Programa Universidad en Línea (PUEL). www.puel.unam.mx). La plataforma que sustenta este programa pretende que cualquier institución de México y de América Latina, instale cursos en línea. Se busca, "[...] contar con un sistema de cómputo integrado de tres paquetes de *software*, que sea sencillo, eficiente, y que permita crear, adaptar, mantener, administrar y dar seguimiento a un curso en línea".[16] Uno de los atractivos de esta plataforma estriba en que la licencia de uso que otorgará la UNAM será gratuita.

Se pretende que el software se caracterice también por su flexibilidad en el diseño gráfico, facilidades para realizar cambios en los contenidos de aprendizaje, posibilidades múltiples de navegación e interacción, y la creación de carpetas personalizadas. Con esto, el alumno realizará y controlará sus actividades de aprendizaje y resolverá problemas, y a su vez el tutor hará la revisión y evaluación de los mismos, realizará comentarios, retroalimentará al alumno y le indicará las particularidades relacionadas con el avance en su aprendizaje. Así, "[...] el tutor tiene la posibilidad de revisar el grado de avance, darle seguimiento a cada uno de los alumnos y permitir una evaluación completa de todas las partes que conforman el curso en línea".[17]

---

16 Programa Universidad en Línea. En *Gaceta UNAM*, 23 de junio de 2003. p.7.
17 *Ibídem*.

Asimismo el PUEL (www.puel.unam.mx) incorpora foros de discusión que buscan crear comunidades de aprendizaje en las que intervienen los diversos actores del aprendizaje. Esta posibilidad es una manera de lograr una retroalimentación permanente para favorecer la aclaración de dudas de los alumnos y el monitoreo de actividades.

> [...] De igual manera, con este programa se pretende reducir los altos costos que implican las licencias actuales que tienen las plataformas comerciales para e-learnig. El sistema también incorpora diversas herramientas de intercambio y permite la creación flexible de todo tipo de diseño gráfico y de posibilidades de navegación e interactividad.[18]

Centro de Alta Tecnología de Educación a Distancia (CATED)

El CATED es considerado un polo educativo continental y cuenta con tecnología de punta que abre oportunidades educativas para un país como México. Se espera que el centro unirá aún más el binomio alumno-tutor. El CATED:

> [...] será sede del observatorio UNAM-UNESCO, del Campus virtual y del Centro de Investigación de Tecnología Educativa [...] tiene un potencial extraordinario que permitirá llegar a una ilimitada cantidad de lugares, con sus mejores exponentes de la ciencia y la cultura, así como tratar temas de interés local y regional o de enorme importancia universal, crear cursos estructurados o flexibles; además, elaborar material que pueda ser determinante para cambiar la vida de una persona[...].[19]

E-MÉXICO

Asimismo el Gobierno Federal ha liberado el Sistema Nacional e-México cuyo propósito es " [...]eliminar las barreras que actualmente existen para obtener información y servicios públicos. Este proyecto busca también reducir las brechas tecnológicas al interior del país y

---

18 *Ibídem*.
19 En función el Centro de Alta Tecnología en Tlaxcala. Declaración hecha por Juan Ramón de la Fuente. En *Gaceta UNAM*, 28 de agosto de 2003. p.6.

entre la población mexicana con el resto del mundo. Con el proyecto e-México, el gobierno mexicano espera trasformar el país a través de la aplicación de tecnología moderna [...] iniciando una reforma de educación para crear un México digital e inaugurar una nueva era".[20]

En el contexto de este proyecto, la misión del e-aprendizaje es "[...] fomentar a través del Sistema Nacional e-México nuevas opciones de acceso a la educación y capacitación, que estimulen el aprendizaje como un medio para el desarrollo integral de los mexicanos. Un sistema de aprendizaje en línea que integre los esfuerzos hechos por las instituciones en materia educativa, para el desarrollo equitativo de nuestro país".[21]

Fundación México Digital

El gobierno federal se comprometió a impulsar el desarrollo de la industria mexicana de software a través de la Fundación, cuyo objetivo es promover acciones que reduzcan la brecha digital y el rezago tecnológico en México. La Fundación "[...] es un proyecto que buscará impulsar la adopción de tecnologías en las empresas mexicanas para estimular su desarrollo mediante soluciones digitales, con el fin de ayudarlas a alcanzar niveles óptimos de competitividad en el mercado global a través de tecnología informática".[22] Se espera que participarán en forma activa al menos 15 mil desarrolladores de software en los primeros 12 meses.

---

20 e-México. Hacia la sociedad e la información. En
     http://www.emexico.gob.mx/wb2/eMex_faq [consultada: 10/09/03]
21 *Ibídem*.
22 Fundación México Digital. En
     http//:www.todito.com/paginas/noticias/129874.html [consultada:28/08/03]

CONCLUSIONES

Las TIC han influido de manera sustantiva en los procesos de comunicación educativa tradicional y de manera preponderante en la educación virtual de los inicios del presente siglo debido a sus posibilidades de transmisión de conocimiento, viabilidad de acceso y facilidades de interactividad. Siendo las TIC un nuevo paradigma, la comunicación educativa a través de ellas debe investigar en forma permanente los fenómenos que subyacen en este proceso a fin de explicar el uso apropiado de las tecnologías de red en la educación virtual en cualquier disciplina.

Las TIC replantean las nociones de espacio, tiempo, conectividad, distribución de señal, virtualidad y costos en la educación virtual. En este sentido, la distancia redefine al individuo en relación con el espacio y el tiempo; es decir se presenta un desfase temporal del alumno virtual frente al tiempo en que estudia, aprende e interactúa con su tutor. Por lo tanto estas situaciones deben ser consideradas por la investigación dirigida al aprendizaje virtual sobre bibliotecología dado que exigen replantear formas de enseñar, interactuar y aprender.

La preocupación de los intelectuales de diversas áreas del conocimiento, desde sus campos de acción, confluye en la reflexión acerca de la educación virtual del presente siglo. Desde su propia visión proporcionan puntos de vista orientados hacia la innovación de aprendizajes, la colaboración académica en red y el desarrollo de materiales de instrucción que respondan a las exigencias de conocimiento significativo, y que muestren el uso correcto de las tecnologías de información y comunicación de vanguardia.

México ha avanzado en propuestas de educación virtual, principalmente en tres sectores: el académico, el gubernamental y la iniciativa privada. No obstante las buenas iniciativas es necesario que los sectores involucrados no sólo tomen en consideración las bondades de las TIC, pues la modernización educativa requiere además de políticas de gobierno orientadas a efectuar cambios estructurales, económicos y constitucionales que respondan y le den coherencia a la participación educativa en un mundo global. Se tiene pues el anhelo de que la educación virtual sea un medio para democratizar la educación y disminuir los rezagos de preparación en los distintos niveles educativos de grupos sociales alejados de los principales centros educativos. Todo ello, naturalmente, atañe a la investigación y a la educación bibliotecológica.

BIBLIOGRAFÍA

CASTELLS, Manuel. *La era de la información: economía, sociedad y cultura.* En *La Sociedad Red.* México : Siglo Veintiuno Editores, 1999.

COLLAZO, JAVIER L. *Diccionario enciclopédico de términos técnicos : inglés-español español-inglés.* México : McGraw-Hill, 1988. 3 v.

CONTRERAS MAYÉN, Rita. Reflexiones en torno al uso de la tecnología de la información en el terreno educativo. En *Soluciones Avanzadas: tecnologías de información y estrategias de negocios* jun. 1997, vol. 5, no. 46.

CROVI DRUETTA, DELIA. Virtudes de la virtualidad : algunas reflexiones desde la educación. En: *Tecnología y Comunicación Educativa.* vol. 13 no. 29 (1999)

Diccionario de la lengua española / Real Academia Española. 22 ed. Madrid : Real Academia Española, 2001.

DIDOU AUPETIT. Sylvie. *Sociedad del conocimiento e internacionalización de la educación superior en México.* México: ANUIES, 2000, 397p. (Biblioteca de la Educación Superior: Investigaciones)

La Educación Superior en el Siglo XXI -Líneas estratégicas de desarrollo- Una propuesta de la ANUIES. Documento aprobado en la XXX Sesión Ordinaria de la Asamblea General, Universidad Veracruzana e Instituto Tecnológico de Veracruz, Ver, 1999

e-México. Hacia la sociedad de la información. En http://www.emexico.gob.mx/wb2/eMex_faq [consultada: 10/09/03]

Centro de Alta Tecnología en Tlaxcala. Declaración hecha por Juan Ramón de la Fuente. En *Gaceta UNAM*, 28 de agosto de 2003.

GONZÁLEZ, Juliana. La UNAM y su magisterio. En *Los Universitarios*, Nueva época núm. 33, junio 2003.

Fundación México Digital. En http//:www.todito.com/paginas/noticias/129874.html [consultada:28/08/03]

MAESTRE YENES, Pedro. *Diccionario de gestión del conocimiento e informática.* Madrid: Fundación DINTEL, 2000.

GRINBERG, Gabriel. Educación digital: un desafío histórico. En Política Digital, no. 2 febrero-marzo 2002.

RODRÍGUEZ GALLARDO, José Adolfo. *Formación humanística del bibliotecólogo: hacia su recuperación*, México: UNAM-CUIB, 2001.

Programa Universidad en Línea. En *Gaceta UNAM*, 23 de junio de 2003.

SÁNCHEZ VEGAS, Saadia y Estrella Pérez. Reflexiones sobre la formación de recursos humanos de cuarto nivel en el área de las ciencias de la información. En *INFOLAC* oct./dic. 1996, vol. 9, no. 4.

TÜNNERMANN BERNHEIM, Carlos, *La universidad latinoamericana ante los retos del siglo XXI*, México: UDUAL, 2003.

La educacion bibliotecológica mexicana en respuesta al mercado laboral

LINA ESCALONA RÍOS
Universidad Nacional Autónoma de México

INTRODUCCIÓN

La educación superior tiene como funciones básicas la docencia, la investigación y la difusión de la cultura, pero dentro de estas funciones una a la que se ha puesto especial cuidado es a la docencia, ya que través de ésta se forma (o debería de formarse) a los cuadros profesionales que el país y la sociedad en general requieren para su desarrollo.

De acuerdo con la ANUIES, la educación superior se concibe como el nivel posterior al bachillerato o equivalente y comprende los niveles de licenciatura y posgrado: la especialización, la maestría y el doctorado.

La licenciatura está dentro de la educación profesional y tiene como objetivo formar a las personas para el ejercicio de una profesión determinada, entendiendo por profesión al conjunto de conocimientos especializados mediante estudios formales.

En este contexto se encuentra la formación de los profesionales del área bibliotecológica, incluyendo a los profesionales de la biblioteconomía, bibliotecología y ciencias de la información.

Como se puede ver iniciamos la discrepancia por los nombres que le damos a nuestros profesionales, pero independientemente de esto el objetivo del presente trabajo es compartir con los presentes algunas reflexiones sobre las características comunes de la educación bibliotecológica, a partir de los planes de estudio de cinco instituciones educativas, relacionando las actividades que están desarrollando los profesionales para responder a los requerimientos que la sociedad está imponiendo, para finalizar señalando una serie de retos que tendrá que enfrentar este ámbito educativo.

CARACTERÍSTICAS DE LA EDUCACIÓN BIBLIOTECOLÓGICA

Perfil de los egresados ENBA

La escuela pretende:

a) Formar un licenciado en biblioteconomía capaz de interpretar, planear, administrar, dirigir supervisar y evaluar los programas, proyectos y tareas profesionales de las bibliotecas, unidades y centros de información documental, aplicando los medios manuales y/o automatizados para entender las necesidades de información de los diversos sectores de la sociedad.

Plan de estudios del Colegio de Bibliotecología

Formar profesionales para seleccionar, organizar, difundir y recuperar la información, así como promover el uso de ésta entre los diferentes sectores de la sociedad mexicana, y con ello contribuir al desarrollo científico, tecnológico, cultural y educativo del país.

Plan de estudios de 1998, San Luis Potosí

El nuevo plan de estudios parte de que la misión de la escuela es: formar profesionales con calidad para seleccionar, organizar, sistematizar, analizar, conservar y difundir la información documental, desarrollando la capacidad de provocar, generar y adaptarse al cambio que de la bibliotecología demanda la sociedad a través de una constante innovación, actualización y espíritu de superación.[1]

---

1   Martínez Rider, Rosa María, Beatriz Rodríguez Sierra. "La bibliotecología en el Estado de San Luis Potosí : mercado de trabajo, estructura ocupacional y práctica profesional". En Encuentro Nacional de Profesores y Estudiantes de Bibliotecología. (4 : 1998 : San Luis Potosí) h. [20]

El objetivo de la Escuela de Biblioteconomía es, por tanto, formar profesionales de la información que contribuyan a consolidar una sociedad informada mediante la administración de recursos documentales, y la satisfacción de las crecientes necesidades de información de los usuarios, a través del acceso y recuperación de información pertinente y oportuna.[2]

Plan de estudios 1992, Chiapas

Formar bibliotecarios profesionales que, mediante la comprensión de los fundamentos filosóficos, científicos y técnicos de la especialidad, así como de otras disciplinas afines y la aplicación racional de las teorías y técnicas respectivas, satisfagan las necesidades de información documental de sus usuarios y sus intereses en cuanto a auto-educación y recreación.[3]

Plan de Nuevo León

Formar profesionales que satisfagan los requerimientos de la sociedad, con relación a la operación eficiente de las unidades de información, para lo cual emplearán el conocimiento adquirido y los avances científicos y tecnológicos en beneficio de la comunidad.

En nuestro país la educación bibliotecológica ha tenido muchos cambios, y ha intentado responder a los requerimientos sociales que nuestra sociedad le ha impuesto, y a veces también a los requerimientos políticos que las autoridades educativas bibliotecológicas no se atreven a analizar y objetar.

Aunque los cambios en planes y programas de estudio han sido, en general, para beneficio de los estudiantes, se han hecho con base en la experiencia y el conocimiento de un grupo local de profesionales del área bibliotecológica, algunas veces apoyados por un asesor

2   Ibid.
3   *Cfr*. Plan y descripción curricular: licenciatura en bibliotecología. México : UNACH, Escuela de Humanidades, 1992. p- 36

del área de pedagogía y algún asesor externo de la misma disciplina. Este equipo de trabajo, externa sus opiniones y realiza los cambios que consideran prudentes y, desde luego, su tendencia y conocimiento se ven reflejados en los planes y programas del área.

En general los planes de estudio se han actualizado, como se puede ver en la tabla siguiente:

Actualización de los planes de estudio de México	
Institución educativa	Año de actualización
Colegio de Bibliotecología de la UNAM	2003
Escuela Nacional de Biblioteconomía y Archivonomía	2000
Escuela de Bibliotecología e Información	1998
Licenciatura en Ciencias de la Información Documental	1999
Licenciatura en Bibliotecología de la UNACH	1992
Licenciatura en Bibliotecología de la UANL	1999

En general el plan de estudios se cubre en un periodo de cuatro años y al finalizar se debe optar por el título profesional, para lo cual existen opciones: tesis, tesina o informe académico, o memoria, y en algunos casos se puede obtener además por promedio o estudiando un seminario de titulación o un periodo determinado del nivel de posgrado.

ÁREAS BIBLIOTECOLÓGICAS	ENBA 2000	UNAM 2003	EBI 1998	UNACH 1992	UANL 1999	TOTAL X
Organización bibliográfica y documental	21.1	14.3	17.9	14.3	24.5	18.42
Servicios bibliotecarios y de información	19.2	12.3	14.3	18.4	8.8	14.60
Básica	14.9	12.3	14.3	4.1	7.0	10.52
Administración de las unidades y sistemas de información documental	17.2	10.1	3.6	8.2	7.0	9.22
Recursos de información documental	2.2	12.3	5.3	2.0	1.8	4.72
Tecnología de la información	10.6	14.3	7.2	8.2	5.3	9.12
Metodología	4.1	10.1	5.3	12.2	8.8	8.10
Área no bibliotecológica	10.7	14.3	32.1	32.6	36.8	25.30
Total	47=100	49=100	56=100	49=100	57=100	100

La Licenciatura del Estado de México es un caso especial ya que pretende formar profesionales que se desarrollen en tres ámbitos: bibliotecas, archivos y museos; por lo que en el área bibliotecológica sólo se tienen nueve asignaturas que corresponden a la organización bibliográfica en un 44.4% y a los servicios bibliotecarios y de información en un 55.6%.

Como se puede observar, cuatro de las cinco instituciones estudiadas muestran una clara tendencia hacia el área de organización bibliográfica y documental, aunque cabe mencionar que el Colegio de Bibliotecología de la UNAM es el que mantiene un mayor equilibrio entre las áreas.

Por otra parte es necesario señalar que tres instituciones tienen una fuerte tendencia hacia las asignaturas de carácter general y ello se debe al tipo de profesional que se pretende formar, que es el bibliotecario con una amplia cultura general.

Las tendencias generales de los planes de estudio del área bibliotecológica se pueden visualizar en la siguiente gráfica:

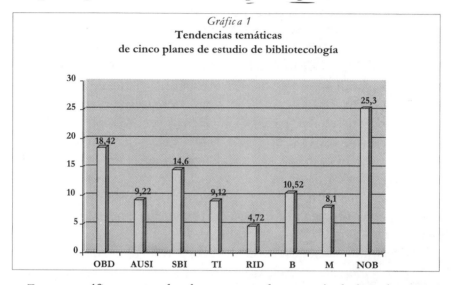

Gráfica 1
**Tendencias temáticas
de cinco planes de estudio de bibliotecología**

En esta gráfica se puede observar que la mayoría de los planes están formando profesionales para el área de organización bibliográfica y documental, ya que es uno de los principales ejes de la bibliotecología, el área que nos identifica como profesionales de la disciplina, y como menciona el doctor Martínez:

La posibilidad de empleo para los bibliotecarios profesionales en el área de procesos técnicos seguirá existiendo, ya que la organización bibliográfica es la actividad permanente que una biblioteca requiere para su desarrollo interno.[4]

___

4   "El Mercado de trabajo del bibliotecario profesional : mesa redonda ". En Jornadas Mexicanas de Biblioteconomía (20ª : Guadalajara, Jal. 1989. Memoria. México : AMBAC, 1989. P. 394

De esta forma se puede decir que las instituciones educativas están formando a profesionales diestros en el área de organización bibliográfica y documental y en los servicios bibliotecarios y de información, así como a profesionales con una cultura general que rebasa el porcentaje de todas las áreas bibliotecológicas.

Pero estos profesionales que se están formando, ¿a qué ámbito bibliotecológico están respondiendo?

De manera común, el campo de trabajo que tenemos los bibliotecólogos y que es ofrecido por todas las instituciones educativas es el de las bibliotecas, los centros de información, documentación y ahora los sistemas de información. En este ámbito, se tienen diversas actividades profesionales que se pueden enmarcar en tres grandes rubros: administración, procesos técnicos y servicios bibliotecarios; aunque, también están la docencia, la investigación, la consultoría, la venta de servicios y lo que se ha dado en llamar mercados emergentes: actividades o prácticas dominantes que se dan en la sociedad de la información a partir de los cambios que conlleva su desarrollo. En este mercado influyen todos los factores que afectan a la comunidad, pero en esta globalización, los principales factores son la tecnología y las telecomunicaciones, las cuales han producido cambios sustanciales en el mercado de trabajo. Martínez Rider menciona que:

> [...]las prácticas emergentes se ubican en archivos, estaciones de televisión y en los centros de información o documentación en las industrias, comercios y otros lugares, cabe aclarar que el campo potencial de trabajo es muy amplio, pues lo que se manejan son espacios de información independientemente del tipo de institución. [5]

Bien, respondiendo a la pregunta sobre el ámbito en que se están desarrollando los profesionales, en una encuesta realizada a los profesionales de la bibliotecología (personas tituladas), en el año 2000, se encontró que los profesionales se han desenvuelto tanto en el sector público como en el privado, como se muestra en la gráfica siguiente:

---

5   Martínez Rider, ... p. 55

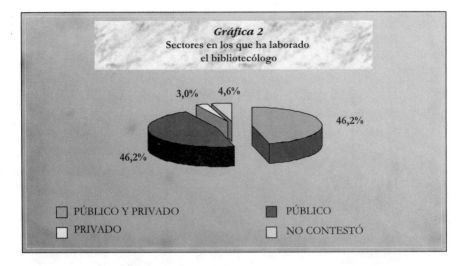

Gráfica 2
Sectores en los que ha laborado
el bibliotecólogo

3,0%   4,6%

46,2%

46,2%

☐ PÚBLICO Y PRIVADO   ■ PÚBLICO
☐ PRIVADO   ☐ NO CONTESTÓ

Es decir que el 82.4% de los profesionales encuestados han trabajado en el sector público durante todo su desempeño laboral; aun
cuando la mitad ha trabajado alguna ocasión en la iniciativa privada.
Existen diversos factores para que el profesional decida insertarse en
el sector publico y dentro de éste en las instituciones de educación
superior, ya que son éstas las que cuentan con sistemas bibliotecarios
que requieren de administración y organización, principales actividades en las que se forma al profesional del área bibliotecológica. Por
otra parte es en estas instituciones donde se reconoce el profesiona-
lismo del bibliotecólogo y se le brinda cierta estabilidad laboral, lo
que no ocurre en la iniciativa privada. Esto se ve reflejado en la situación de ese momento ya que para el 2000, el 82.9% de los profesionales trabajaba sólo en el sector público, y de este porcentaje, el 99% lo
hacía en instituciones de educación superior (IES), lo que indica que
el principal ámbito de trabajo son las bibliotecas universitarias y especiales que pertenecen a las instituciones educativas. Este suceso se
repite en la iniciativa privada ya que del 10.7% que se observa en la
gráfica, todos se encuentran en IES, lo que indica que el profesional
no se enfrenta aún con la iniciativa privada.

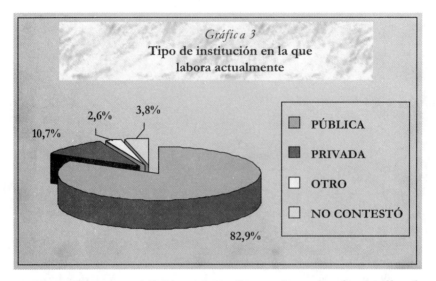

Gráfica 3
Tipo de institución en la que
labora actualmente

2,6%   3,8%

10,7%

PÚBLICA

PRIVADA

OTRO

NO CONTESTÓ

82,9%

Dentro del sector público y privado en el que se desarrollan los profesionales, los cargos que ocupan son los siguientes:

CARGO QUE DESEMPEÑA ACTUALMENTE		
Coordinador o jefe de área	100	30.0
Coordinador de biblioteca	92	27.6
Técnico académico	37	11.0
Bibliotecario	22	6.6
Procesos técnicos	15	4.5
Investigador	8	2.4
Bibliógrafa	7	2.1
Documentalista	7	2.1
Académico	5	1.5
Profesor	5	1.5
Subdirector	2	0.5

CARGO QUE DESEMPEÑA ACTUALMENTE (Cont.)		
Coordinador de proyecto	3	0.9
Especialista técnico	3	0.9
Secretario académico	1	0.3
Otros	8	2.4
Ninguno	7	2.1
No contestó	12	3.6
TOTAL	334	100

Es importante destacar que el 59% de los profesionales ocupan puestos que implican responsabilidad de dirección, ya sea en unidades de información, áreas específicas o en proyectos[6]. Esta situación es de suma importancia porque representa la identificación de los empleadores de los puestos clave, las actividades y las funciones que pueden desempeñar los bibliotecólogos.

Los demás puestos están relacionados con las actividades que los profesionales realizan y para los que fueron contratados.

Se preguntó a los encuestados sobre la temática de sus actividades, independientemente del puesto que ocupan, y tras realizar la suma de porcentajes se tiene que del total de encuestados, el 33.5% se desenvuelve en el área de organización bibliográfica, mientras que el 52.3% se desarrolla en el área administrativa y el 33.9%, en la de servicios bibliotecarios. La docencia e investigación tienen porcentajes muy bajos así como el rubro de otros, que representa sólo el 3.5%, aunque cabe señalar que un buen porcentaje de profesionales combina sus actividades y por ello la suma da más de 100%; es decir, existen profesionales que además de administrar se dedican a los servicios o a la docencia y a la investigación.

---

6   Este resultado es la suma de los cargos de coordinación y subdirector.

De acuerdo con los datos antes expuestos, más de la mitad de los profesionales se dedica a la administración bibliotecaria, y en este sentido las escuelas sólo están destinando un 9.2 % de sus asignaturas a proporcionar estos conocimientos y a formar las habilidades necesarias para el desarrollo profesional en esta área, por lo que se detectó el nivel de dificultad que los profesionales tienen·para realizar sus actividades, y se encontró lo siguiente:

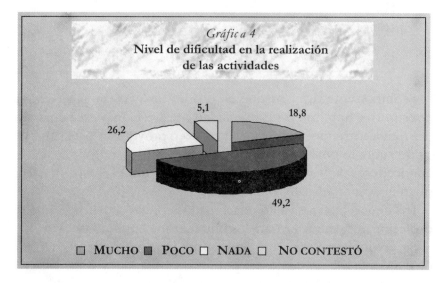

Gráfica 4
Nivel de dificultad en la realización de las actividades

☐ MUCHO ■ POCO ☐ NADA ☐ NO CONTESTÓ

Como se puede observar, desde la perspectiva de los profesionales sólo para el 26.2% de ellos sus actividades no les representa ninguna dificultad, por lo que se sienten lo suficientemente preparados para realizarlas y consideran que el plan de estudios que los formó coincide con sus actividades del 75% al 100% (véase la gráfica siguiente), lo que es bastante bueno puesto que ningún plan va a formar para el trabajo al 100% porque la formación profesional debe ser una formación integral e incluir conocimientos teóricos que sirvan de base para el desarrollo crítico de la persona y no sólo el conocimiento práctico de un oficio.

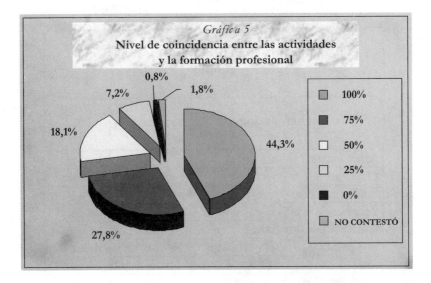

Gráfica 5
Nivel de coincidencia entre las actividades
y la formación profesional

- 100%
- 75%
- 50%
- 25%
- 0%
- NO CONTESTÓ

0,8%
7,2%
1,8%
18,1%
44,3%
27,8%

Sin embargo los profesionales advierten que los planes de estudio requieren del reforzamiento de algunas de sus áreas. Según su experiencia profesional las áreas de reforzamiento que proponen son las siguientes:

ÁREA PARA REFORZAR EL PLAN DE ESTUDIOS		
ÁREAS DE REFORZAMIENTO	FRECUENCIA	%
TECNOLOGÍA	82	24.6
ADMINISTRACIÓN	32	9.6
TODO	15	4.4
INVESTIGACIÓN	12	3.6
PROCESOS TÉCNICOS	8	2.4
DOCUMENTACIÓN	4	1.2
RELACIONES HUMANAS	4	1.2

ÁREA PARA REFORZAR EL PLAN DE ESTUDIOS (CONT.)		
ÁREAS DE REFORZAMIENTO	FRECUENCIA	%
RESTAURACIÓN	4	1.2
CONTABILIDAD	2	0.6
BIBLIOTECOLOGIA	2	0.6
ORGANIZACIÓN DEL CONOCIMIENTO	2	0.6
SERVICIOS BIBLIOTECARIOS	2	0.6
MÁS OPTATIVAS	2	0.6
NADA	2	0.6
DIDÁCTICA BIBLIOTECOLÓGICA	2	0.6
METODOLOGÍA	2	0.6
MATERIALES ESPECIALES	2	0.6
NO CONTESTÓ	155	46.4
TOTAL	334	100

Se puede observar que lo que se propone es reforzar el área tecnológica y no sólo el plan de estudios en sus programas y contenido temático sino también fortalecer y/o actualizar la infraestructura técnica de las instituciones y la plantilla docente que atienda estos requerimientos.

Lo anterior se debe a que en las bibliotecas, el uso de la computadora es cada vez más importante y necesario, no sólo para realizar procesos técnicos sino que se ha convertido en una herramienta necesaria para proporcionar los servicios de información a nivel nacional e internacional, aunque como menciona Voutssás:

En el área de automatización, si bien las bibliotecas requieren de este tipo de actividades, los planes de estudio de bibliotecología deben apoyarlo con cursos especializados pero a nivel de elementos de criterio, que el bibliotecario interprete elementos de juicio que le permitan resolver problemas prácticos como la selección de programas, de equipos idóneos, de comunicación con personal, de cómputo, especificaciones de máquinas, conocer las bases de datos sobre su especialidad, etcétera, es decir; el bibliotecario necesita ser un experto en su área de trabajo y no experto en sistemas.[7]

La otra área por fortalecer es la administrativa ya que algunas instituciones educativas carecen de un área administrativa definida y sólo proporcionan cursos aislados que no se ubican en el quehacer bibliotecológico.

En esta área y aunque los profesionales la pongan en segundo lugar para ser fortalecida resulta que el porcentaje de asignaturas es muy bajo para la formación de buenos administradores. Es pues necesario que las instituciones educativas pongan especial interés en esto, dados los resultados de las actividades que están desarrollando los profesionales y aunque ellos digan que están bien formados para realizar sus actividades. Esta perspectiva plantea nuevos retos a la educación de recursos humanos en información y particularmente a las escuelas de bibliotecología.

Entran entonces en conflicto las exigencias de los empleadores regidas por la lógica de la producción de bienes y servicios que no necesariamente tienen que coincidir con la lógica docente, que es el del desarrollo de las disciplinas académicas básicas.

RETOS DE LA EDUCACIÓN BIBLIOTECOLÓGICA PARA LA DEMANDA ACTUAL

En el sector bibliotecario

Las bibliotecas públicas dependientes de la Dirección General de Bibliotecas de CONACULTA suman más de 6,000 unidades que deben atender las necesidades de poco menos de 100 millones de habitantes, por lo que aún siguen siendo insuficientes.

---

7 El mercado de trabajo.... p. 396

Por otra parte uno de los sectores que requiere de mayor atención en cuanto a servicios bibliotecarios y de información es el educativo, ya que este sector es la base para el desarrollo del país. En este sentido se tiene una población de 26 millones de estudiantes (de nivel pre-escolar a bachillerato) que se encuentran inmersos en 133, 629 [8] instituciones educativas.

Para atender a este número de estudiantes, se cuenta con 4,514 bibliotecas escolares registradas. Es decir que sólo existen unidades de información en el 3.3% de las escuelas, y de ese porcentaje aún es mínimo el que se vincula realmente con el proceso enseñanza/aprendizaje, que corresponde principalmente al nivel bachillerato. En este sentido el profesional de la bibliotecología debe pugnar por el establecimiento de un mayor número de bibliotecas escolares diseñadas especialmente para atender los requerimientos académicos de esta población.

En el nivel de educación superior se cuenta con 3,815 instituciones educativas con 2 millones de estudiantes, y para atender sus necesidades de información se tienen 1,100 unidades de información, lo que implica que sólo se cubre al 29% de las instituciones educativas.

El total de bibliotecas para el sector educativo es de 5,614, que atiende a una población de 28 millones de estudiantes y representa el 28% de la población total de mexicanos.

En cuanto a las bibliotecas especializadas que se encuentran en centros e institutos de investigación así como en instituciones privadas, el INEGI reporta la existencia de 180 unidades de información.[9]

En cuanto a la docencia

Mucho se ha cuestionado sobre la actividad docente del bibliotecólogo y si las instituciones educativas de esta área son las que deben formar al futuro docente; lo cierto es que a nivel nacional, las leyes

---

8   La fuente de los datos estadísticos es el 6º Informe de gobierno, de Zedillo Ponce de León,

9   Los datos fueron proporcionados de la Dirección General de Planeación, Programación y Presupuesto, con base en sus registros hasta 1997

orgánicas y estatutos de las universidades les exigen el título de licenciatura para ser contratados como profesores. Si se considera que en México existen ocho instituciones educativas que tienen alrededor de doscientos profesores, incluyendo a docentes de carrera y profesores de asignatura, el mercado de trabajo es amplio.

Por otra parte los bibliotecólogos también tienen campo laboral en la docencia a nivel bachillerato, especialmente en el área bibliotecológica y en el área de investigación documental.

En los estudios de posgrado el asunto es diferente, ya que como Elsa Barberena plantea:

> Las posibilidades de empleo para el bibliotecario profesional en docencia, vista desde los estudios de maestría de la UNAM, son reducidas. Esto se debe a que la planta de profesores está cubierta, no existe demasiado interés por ser docente además de que no se dispone de cursos que particularmente apoyen esta área. Por otra parte se observa que los estudiantes de maestría están integrados a la actividad docente en el nivel de licenciatura. En el ámbito nacional se requiere de mayor cantidad de profesores para conformar la estructura de las escuelas de bibliotecología, aunque esto es más bien una demanda potencial, puesto que sólo existe una demanda real para los bibliotecarios, en servicio.[10]

Las posibilidades en este rubro se ven reducidas a tres instituciones de educación superior y a seis programas del área, que son los siguientes.

En la UNAM:
> - Maestría en bibliotecología y estudios de la información
> - Doctorado en bibliotecología y estudios de la información

En la UAM-Xochimilco
> - Maestría en gestión y uso de la información
> - Doctorado en técnicas y métodos en información y documentación

---

10 "El Mercado de trabajo del bibliotecario profesional : mesa redonda ". En Jornadas Mexicanas de Biblioteconomía (20ª : Guadalajara, Jal. 1989. Memoria. México : Ambac, 1989. p. 395

En el Tecnológico de Monterrey
  ➤ Especialidad en bibliotecología y ciencias de la información
  ➤ Maestría en administración del conocimiento

En cuanto a la investigación

En el área de la investigación, el campo de trabajo se encuentra en diversas instituciones públicas que pertenecen a universidades (2) y a sistemas bibliotecarios que cuentan entre su estructura organizativa con algún departamento de investigación, especialmente para la planeación y diseño de sus servicios.

En cuanto a la consultoría

Una de las actividades que se han abierto paso con el desarrollo bibliotecario es la consultoría o asesoría profesional. Cada vez un mayor número de profesionales se crea su propio mercado de trabajo, con su propia empresa, y genera así empleos para sus colegas bibliotecólogos. Esta actividad profesional:

[...]ha cubierto una amplia gama de las actividades en distintas instituciones, organizaciones y centros educativos, los bibliotecarios, se benefician con la aplicación de la metodología, destreza y las técnicas que ofrece la asesoría,[...][11]

El trabajo de consultoría va más allá del plano práctico, ya que el consultor es quien ofrece asesoría profesional o servicios. La asesoría es el proceso de ayuda que surge de una relación personal con el fin de desarrollar un plan, resolver un problema o mejorar una situación determinada.[12] El asesor ofrece sus servicios a instituciones privadas.

---

11 Ekendahl, James. "El papel del bibliotecario en cuestión de asesoría". En: Semana de Bibliotecología (7 : Guadalajara, Jal : 1984) Hacia un Servicio Bibliotecario Nacional : memorias. Guadalajara, Jal.: UG, Dirección de Bibliotecas . y ., 1984. P. 79

12 *Cfr*. Ekendahl, James. "El papel del bibliotecario en cuestión de asesoría". En: Semana de Bibliotecología (7 : Guadalajara, Jal : 1984) Hacia un Servicio Bibliotecario Nacional : memorias. Guadalajara, Jal.: AG, Dirección de Bibliotecas C.U. y E.M., 1984. p. 81

En este caso el mercado es tan amplio como instituciones y empresas existan a nivel nacional o internacional, y los centros de desarrollo tecnológico, industrial, empresarial y comercializado. En México sólo en el sector de manufactura se reportan 270, 319 unidades productivas, independientemente de los sectores de minería, electricidad, comercio, comunicaciones y servicios, aunque existe un problema para que el bibliotecólogo se incorpore a estos sectores, lo que menciona Guadalupe Carrión al escribir que:

> [...]tal parece que en los sectores productivos y de servicios se manifiesta ampliamente la realidad que, en general caracteriza el amplio panorama de los servicios de información en México; esto es una débil cultura de información, escaso conocimiento y un menor convencimiento de la necesidad de contar con información en apoyo de sus planes y programas de acción, lo que es más crítico en la medida que estos sectores juegan o deben jugar un importante papel en apoyo del desarrollo económico e industrial del país. Sin el insumo de información, independientemente de los mecanismos a través de los cuales se obtenga, difícilmente se puede asegurar que nuestras empresas –de todo tipo– logren la competitividad que requieren, a la luz de la globalización.[13]

Aquí el bibliotecólogo tiene dos retos a superar; primero prepararse con los conocimientos y habilidades necesarias para ser gestor o asesor de la información, para ofrecer servicios de calidad y, segundo, convencer a los empresarios acerca de la utilidad y las ganancias que pueden obtener al contar con un profesional de la información.

Cabe señalar que en el rubro de la consultoría, las demandas de las empresas no se satisfacen cabalmente debido a las características de la formación de los profesionales, que se abordarán en el siguiente capítulo, ya que el perfil que se requiere para este tipo de trabajo debe incluir, además de una base de conocimientos y experiencias multidis-

---

13 Carrión Rodríguez, Guadalupe. Diagnóstico de los servicios de información en y para el sector empresarial ; Distrito Federal y Estado de México. Reporte de investigación, 2000. p. 11

ciplinarias, personales y de trabajo en equipo, un manejo adecuado de fuentes y medios de información en formato electrónico.

Esta "explotación" de la información le ha permitido al bibliotecólogo formar empresas de consultores de información "*information brokers*". Un ejemplo de ello es la asociación (AIIPP) (Association of Independent Information Profesionals) que cuenta con más de 700 miembros, más del 90% de los cuáles son bibliotecólogos dedicados principalmente al almacenamiento y recuperación de la información, y a la creación de productos y servicios de información.

El papel del bibliotecólogo ante esta sociedad globalizada e industria de la información es sumamente importante y en este momento existen muchas oportunidades para poder explotar sus actividades tradicionales así como las de reciente creación. Si no se aprovechan pronto dichas oportunidades, otras profesiones tendrán que tomar las riendas. La imagen del bibliotecólogo tradicional tendrá que cambiar para poderse integrar al ambiente institucional o corporativo actual en el que predomina la tecnología.[14]

El bibliotecario tiene posibilidades diferentes de brindar asesoría como asesor:

a) Asesor interno y asesor externo.

Los asesores internos pueden ser más astutos políticamente hablando sin importar la cultura del cliente; y no requieren de mucho tiempo para enseñarle al bibliotecario sobre la organización o sus problemas específicos; con frecuencia les es posible trabajar en equipo con los asesores externos y además ayudar en la evaluación final del trabajo de los asesores externos.

b) Asesor de contenido o de proceso.

Las funciones del asesor de contenido o de tarea orientada como experto técnico provee ideas y opiniones, reúne la información y

---

14 Cfr. Turnbull Muñoz, Federico. "Retos y oportunidades para el bibliotecólogo ante las nuevas tecnologías de información". En : Jornadas Mexicanas de Biblioteconomía (29 : Veracruz, Ver. : 1998) Memorias. México: AMBAC, 1998. p. 264.

da recomendaciones específicas y concretas. La relación con el cliente es normalmente objetiva, detallada e incluye tareas orientadas. Principalmente el autor se involucra con el problema a resolver, trabaja en la capacidad del cliente para organizarse con relación al problema a resolver y facilita un entendimiento claro de actitudes y sentimientos.

c) Asesor educativo.

Este tipo de asesor puede diseñar y llevar a cabo un programa de educación y entrenamiento periódico dentro del sistema que va a asesorar, e incluir pláticas en reuniones informales, talleres, conferencias, revisiones, etcétera.

d) Asesor de recomendaciones.

Éstos deben ser efectivos con el fin de inculcar un compromiso en el cliente hacia cambios positivos. El asesorar es una acción orientada y con frecuencia el asesor debe persuadir al cliente y ayudarlo a tomar un curso ideal de acción.[15]

El incremento de consultorías indica que los bibliotecólogos están asumiendo los nuevos retos que la sociedad les está imponiendo.

En cuanto a la venta de información

Entendida la mercadotecnia como una técnica para promover los servicios de información, se puede aplicar a todas las unidades, tanto públicas como privadas, como lo menciona Guadalupe Carrión, mercadotecnia:

[...]es el conocimiento de las técnicas empleadas en mercadotecnia, las podemos aplicar en forma amplia en nuestras diversas actividades de información, para responder a nuestra clientela de la manera más conveniente. En este sentido mercadotecnia implica una completa

---

15 Ekendahl, James. "El papel del bibliotecario en cuestión de asesoría". En: Semana de Bibliotecología (7 : Guadalajara, Jal : 1984) Hacia un Servicio Bibliotecario Nacional : memorias. Guadalajara, Jal.: UAG, Dirección de Bibliotecas C.U. y E.M., 1984. p. 84

orientación al consumidor, más que al producto o servicio, asociando así esta actividad económica a un elevado propósito social.[16]

Este espectro del mercado del bibliotecólogo es más empleado por los proveedores de servicios que tienen como objetivo la venta de éstos, pero está muy relacionado con el anterior (consultoría), aunque la mercadotecnia se puede aplicar en instituciones públicas si se considera la unidad de información como una empresa en la que lo importante es la satisfacción del cliente y que se ofrezcan los servicios como algo atractivo que le reditúa beneficios al usuario.

En ese sentido el mercadeo se convierte en un amplio mercado dirigido hacia las empresas, industrias y comercios, con la finalidad de ofrecer servicios de información que le redituarán una serie de ganancias a la empresa.

Esta idea de venta de servicios, a partir de una unidad de información, tiene pocos seguidores en México y en América Latina, ya que en primera instancia la vocación de servicio que se inculca en las escuelas incluye la gratuidad de éstos, y por otra parte:

> Nuestra sociedad ha sido tradicionalmente pobre en el uso de información y por ello, quienes estamos vinculados a esta profesión, nos hemos preocupado, a mi parecer, más por promover los servicios para crear una demanda, para responder efectivamente a las necesidades manifiestas o patentes - con menos atención a las latentes-, que por introducir elementos y técnicas de negocios que, posiblemente sentimos, no son relevantes ni necesarios para nuestra profesión.
>
> Sin embargo, conviene aclarar desde este momento que mercadotecnia de los servicios de información no quiere decir necesaria y únicamente cobro por los servicios que se ofrecen, aunque sí es, desde luego, un aspecto a considerar.[17]

---

16 Carrión Rodríguez, Guadalupe. "Mercadotecnia de los servicios de información. En *Semana de Bibliotecología e Información* (9ª : 1987 : Guadalajara, Jal.) Industria, profesión y servicio : memorias. México : UAG, Departamento de Biblioteca, 1987. p. 3

17 Carrión Rodríguez, Guadalupe. "Mercadotecnia de los servicios de información. En Semana de Bibliotecología e Información (9ª : 1987 : Guadalajara, Jal.) Industria, profesión y servicio : memorias. México : UAG, Departamento de Biblioteca, 1987. p.11

De acuerdo con Guadalupe Carrión, las actividades que se pueden desarrollar son:

1) Desarrollo de productos y usuarios.

2) Fijación de precios.

3) Relaciones públicas.

4) Estudios de mercado.[18]

Todo ello permitirá conocer mejor al usuario final para satisfacer sus requerimientos de información.

Para lograr lo anterior hacen falta nuevas habilidades y conocimientos e inculcar en los estudiantes una mente empresarial, de evaluación y una amplia visión sobre la calidad de los servicios, entre otros aspectos.

A este mercado es al que debe responder la educación bibliotecológica del país.

BIBLIOGRAFÍA

Carrión Rodríguez, Guadalupe. Diagnóstico de los servicios de información en y para el sector empresarial ; Distrito Federal y Estado de México. Reporte de investigación, 2000.

Carrión Rodríguez, Guadalupe. "Mercadotecnia de los servicios de información". En Semana de Bibliotecología e Información (9ª : 1987 : Guadalajara, Jal.) Industria, profesión y servicio : memorias. México : UAG, Departamento de Biblioteca, 1987.

Ekendahl, James. "El papel del bibliotecario en cuestión de asesoría". En: Semana de Bibliotecología (7 : Guadalajara, Jal : 1984) Hacia un Servicio Bibliotecario Nacional : memorias. Guadalajara, Jal.: UAG, Dirección de Bibliotecas C.U. y E.M., 1984.

---

18 *Cfr*. Carrión Rodríguez, Guadalupe. "Mercadotecnia de los servicios de información. En Semana de Bibliotecología e Información (9ª : 1987 : Guadalajara, Jal.) Industria, profesión y servicio : memorias. México : UAG, Departamento de Biblioteca, 1987. p. 17

Martínez Rider, Rosa María, Beatriz Rodríguez Sierra. "La bibliotecología en el Estado de San Luis Potosí : mercado de trabajo,
estructura ocupacional y práctica profesional". En Encuentro
Nacional de Profesores y Estudiantes de Bibliotecología. (4 :
1998 : San Luis Potosí)

El Mercado de trabajo del bibliotecario profesional : mesa redonda ". En Jornadas Mexicanas de Biblioteconomía (20ª : Guadalajara, Jal. 1989. Memoria. México : Ambac, 1989.

Plan y descripción curricular: licenciatura en bibliotecología.
México : UNACH, Escuela de Humanidades, 1992.

Turnbull Muñoz, Federico. "Retos y oportunidades para el bibliotecólogo ante las nuevas tecnologías de información". En :
Jornadas Mexicanas de Biblioteconomía (29 : Veracruz, Ver. :
1998) Memorias. México: AMBAC, 1998.

La descripción bibliográfica en el entorno digital

Catalina Naumis Peña
Universidad Nacional Autónoma de México

En esta oportunidad deseo compartir con todos ustedes algunas reflexiones en torno a las características del documento digital y su relación con los mecanismos de descripción bibliográfica, que en mi opinión retoman el trabajo desarrollado por los antiguos bibliógrafos del siglo XVIII y la adaptación de instituciones como archivos y bibliotecas a la organización de los nuevos soportes de información.

La descripción bibliográfica en el entorno digital es un tema discutido como parte de la organización documental, pues las normas e instrumentos hasta ahora utilizados en esta tarea se aplicaban únicamente a materiales impresos. Materiales que por sus características físicas intrínsecas permanecían inmutables hasta que se publicaba otra edición que podía tener diferentes modificaciones, pero para esto indudablemente debía transcurrir algún tiempo. Sin embargo con los documentos digitales, que pueden ser modificados con una facilidad pasmosa y de un momento a otro, se hace más difícil el registro bibliográfico. Es innegable, como ha escrito Balsamo, que en esta evolución cada vez más rápida y sofisticada, el libro ha perdido actualmente la centralidad o predominio instrumental que tuvo en el pasado y conservó durante tantos siglos.[1]

Pudiera alguien objetar que no es tan problemático el asunto por sí mismo, pero cuando además intervienen imágenes fijas, sonidos y la combinación de ambos (video), las diversas interpretaciones se

---

1 Luigi Balsamo (1998) La bibliografía: historia de una tradición. — p. 14

potencian y se vuelve muy difícil describir, en un sistema de información, cada uno de los elementos citados de modo que puedan recuperarse con prontitud, eficacia y, en suma, con el esperado respaldo acerca de la calidad y originalidad del documento.

Por ejemplo, un video cuyo tema sea la ecología, y que explique de manera profunda el objeto de estudio de esta disciplina, los enfoques, los factores que intervienen, etcétera, puede fácilmente ser modificado si se baja de la red. Esto se logra cortando y pegando fragmentos de video, de texto o sonoros, hasta convertirlo en un nuevo documento cuyo tema sea totalmente diferente al original. El nuevo documento tendrá que especificar el origen de las imágenes y de las ideas plasmadas en la nueva obra. Otro ejemplo sería una película basada en un libro, aunque no sea reconocido por el propio director de la película, será necesario hacer la liga entre el documento original y la versión fílmica. El trabajo bibliográfico no se restringe entonces a la descripción de un documento, sino a su contexto y a la relación que guarda con otros documentos, situación frecuente en los archivos donde las descripciones se conservaron en general con mayor detalle que los libros en las bibliotecas.

Por consiguiente la aparición del documento digital ha provocado cambios tan trascendentes que dan la impresión de que se ha interrumpido una larga y vieja tradición, mientras que en realidad únicamente han cambiado los instrumentos y los modos de memorizar, elaborar y recuperar la información, aunque evidentemente de manera radical. Todo esto constituye un nuevo reto para la bibliotecología actual.

La ventaja de la descripción bibliográfica tradicional es que se auxilia de reglas preestablecidas que tienen un alcance universal. Esto es, asegurar que dos personas diferentes lleguen a la misma configuración del registro de una obra.

En la descripción bibliográfica para el medio impreso se distinguen, como se sabe, dos tipos de puntos de acceso: los formales (responsables, títulos, datos de la monografía o de la serie) y los de contenido (asignación de palabras significativas que representan temas, esquemas de clasificación, resúmenes) que se controlan mediante códigos terminológicos. Este método de registro es insuficiente para el medio digital.

Volviendo a las características de la descripción bibliográfica tradicional y antes de entrar en las características del registro de los documentos digitales, se recuerda con Martínez de Sousa, en el prólogo a la edición española del libro de Gaskell sobre la bibliografía material (corriente desarrollada principalmente en Inglaterra en el siglo XVIII), que el "[...]cometido principal de la bibliografía; durante un buen tiempo fue determinar la versión más fiable de un texto. Para hacer esta tarea, incluso para solucionar problemas simples, como el orden de las ediciones o impresiones, había que saber como se producían esos textos. Es decir, el bibliógrafo tenía que entender con claridad el proceso del libro, desde su creación hasta el momento de su incorporación a un sistema de información para revisarlo, no sólo en la parte intelectual de la obra en sí, sino también analizarlo desde el punto de vista de quiénes lo compusieron, corrigieron, imprimieron y encuadernaron, o dicho de otro modo, ver no sólo la unidad intelectual, sino también observarlo como el resultado de una serie de actividades, derivada cada una de ellas de una serie de procesos muy claros".[2]

En este momento el panorama documental cuenta con diferentes soportes y diferentes presentaciones documentales para transmitir conocimiento. Esta es una problemática que no se ha resuelto con las normas elaboradas hasta el presente por la organización bibliotecaria y archivística,. Pues bien, la aparición del documento digital agregó nuevos retos a estas organizaciones, ya que la misma construcción de este documento exige una tarea de tal armado, que ha sido denominada arquitectura del documento. Para la cual se deben construir ligas que cumplan determinadas reglas de relaciones que permitan navegar en forma clara y eficaz entre los documentos y recuperarlos

---

2   José Martínez de Sousa (1999) "Prólogo a la edición española" – p. xiv

para satisfacer una necesidad específica de información; se trata de documentos, que en su mayoría están enmarcados por su ubicación en una temática y probablemente en un tipo de soporte en especial.

Al respecto hay opiniones, como por ejemplo la de Balsamo, quien dice que el cambio no afecta las relaciones de comunicación del documento:

> Así pues, no ha cambiado el concepto de información, que ni se identifica con el dato, ni con el tipo de soporte, sino que, en lo fundamental es la mediación cultural entre los datos y el receptor/intérprete dentro de un sistema de comunicación dotado de códigos de transmisión y de métodos de consulta y localización propios. En cambio, ha sufrido modificaciones la forma de conocimiento que se demanda y que, a su vez, condiciona la organización del sistema mismo.[3]

Cada tipo de soporte de información presenta sus propios problemas y tiene que estudiarse con los métodos que requiere su caso particular y no se puede seguir un único camino, pero esto sin duda es lo que le agrega cierta seducción a la investigación bibliográfica en la época actual. Estos nuevos formatos de presentación ofrecen diversos tipos de documentos y de textos que se asocian con la creciente demanda para acceder tanto a la información científica y técnica, como a la comercial y de entretenimiento.

Esta nueva variedad documental significará una vuelta por tratar de recuperar esa parte de la descripción del documento como objeto tangible y para rescatar, además de su valor como obra individual, las características materiales e incluso para determinar los medios de producción utilizados para su construcción. En lugar de incluir los datos sobre el tipo de papel, la tipografía, las formas en las que se ofrecía el documento al público, así como falsificaciones y facsímiles, ahora se deberán incluir, normas para la interoperabilidad en la red, compatibilidad de los sistemas media, ubicación de ficheros, medios de almacenamiento, formatos de digitalización, *ratios* de compresión, información sobre autenticidad y seguridad, información sobre

---

3   Luigi Balsamo (1998) La bibliografía: historia de una tradición – p. 182

adquisiciones, derechos de autor, información sobre el lugar de grabación, criterios de selección, control de versiones, información sobre conservación, y seguimiento sobre el uso de la información y sobre los usuarios.

Es decir, los nuevos registros que habrán de elaborarse para los sistemas de información deben contener, además de los datos sobre la obra intelectual, de formato y de contenido, tal como lo expresa Annemieke de Jong, otros elementos técnicos para rescatarlos, así como el contexto en el que se presentan.[4] Un nuevo elemento agregado es que en muchas ocasiones los registros serán parte del objeto informativo y estarán relacionados además con otros objetos en el propio documento digital.

Los documentos digitales son registrados para identificarlos y describirlos con estructuras basadas en metadatos que permiten relacionarlos y establecer el modo de manejarlos como una verdadera arquitectura del propio objeto digital, cuya diferencia fundamental con la organización de los datos bibliográficos anteriores es que se pasa del ordenamiento alfabético, que se adoptó a partir de la Enciclopedia de Diderot y D´Alembert, para regresar al sistemático. De acuerdo con Simone, quien la retoma de Condillac, la visión alfabética trabaja con un modo de inteligencia que es secuencial.[5] La ordenación sistemática se basa en el modo de la inteligencia simultánea porque, al igual que para la visión de las imágenes, se observa primero el todo y luego las partes integrantes, lo cual tiene implicaciones de todo orden en las cuales es necesario profundizar y es un tema poco discutido en la literatura bibliotecológica dada la envergadura del problema.

---

4 Annemieke de Jong (2003) *Los metadatos en el entorno de la producción audiovisual*. p. 11
5   Simone, Raffaele (2000) La tercera fase: formas de saber que estamos perdiendo– p. 33

El registro bibliográfico de documentos en diferentes soportes ha significado el acercamiento de archivos, bibliotecas[6] y sistemas de información para integrar los diferentes soportes de información y normalizar su registro, pues si bien no todos éstos son nuevos en el panorama social se han convertido ya en imprescindibles para la memoria humana.

Por cierto, esto me recuerda que el crecimiento de la Red provoca un aumento considerable en las dificultades de recuperación de información relevante, tanto es así que organizaciones como la Library of Congress y la American Society of Archivists trabajan en forma conjunta para crear tablas de equivalencia entre el MARC y otras reglas para registro bibliográfico y archivístico. Es decir, se está produciendo un acercamiento entre instancias antes independientes entre sí, como archivos y bibliotecas (que antes aun compartiendo local utilizaban mecanismos de organización diferentes) para solucionar problemas de normalización por medio de la creación de puentes entre documentos y lectores.

Los modelos bibliográficos respaldados por metadatos asumen la necesidad del ordenamiento sistemático y hemos comprobado que los nuevos desarrollos, como el RDF (Resource Description Framework o Estructura de Descripción de Recursos) o las FRBR (Functional Requirements for Bibliographic Records o Requerimientos Funcionales para Registros Bibliográficos) están organizados con base en ello.

Las DF definen tres tipos de elementos comunes en registros de bases de datos: entidades, atributos y relaciones, y a partir de ellos, las FRBR identifican tres tipos de puntos de acceso. La normalización de los puntos de acceso parece el puente idóneo para que el usuario localice la entrada al sistema de ordenación:

---

6   José López Yepes presenta un dato interesante: archivos y bibliotecas se separan cuando en Francia en 1895, en la Ecole de Chartes su Servicio de Bibliotecas y Archivos, fundado en 1847 se divide en dos cursos distintos: uno para bibliografías y bibliotecas y otro para archivos. José López Yepes (1989) p. 95

1. productos intelectuales: obras, expresiones, manifestaciones, ejemplares;
2. responsables: personas y entidades, y
3. materias: conceptos abstractos, objetos, acontecimientos y lugares.

Las fuentes que se utilizaron para este análisis incluyen las International Standard **Bibliographic** Description (ISBDs), the Guidelines for Authority and **Reference** Entries (GARE), the Guidelines for Subject Authority and Reference Entries (GSARE), and the UNIMARC Manual, y otra serie de fuentes tan especializadas como AITF Categories for the Description of Works of Art.[7]

CONSIDERACIONES FINALES

El documento digital se constituye en patrón unificador de tipos de soporte, y contribuye a armonizar las aparentes diferencias de las disciplinas documentarias.

> ➢ El bibliógrafo de hace doscientos años vuelve a renacer en la medida en que es protagonista de un proceso que consiste en describir la arquitectura interna del documento digital y pone de relieve aspectos como la fidelidad de la copia o el tipo y la calidad de los productos utilizados para construirlo.
> ➢ Los documentos de los catálogos tradicionales eran antes ordenados alfabéticamente y ahora esto está siendo sustituido por catálogos de documentos digitales que se estructuran en orden sistemático.
> ➢ Las tareas de los archivos y las bibliotecas tienden a identificarse en torno al documento digital.
> ➢ Cada tipo de documento digital requiere un tratamiento especial y exige principios comunes, para lo cual se deben construir herramientas bibliográficas personalizadas.

---

7 Functional requirements for bibliographic records: final report (1998) – p. 4

Por último presento dos testimonios que contribuyen a aclarar los aspectos tratados a lo largo de las páginas anteriores.

El uso de la palabra "contenido" en el entorno digital tiene una connotación muy clara y Annemieke de Jong recoge la definición del contenido en el medio digital, como la esencia más los metadatos correspondientes, porque estos últimos son parte de los mecanismos que vinculan los ficheros de los objetos digitales con los correspondientes metadatos con el fin de poder dirigir e intercambiar eficazmente los contenidos entre los diversos componentes del sistema.[8]

Por su parte Garduño refiriéndose a la descripción bibliográfica aporta su punto de vista sobre los cambios que se presentan en el entorno digital:

En consecuencia el reconocimiento por parte de los bibliotecarios de las diferencias entre catalogar registros bibliográficos y procesar información digital para estructurar sistemas de metadatos y bibliotecas digitales, es un requisito fundamental para reorientar las tareas bibliotecarias que requieren los modelos creados por las tecnologías de información, los cuales están sujetos a cambios constantes que afectan la sistematización documental y cuyo propósito debe seguir siendo facilitar la recuperación y el uso de la información para las sociedades[9]

OBRAS CONSULTADAS

BALSAMO, Luigi. *La bibliografía: historia de una tradición* / Traducción de Isabel Villaseñor Rodríguez y Xilberto Llano. – Gijón (Asturias): Ediciones Trea, 1998. – 214 pp. – (Biblioteconomía y administración cultural; 20)

---

8 Annemieke de Jong (2003) *Los metadatos en el entorno de la producción audiovisual*. p. 21
9 Roberto Garduño Vera (2000) "Paradigmas normativos para la organización documental en los albores del siglo XXI" – p. 136

Functional requirements for bibliographic records: final report / IFLA Study Group on the Functional Requirements for Bibliographic Records / [International Federation of Library Associations and Institutions. IFLA Universal Bibliographic Control and International MARC Programme, Deutsche Bibliothek, Frankfurt am Main]. – München: Saur, 1998. – (UBCIM publications; N. S., Vol. 19)

GARDUÑO VERA, Roberto. "Paradigmas normativos para la organización documental en los albores del siglo XXI". – p. 115-149. – En *Investigación Bibliotecológica: Archivonomía, Bibliotecología e Información.* – Vol 14, no. 28 (enero/junio 2000)

JONG, Annemieke de. *Los metadatos en el entorno de la producción audiovisual* / prólogo de Lidia Camacho; traducción de Jesús Andérez. – 2ª ed. – México DF: Radio Educación, 2003. – 69 p.

KRUMMEL, D. W. *Bibliografías: sus objetivos y métodos* / Traducción del inglés Isabel Fonseca Ruiz. – Madrid: Fundación Germán Sánchez Ruipérez, 1993. – 220 pp. – (Biblioteca del Libro; 55)

LOPEZ YEPES, José. "Introducción al concepto de bibliografía". – p. 86 – 97. – En *Fundamentos de información y documentación* / compilador José López Yepes. – Madrid: EUDEMA, 1989. – 485 p. –(Eudema Universidad Manuales)

LIZARAZO ARIAS, Diego. "Análisis y descripción de imágenes audiovisuales" [en línea]. – México: SEP: DGTVE: CETE: IPN: Centro de Investigación en computación. (Mayo-junio 2001) – http://eva.cic.ipn.mx

MARTÍNEZ DE SOUSA, José. "Prólogo a la edición española". – p. xiii-xv. – En Gaskell, Philip. *Nueva Introducción a la bibliografía material.* – Gijón (Asturias): Ediciones Trea, 1999. – xxxii, 540 p. – (Biblioteconomía y administración cultural; 23)

PINTO MOLINA, María, F. Javier García Marco y María del Carmen Agustín Lacruz. *Indización y resumen de documentos digitales y multimedia: técnicas y procedimientos.* – Gijón (Asturias): Ediciones Trea, 2002. – (Biblioteconomía y administración cultural; 62)

TEMA:
ORGANIZACIÓN DE LA INFORMACIÓN

¿Organización de contenidos u organización de documentos?

FILIBERTO FELIPE MARTÍNEZ ARELLANO
Universidad Nacional Autónoma de México

En 1876, Charles A. Cutter estableció sus principios para el catálogo, los cuales han sido ampliamente mencionados y citados dentro de la literatura bibliotecológica por más de un siglo:

1. Permitir encontrar un libro del cual se conoce su autor, título o tema.
2. Mostrar lo que la biblioteca tiene de un determinado autor, tema o tipo especial de literatura.
3. Ayudar en la selección de un libro tomando en consideración su edición (características bibliográficas) o su carácter (literario o temático).

Al hacer un análisis del conjunto de objetivos que Cutter planteó para el catálogo, Svenonius (2000) menciona que éstos se encuentran conformados por tres objetivos particulares: el objetivo de localización, el cual está relacionado con la necesidad del usuario para localizar un documento del que se conoce el autor, el título o el tema; el objetivo de agrupación, el cual facilita a un usuario poder localizar un conjunto de documentos de un autor, tema o género determinados; el objetivo de selección, el que permite a un usuario elegir de un conjunto de documentos aquellos que le son más apropiados.

Ciertamente, el catálogo ha sido durante muchos años el mecanismo por excelencia para organizar los materiales o documentos que se encuentran en una biblioteca a través de la elaboración de registros que contienen una descripción de su contenido, así como de sus características físicas, es decir, la descripción de una obra o trabajo intelectual y de las particularidades del documento o entidad que lo contiene. Smiraglia (2002) señala que un documento es un objeto de información, con una existencia espacio-temporal, creado con la intención de registrar o diseminar conocimientos para de esta forma convertirse en un objeto informativo. Un documento puede ser un papel en el que un texto u otros signos gráficos son mostrados, puede también ser un archivo de computadora en donde existen texto, signos gráficos, registros audiovisuales, o bien, cualquier otro objeto o entidad de información de las que existen numerosos tipos. Asimismo, menciona que un documento tiene dos propiedades, una física (el contenedor) y la otra intelectual (las ideas contenidas), pudiendo esta última ser definida como el trabajo u obra intelectual. Un trabajo u obra intelectual es un conjunto coordinado de ideas representadas en un documento con el propósito de ser comunicadas.

Las propiedades de los documentos o entidades de información son registradas dentro del catálogo haciendo uso de los lenguajes bibliográficos. Éstos pueden ser definidos como lenguajes artificiales diseñados y aplicados de acuerdo con un conjunto particular de reglas, cuya función principal es proporcionar alternativas para tener acceso a la información contenida en los documentos o entidades de información, así como para conocer sus características físicas. Svenonius (2000) señala que los lenguajes bibliográficos pueden ser divididos en lenguajes para obras y lenguajes para documentos. Los lenguajes para las obras describen la información en términos de sus atributos intrínsecos, tales como el autor, el título, la edición y el tema. Estos son atributos intelectuales, independientemente de su manifestación en el espacio y el tiempo, por lo que además de ser lenguajes de contenido pueden ser considerados como lenguajes de atributos intelectuales. Por otro lado, los lenguajes para documentos describen los atributos que son específicos para las manifestaciones particulares de las obras o trabajos, esto es, atributos de publicación (tales como el editor, el lugar y la fecha de publicación), atributos físicos (tales como el tamaño, color y medio físico) y atributos de localización (tales como una revista, un sitio web o una biblioteca).

El diseño y utilización de los lenguajes bibliográficos han estado basados en normas y estándares, siendo los más comunes las reglas de catalogación, los encabezamientos de materia, los tesauros y los sistemas de clasificación. La segunda edición de las Reglas de Catalogación Angloamericanas (RCA2) constituyen el estándar internacional más utilizado para la descripción de los documentos y parte de su contenido. La primera sección de las RCA2 contiene normas enfocadas primordialmente a la descripción de las características físicas de los documentos, mientras que las enumeradas en la segunda sección corresponden al manejo y descripción de ciertas características de las obras o trabajos (autores personales, autores corporativos y títulos). Por otro lado, el contenido temático de las obras o trabajos ha sido manejado por medio de los lenguajes temáticos, siendo los más representativos la Lista de Encabezamientos de Materia de la Biblioteca del Congreso (Library of Congress Subject Headings, LCSH), la Clasificación Decimal de Dewey y la Clasificación de la Biblioteca del Congreso de los E. U. (Clasificación L. C.).

Sin duda alguna, el catálogo, así como las normas y estándares utilizados en la elaboración de los registros bibliográficos que lo conforman, han demostrado a lo largo de su existencia su validez y utilidad. Asimismo, la teoría y práctica de la catalogación han evolucionado de acuerdo con las circunstancias de cada época. Los códigos y estándares de catalogación han sido modificados con el paso de los años para incluir un rango más amplio de nuevos medios de publicación tales como microformatos, registros de sonido y video, películas y archivos de computadora. En años recientes, los estándares bibliográficos y los formatos asociados con ellos, también han sido adaptados para poder describir los nuevos tipos de materiales encontrados en las redes de computadoras, especialmente la Internet, (Raghavan y

Neelameghan, 2002). Por otro lado, los catálogos de tarjetas han cambiado de forma y en la actualidad los catálogos automatizados con la forma predominante. Por otro lado, las bibliotecas ya no constituyen la única fuente para la obtención de documentos o entidades de información.

Lo anteriormente expuesto ha motivado que los principios que Cutter estableció para el catálogo, hace más de una centuria, hayan sido reformulados. En 1997, un grupo de trabajo de la Federación Internacional de Asociaciones e Instituciones de Bibliotecarios (IFLA) reformuló dichos objetivos, los adecuó a un ambiente digital y global e incluyó una nueva terminología, así como nuevas entidades y agencias de información. Los objetivos de un sistema de información bibliográfica planteados por la IFLA son (Svenonious, 2000):

- Localizar entidades que correspondan a los criterios de búsqueda establecidos por el usuario (i. e. localizar una entidad o un conjunto de entidades en un archivo o base de datos como resultado de una búsqueda utilizando un atributo o relaciones de la entidad).
- Identificar una entidad (i. e. confirmar que la entidad descrita en un registro corresponda a la entidad buscada, o pueda ser distinguida entre dos o mas entidades con características similares).
- Seleccionar una entidad que sea apropiada a las necesidades del usuario (i. e. elegir una entidad que cubra los requerimientos del usuario con respecto al contenido formato físico, etcétera, o rechazar una entidad por ser inapropiada a las necesidades del usuario).
- Adquirir o tener acceso a la entidad descrita (i. e. adquirir una entidad a través de compra, préstamo, etcétera, o accesar a una entidad electrónicamente a través de una conexión en línea a una computadora remota).

Ciertamente, el lenguaje y la terminología relacionados con el catálogo y otros sistemas de información bibliográfica han sido puestos al día; sin embargo, los objetivos continúan siendo los mismos. Se puede notar que el objetivo de localización, el de agrupación y el de selección se encuentran presentes, pero se ha agregado uno nuevo, el de acceso.

No obstante lo anterior, la catalogación enfrenta una serie de problemas debido al surgimiento de nuevas entidades de información y al incremento en el número de documentos publicados. Las obras representadas en un gran número de registros bibliográficos como el *Hamlet* de William Shakespeare, o el *Corán,* pueden causar problemas significativos para los usuarios del catálogo a causa del despliegue de largas listas que contienen los registros recuperados. En ocasiones, las búsquedas en el catálogo resultan en despliegues de cientos y a veces miles de registros. Asimismo, es probable que esta situación inhiba la habilidad de un usuario para identificar registros relevantes. Una alternativa para este problema sería organizar automáticamente los resultados de las búsquedas en categorías e incluir registros abreviados con resúmenes. (Carlyle y Summerlin, 2002).

PROBLEMAS CON LAS NUEVAS ENTIDADES

Las entidades que contienen imágenes en movimiento, como las películas y los videos, son algunas de las nuevas entidades de información que presentan problemas para su organización, pues éstas son capaces de contener contribuciones de un gran número de personas que intervienen en su creación. Asimismo, a través de su edición, alteración o adición, cada una de las nuevas manifestaciones de estas entidades representa un nuevo contenido intelectual o artístico, y por lo tanto, es tratada como entidad separada por los catalogadores. Por ejemplo, cuando una película es distribuida para televisión pero se realizaron cortes en donde se identificaban ciertos productos comerciales, o su longitud en pies fue reducida para permitir los tiempos destinados a los comerciales, o bien, cuando ésta es distribuida a la aerolíneas cortándoles escenas de sexo, violencia y accidentes aéreos, éstas constituyen una nueva manifestación de la obra. Por otro lado, cada una de las escenas de un film o video puede ser considerada como una unidad. Algunos usuarios buscan en los materiales filmados, partes o escenas que pueden ser utilizadas en la producción de otros trabajos. Turner y Goodrum (2002).

Las series de televisión representan otro tipo de las nuevas entidades de información que presentan problemas para su organización. Generalmente, estas entidades son organizadas teniendo en mente un marco global de acuerdo con lo que están tratando de comunicar a su audiencia; sin embargo, cada episodio puede ser considerado individualmente, y por lo tanto, sus partes representativas pueden ser examinadas por separado, pues cada una de ellas contiene tópicos y acciones particulares (Leigh, 2002).

Copeland (2002) menciona que cuando se busca en OCLC la obra *Robinson Crusoe* por título, o por autor y título (Defoe/Crusoe), se obtiene un mensaje que dice que el número de registros recuperados excede los parámetros de búsqueda establecidos. Solamente cuando se restringe la búsqueda por tipo de formato y por fecha, el usuario puede navegar a través del mundo de registros bibliográficos de Robinson Crusoe/Defoe. Asimismo, plantea los siguientes cuestionamientos: ¿Cuándo una digitalización de esta obra es una reproducción y cuándo es una nueva publicación? ¿Deberemos utilizar un solo registro o dos registros para describir una reproducción digital u otra versión electrónica de una obra? ¿Qué tanta información acerca de un libro o manuscrito que ha sido digitalizado deberá ser incluida en la catalogación para su representación? ¿Qué datos deberán ser incluidos en los campos de fecha del registro MARC para presentar un despliegue claro y entendible de todo las ediciones de una obra? ¿Nuestras catalogaciones de textos electrónicos y reproducciones digitales pueden ayudar a los usuarios a encontrar una obra, al mismo tiempo que diferencian distintas ediciones? Para utilizar todas las ventajas de una obra como elemento de agrupación es necesario corregir las irregularidades que presentan las reglas de catalogación generadas a lo largo del tiempo, y registrar adecuadamente los atributos de las obras, así como los correspondientes a sus distintas expresiones, manifestaciones y materiales, como en el caso de la catalogación de materiales raros y únicos y de sus reproducciones digitalizadas.

Por otro lado, los catálogos en línea ofrecen pocos avances comparados con el acceso descriptivo que presentan los de tarjetas. En gran parte esto es debido a que el catálogo en línea fue originado por la automatización del catálogo de tarjetas. Actualmente, los registros MARC tienen una detallada descripción; sin embargo, utilizan puntos de acceso limitados. Como consecuencia de lo anteriormente señalado, nos enfrentamos a millones de registros MARC y a cientos de sistemas basados en esos registros sin ser capaces de tomar ventaja de toda la sofisticación de los sistemas en línea modernos. Por no reconocer a las obras o trabajos como un elemento importante para la recuperación de la información, a nuestros catálogos les falta la profundidad y flexibilidad que la tecnología de las bases de datos modernas hacen posible (McEathron, 2002). Las RCA2 manejan dos distintas manifestaciones de una obra como entidades diferentes; sin embargo, los usuarios buscan la agrupación de los trabajos u obra intelectual de un autor, no la agrupación de todas las ediciones o manifestaciones de sus obras (Yee citada por Leigh, 2002).

Asimismo, cuando se examinan los códigos de catalogación, la distinción entre los contenedores de las ideas o información, y la información misma, no siempre ha sido clara. Esto principalmente es debido a que los códigos de catalogación han tendido que basar sus reglas en las características de los materiales más que en lo que ellos contienen. Lo anterior no significa que los usuarios no necesiten información acerca del contenedor; sin embargo, la visión de un trabajo u obra, conceptualizada como los pensamientos o ideas embebidas dentro de un contenedor, es también importante. Los nuevos contenedores de información tienen características significativas relacionadas con sus aspectos de accesibilidad, facilidades de recuperación y uso de las ideas involucradas en ellos, así como de sus propiedades físicas. Por ejemplo, en los CDs podemos reconocer dos niveles de responsabilidad, la relacionada con la creación de las ideas contenidas y las características de este producto al que se ha agregado un valor añadido por sus posibilidades para la accesibilidad, recuperación y uso de su contenido (Raghavan y Neelameghan, 2002).

Ciertamente, la necesidad de enfatizar la organización de trabajos u obras intelectuales, en lugar de las características físicas de los documentos o entidades de información que los contienen, es una necesidad cada día mayor; sin embargo, los esfuerzos para definir a las obras como elementos importantes de recuperación son muy recientes. La mayoría de los sistemas para el manejo y recuperación de la información bibliográfica tales como los catálogos e índices, no han sido diseñados para incluir relaciones entre las entidades. En particular, los catálogos automatizados fueron diseñados para imitar al catálogo de tarjetas, siendo el inventario de documentos su principal objetivo y la agrupación de éstos un objetivo secundario. Nuestros sistemas han sido creados teniendo en mente las características físicas de las entidades (documentos) como el punto central, sin prestar demasiada atención a sus atributos intelectuales y a las relaciones que pudiesen ser establecidas entre ellos. (Smiraglia, 2002). De esta forma, es necesario la incorporación de un quinto objetivo para los sistemas de organización de la información (Svenenius, 2000), el cual le permita al usuario encontrar los trabajos u obras relacionadas con otros por medio de generalizaciones, asociaciones y agrupaciones, así como por atributos de equivalencia y jerarquía.

Finalmente, es importante señalar el trabajo que la Federación Internacional de Asociaciones e Instituciones de Bibliotecarios (IFLA) ha realizado para proporcionar un modelo que ayude a solucionar los problemas que las nuevas entidades de información han traído consigo. El Grupo de Estudio sobre los Requerimientos Funcionales para los Registros Bibliográficos ha propuesto en su Reporte (IFLA 1998) un modelo para responder a los requerimientos de los registros, el cual contempla la conceptualización de lo que es un trabajo. Esta propuesta describe la estructura de las relaciones entre las entidades y la descripción bibliográfica, adecuando los atributos y relaciones a las necesidades del usuario. El propósito de esta propuesta es delinear, en términos claramente definidos, las funciones del registro bibliográfico con relación a diversos medios, diversas aplicaciones y diversas necesidades de los usuarios. La propuesta cubre un amplio rango de las funciones del registro bibliográfico (i. e. un registro que incluya no solamente elementos descriptivos, sino también puntos de acceso (nombres, títulos y materias, etcétera), otros elementos de la "organización" (clasificación) y notas. Los datos que pueden ser manejados a través de esta propuesta pertenecen a textos, música, materiales cartográficos, audiovisuales, materiales gráficos y tridimensionales. Cubren además, un amplio rango de medios físicos (papel, films, medios de almacenamiento óptico, etcétera). Asimismo, comprenden todos los formatos (libros, hojas sueltas, discos cassettes, cartuchos, etcétera) y reflejan todos los medio para registrar información. (analógico, acústico, eléctrico, digital, óptico, etcétera). Sin duda alguna, esta propuesta tendrá gran influencia en el desarrollo de la organización de la información en el futuro inmediato y mediato.

REFERENCIAS

Carlyle, A. y Summerlin, J. (2002). Transforming catalog displays: record clustering for work of fiction. Cataloging & Classification Quarterly, 33(3/4), 13-26.

IFLA. Study Group on the Functional Requirements for the Bibliographic Records (1998). Final Report. Munchen: K. G. Saur.

Leigh, A. (2002). Lucy is "enceinte": the power of an action in definig a work. Cataloging & Classification Quarterly, 33(3/4), 99-129.

Raghavan, K. S. y Neelameghan, A. (2002). Composite multimedia work on CD: cataloging entry acording to ISBD(ER) and AACR revision 1998. Cataloging & Classification Quarterly, 33(3/4), 193-210.

Smiraglia, R. (2002). Further reflections on the nature of "a work": an introduction. Cataloging & Classification Quarterly, 33(3/4), 27-38.

Svenonius, E. (2002). The intellectual foundation of information organization. Cambridge, Mass.: MIT Press.

Turner, J. M. y Goodrum, A. A. (2002). Modeling videos as works. Cataloging & Classification Quarterly, 33(3/4), 27-38.

La investigación bibliotecológica en la era de la información. La edición consta de 500 ejemplares. Cuidado de la edición, Ignacio Rodríguez Sánchez. Formación editorial, Carlos Ceballos Sosa. Revisión especializada, Francisco Xavier González y Ortiz. Centro Universitario de Investigaciones Bibliotecológicas. Fue impreso en papel cultural ahuesado de 90 gr.en Compuformas PAF, S. A. de C. V. ubicados en Av. Coyoacán número 1031, México, D. F. Se terminó de imprimir en el mes de septiembre de 2004.